作　者　像

Fotografía Reciente del Autor

旋法至極

佛法無邊　　法輪常轉

Este emblema Falun es la miniatura del universo. También tiene su propia forma de existencia y proceso de evolución en todas las otras dimensiones; por tanto, yo lo llamo un mundo.

Li Hongzhi

這個法輪圖形是宇宙的縮影，他在其它各個空間也有他存在的形式、演化過程，所以我說是一個世界。

　　　　　　　　　　　　　　　　　　——李洪志

ZHUAN FALUN

(VERSIÓN EN ESPAÑOL)

LI HONGZHI

Para información, escriba a:

Yih Chyun Book Co., Ltd.
No.229-9, Section 2, Chung-Ching North Road
Taipei, Taiwan 10359

ISBN: 978-1-58613-201-9

Segunda Edición Traducida（Enero ,2002. USA）.

Publicado por: Yih Chyun Book Co., Ltd.

Impreso en Taiwán

LUNYU

Dafa es la sabiduría del Creador. Él es el cimiento para la apertura del Cielo, la formación de la Tierra y la creación y evolución del cosmos; el contenido interno, desde lo extremadamente pequeño hasta lo extremadamente grande, tiene diferentes manifestaciones en los diferentes niveles de los cuerpos celestiales. Desde lo más microscópico del cuerpo celestial hasta la aparición de las partículas más microscópicas, las capas y capas de partículas son infinitas e incalculables, desde lo pequeño hasta lo grande y de nuevo hasta la capa superficial de átomos, moléculas, cuerpos planetarios y sistemas de estrellas que conocen los seres humanos, incluso hasta los más grandes, como las vidas y los mundos de distintos tamaños formados por diferentes tamaños de partículas, que se extienden a lo largo de los cuerpos celestiales del cosmos. Para las vidas sobre los cuerpos de las partículas de distintos niveles, las partículas que son más grandes que las de esta capa son los planetas en sus cielos, capa tras capa es así. Para las vidas de cada capa del cosmos, esto es infinito, no tiene fin. Dafa también creó el tiempo, los espacios, las multitudes de tipos de vidas y las miríadas de materias; no hay nada que no abarque, no hay nada que deje afuera. Esta es la manifestación concreta de las características Zhen-Shan-Ren de Dafa en los diferentes niveles.

Por más desarrollado que esté el método de los seres humanos para explorar el cosmos y la vida, solo están percibiendo una parte del espacio del nivel bajo del cosmos donde existen los seres humanos. Durante las múltiples civilizaciones que aparecieron en la humanidad prehistórica, todas han explorado otros planetas, sin embargo, sin importar cuán alto o lejos volaron, tampoco se alejaron del espacio donde existen los seres humanos. Los seres humanos nunca pueden conocer realmente el despliegue verdadero del cosmos. Si los seres humanos quieren comprender los enigmas del cosmos, de los espacios-tiempo y del cuerpo humano, solo al cultivarse en el Fa recto obtendrán la iluminación recta y elevarán el nivel de las vidas. El xiulian también hace que la calidad de la moral se eleve, y cuando se puede distinguir la bondad y la perversidad verdaderas, lo bueno y lo malo verdaderos, y al mismo tiempo salir del nivel de los humanos, solo entonces se puede ver y contactar el verdadero cosmos y las vidas en los diferentes niveles y diferentes espacios.

Las exploraciones de los seres humanos son para competir tecnológicamente, el pretexto es cambiar las condiciones de la existencia, pero la mayoría se basa en renegar del dios y en ser indulgentes con el autocontrol de la moral humana, por eso, en el pasado, las civilizaciones humanas que aparecieron fueron destruidas múltiples veces. Las exploraciones además solo pueden limitarse adentro del mundo material; el método es que solo cuando un tipo de asunto es reconocido se lo investiga, mientras que las manifestaciones que no pueden ser tocadas ni vistas en el espacio de los seres humanos, pero que existen objetivamente y pueden reflejarse real y concretamente en la realidad de los seres humanos —incluidas la espiritualidad, la fe, las enseñanzas divinas y los milagros de los dioses—, bajo el efecto de la negación de los dioses, nunca se atreven a tocarlas.

Si los seres humanos pueden tomar la moral como base para elevar las conductas humanas y conceptos humanos, solo así la civilización de la sociedad humana podrá durar largo tiempo y los milagros de los dioses también aparecerán nuevamente en la sociedad de los seres humanos. En el pasado aparecieron múltiples veces culturas semidivinas en las sociedades humanas, que elevaron el conocimiento verdadero de los seres humanos hacia la vida y el cosmos. Si las manifestaciones de los seres humanos en el mundo humano hacia Dafa pueden reflejar la debida devoción, respeto e importancia, esto traerá a los humanos, a las naciones o a los países, felicidad, buena fortuna o gloria. Los cuerpos celestiales, el cosmos, las vidas y la miríada de materias fueron creados por el Dafa del cosmos. Si una vida se aleja y le da la espalda a Él, es verdaderamente corrupta; cuando la gente del mundo humano puede concordar con Él, son verdaderamente buenas personas, al mismo tiempo les traerá buena retribución y felicidad-longevidad; siendo un cultivador, si te asimilas a Él, tú eres alguien que ha obtenido el Dao —un Dios.

Li Hongzhi
24 de mayo de 2015

Lunyu: una exposición.

Dafa: la Gran Ley.

Zhen-Shan-Ren: Verdad-Benevolencia-Tolerancia.

Xiulian: xiu: cultivar, arreglarse, mejorarse; lian: refinar, practicar, adiestrarse. La práctica de la cultivación, que en Falun Dafa consiste de xiu y lian, entonces xiulian.

ÍNDICE

Lectura Primera

Guiar Genuinamente a la Gente Hacia Niveles Superiores

Durante todo el curso de mis conferencias sobre la Ley y la práctica de cultivación, he sido responsable ante la sociedad y ante mis estudiantes. Los resultados que hemos obtenido han sido buenos, y su impacto en toda la sociedad también ha sido bastante bueno. Hace unos años, vinieron muchos maestros a enseñar *Qigong*,[1] pero todo lo que ellos enseñaban pertenecía al nivel de curar enfermedades y mejorar las condiciones físicas. Desde luego, no digo que su manera de práctica de *Qigong* no sea buena, simplemente señalo que no enseñaban nada a un nivel superior. También conozco la situación del *Qigong* en todo el país. Actualmente, soy la única persona que enseña genuinamente, dentro y fuera del país, el *Qigong* que conduce a los niveles superiores. ¿Por qué nadie ha hecho algo como enseñar el *Qigong* que conduce a los niveles superiores? Pues porque significaría abordar cuestiones de gran importancia, el remoto origen del *Qigong*, una amplia esfera de asuntos, y puntos muy serios. No es algo que una persona común pueda enseñar, porque comprende las prácticas pertenecientes a muchos sistemas de *Qigong*. En particular, tenemos una gran cantidad de practicantes que han malogrado el cuerpo por practicar hoy un tipo de *Qigong* y mañana otro; por eso, están destinados a no poder desarrollarse en su cultivación. Mientras que otros avanzan siguiendo una vía principal de cultivación, éstos se van por los caminos laterales. Si practican de cierta manera, la otra interfiere. Si practican de la otra manera, aquélla interfiere. Todo está interfiriendo con ellos, y ya no pueden obtener éxito en la práctica de cultivación.

Arreglaremos todos estos asuntos, reteniendo lo bueno y

---

[1] *Qigong*—Una práctica tradicional china que cultiva *Qi*, o "Energía Vital."

1

eliminando lo malo, de modo que se les garantice que van a poder cultivarse de ahora en adelante. Sin embargo, deben ustedes haber venido verdadera y sinceramente para aprender la Gran Ley (*Dafa*)[2]. Si albergan varios apegos y vienen a conseguir capacidades sobrenaturales, curarse las enfermedades, escuchar ciertas teorías, o si vienen con malas intenciones, no les será de ningún provecho. Como he dicho, soy la única persona que está haciendo tal cosa. No habrá muchas oportunidades para algo como esto, y no enseñaré así para siempre. Considero que aquellos que pueden asistir en persona a mis conferencias, yo les diría, sinceramente... en el futuro se darán ustedes cuenta que este período de tiempo es sumamente valioso. Desde luego, creemos en las relaciones predestinadas, y son esas relaciones las que nos han reunido aquí.

Piensen todos en esto: ¿Qué significa el enseñar el *Qigong* hacia los niveles superiores? ¿No es esto ofrecerle la salvación al ser humano? Ofrecerle la salvación al ser humano significa que ustedes realmente estarán practicando la cultivación, y no simplemente curándose las enfermedades y manteniéndose en forma. Por lo tanto, la cultivación genuina tiene el requisito de un *Xinxing*[3] superior para los practicantes. Todos los aquí sentados, hemos venido a aprender la Gran Ley. Por eso, ustedes tienen que comportarse como verdaderos practicantes y deben abandonar sus apegos. Si vienen aquí a aprender la práctica y esta Gran Ley con el propósito de perseguir varios intereses personales, no lograrán nada. Les diré una verdad: El curso entero de cultivación para un practicante consiste en un constante renuncio a los apegos humanos. En la sociedad humana común, la gente compite entre sí, se engñan unos a otros, se hacen daño, y todo por sacar algo de beneficio, por pequeño que éste sea. Todas estas mentalidades deben ser abandonadas. Especialmente por quienes hoy están aprendiendo aquí la práctica, estas mentalidades deben ser abandonadas aún más.

---

[2] *Dafa*—"La Gran Ley"o "La Gran Vía"; principios.
[3] *Xinxing*—Naturaleza del corazón o de la mente; carácter moral.

No voy a hablar sobre el tratamiento de enfermedades, ni tampoco trataré enfermedades. Sin embargo, como practicantes genuinos, no pueden cultivarse con un cuerpo enfermo. Por lo tanto, yo les purificaré el cuerpo, pero sólo a los que realmente han venido a aprender la práctica y la Ley. Aquí quiero señalar enfáticamente que si no pueden librarse del apego ni la preocupación por la enfermedad, no tengo manera de ayudarles, ni puedo hacer nada por ustedes. ¿Por qué? Porque de acuerdo con la Escuela Buda, hay un principio en el universo de que todas las cosas en la sociedad humana tienen relaciones predestinadas. El nacimiento, el envejecimiento, la enfermedad y la muerte existen para una persona común. Como resultado de las deudas kármicas incurridas por cometer maldades en el pasado, uno tiene que sufrir enfermedades y tribulaciones. El sufrimiento es para pagar deudas kármicas, y por eso a nadie se le permite cambiar eso a su voluntad. Cambiarlo significa que la deuda contraída por uno no tiene que pagarse y a nadie se le permite imponer su voluntad en eso. Hacerlo de otro modo sería igual que cometer una maldad.

Algunas personas creen que hacen bien cuando tratan a pacientes, les curan las enfermedades y mejoran sus condiciones físicas. A mi modo de ver, no han curado realmente las enfermedades, sino que sólo las han pospuesto o transformado, en vez de extirparlas verdaderamente. Para poder eliminar realmente tales tribulaciones, tiene que eliminarse el karma. Si alguien es verdaderamente capaz de curar enfermedades y disolver completamente el karma, el nivel de esa persona tendría que ser bastante alto. Ya se habría dado cuenta de una verdad: Los principios de la sociedad humana no pueden violarse a la ligera. Durante el curso de la cultivación, a los practicantes se les permite, por su compasión, hacer algunas bondades como ayudar a otros a curarse las enfermedades y mantener la salud. Sin embargo, uno no puede curar completamente las enfermedades de otros. Si la causa de las enfermedades de una persona común realmente se elimina, un no cultivador saldría de aquí sin ninguna enfermedad. Una vez que salga fuera de esta puerta, continuaría comportándose como una persona común, compitiendo con otros por beneficios personales. ¿Cómo se le puede eliminar el karma a la ligera? ¡Esto está definitivamente prohibido!

¿Por qué, entonces, se puede hacer eso por un practicante? Porque un practicante es valiosísimo, ya que desea cultivarse. Por eso, el generar este pensamiento es lo más valioso. En el Budismo, la gente habla sobre la naturaleza-Buda. Una vez que la naturaleza-Buda de una persona surge, los seres iluminados vendrán a ayudarle. ¿Qué significa eso? En mi opinión, dado que enseño el *Qigong* hacia niveles superiores, esto implica los principios en niveles superiores, como también asuntos de gran importancia. Bien vemos que en el universo, la vida humana no es creada en la sociedad humana común; la creación de la vida real de uno se da en el espacio del universo. Debido a que en este universo hay gran cantidad y variedad de substancias creadoras de vida, la interacción de éstas puede crear vidas. Eso quiere decir que la vida más primitiva de un ser humano proviene del universo. El espacio cósmico es bondadoso y compasivo, poseyendo realmente las características de *Zhen-Shan-Ren*. Al nacer, uno se asimila a las características del universo. Sin embargo, al aumentar el número de vidas, se desarrolla una forma colectiva de relaciones sociales en las que algunas personas pueden desarrollar corazones egoístas, y su nivel gradualmente desciende. Si no pueden permanecer en ese nivel, tienen que caer a un nivel más bajo todavía. Sin embargo, en ese nuevo nivel, pueden volverse malos nuevamente, no pudiendo permanecer allí tampoco, así que continúan cayendo hasta que llegan al final al nivel de los seres humanos.

Toda la sociedad humana se encuentra en un mismo nivel. Desde la perspectiva de las capacidades sobrenaturales o de acuerdo con los grandes seres iluminados, estas vidas deberían haber sido destruidas después de caer a este nivel. No obstante, por su misericordia, los grandes seres iluminados les dieron otra oportunidad y construyeron este ambiente especial y dimensión única. Los seres vivientes en este espacio son bastante diferentes de aquellos en todos los otros espacios del universo. Los seres en esta dimensión no pueden ver a los seres en otras dimensiones ni pueden ver la verdad del universo. Por eso, están realmente perdidos en un laberinto. Para poder curar sus enfermedades o eliminar sus sufrimientos y su karma, estas personas tienen que cultivarse para regresar a su ser original y verdadero. Este es el punto de vista de todas las diferentes escuelas de cultivación. El propósito real de ser un ser humano es el de regresar al origen y volver a la verdad. Por eso, una vez que una persona quiere cultivarse, se dice que esa persona ha revelado su naturaleza-Buda. Esta idea es la más valiosa, porque esa persona desea regresar a su ser original y verdadero trascendiendo el nivel de la gente común.

Quizás hayan oído este dicho del Budismo: "Una vez que la naturaleza-Buda de uno surja, estremecerá 'el Mundo en las Diez Direcciones.'"[4] Quienquiera que lo vea, vendrá a ayudar a esta persona incondicionalmente. Cuando ofrece la salvación a la humanidad, la Escuela Buda no pone ninguna condición ni pide nada en retorno, y puede ayudar a la gente incondicionalmente. Por eso, podemos hacer muchas cosas para nuestros practicantes. Pero a una persona común, que sólo quiere seguir siendo una persona común y curar sus enfermedades, no podemos ayudarle. Algunos pueden pensar: "Voy a comenzar la cultivación a condición de que mis enfermedades se curen." La cultivación no debe requerir ninguna condición. Si uno desea cultivarse, simplemente puede hacerlo. Sin embargo, hay algunas personas que han venido con cuerpos enfermos y algunas llevan mensajes desordenados en el cuerpo. Algunos jamás han practicado *Qigong*, y también hay otros que a pesar de haber practicado durante decenas de años, están estancados en el nivel de Qi,[5] sin haber progresado en la cultivación.

Entonces, ¿qué se puede hacer? Les purificaremos el cuerpo para que puedan subir hacia los niveles superiores de cultivación. Hay un proceso durante la cultivación en el nivel más bajo, que sirve para purificar el cuerpo total y completamente. Les limpiaremos la mente

---

[4] "el Mundo en las Diez Direcciones"—Un concepto budista del universo.
[5] *Qi*—"Energía Vital."

de todos los malos pensamientos, haremos desaparecer el campo kármico alrededor del cuerpo, y expulsaremos los elementos que causan enfermedades, todo de una sola vez. De otro modo, con un cuerpo turbio y oscuro y una mente sucia, ¿cómo pueden practicar la cultivación hacia un nivel superior? Aquí no hacemos ejercicios de *Qi*. Por eso no necesitan practicar cosas de nivel bajo, y los empujaremos a sobrepasar este nivel, haciendo que el cuerpo alcance un estado libre de enfermedades. Mientras tanto, les implantaremos una serie de mecanismos ya preparados para que cimienten una fundación al nivel bajo. De esta manera, podrán comenzar a practicar en un nivel muy alto.

De acuerdo con las convenciones de la práctica de cultivación, ésta consiste en tres niveles si se incluye la práctica del *Qi*. Sin embargo, la práctica genuina de cultivación contiene sólo dos grandes niveles (excluyendo la práctica del *Qi*). Uno es la cultivación de *Shi-Jian-Fa*,[6] y el otro es la cultivación de *Chu-Shi-Jian-Fa*.[7] Las prácticas de cultivación de *Shi-Jian-Fa* y *Chu-Shi-Jian-Fa* son totalmente diferentes de los términos "dentro del mundo" y "fuera del mundo" que se usan en los templos, términos que son solamente teóricos. La nuestra es la transformación genuina del cuerpo humano a través de la práctica de cultivación en dos grandes niveles. Debido a que el cuerpo humano se purifica constantemente durante el curso de la cultivación de *Shi-Jian-Fa*, cuando se llega al nivel más alto de *Shi-Jian-Fa* el cuerpo será reemplazado completamente por la materia de alta energía. La cultivación de *Chu-Shi-Jian-Fa* es básicamente la cultivación de un cuerpo-Buda. Ese cuerpo está compuesto de materia de alta energía, y todas las capacidades sobrenaturales se desarrollan de nuevo. Estos son los dos grandes niveles a los que nos referimos.

---

[6] *Shi-Jian-Fa*—"La Ley Dentro del Mundo Triple." El Budismo sostiene que uno tiene que pasar por el *samsara* (el ciclo de la reencarnación) si no ha alcanzado ir más allá de *Shi-Jian-Fa* o los Tres Reinos.
[7] *Chu-Shi-Jian-Fa*—"La Ley Fuera del Mundo Triple."

Creemos en la relación predestinada. Puedo hacer esto para todos ustedes aquí sentados. Ahora mismo sólo tenemos algo más de dos mil personas, pero yo puedo hacer esto para varios miles de personas y aún para más, hasta para más de diez mil personas. Es decir, no se necesita practicar nada en el nivel bajo. Les empujaré a superar ese nivel después de la purificación de su cuerpo, y les proveeré con un sistema completo de práctica de cultivación para que comiencen a practicar directamente su cultivación hacia los niveles superiores. Sin embargo, voy a hacer esto sólo para los que han venido aquí genuinamente a practicar la cultivación; el que estén simplemente sentados aquí no quiere decir que sean practicantes. Sólo después de que hagan un cambio fundamental en su mentalidad podremos darles todo eso, pero lo que les doy no se limita a eso. Más tarde, van a entender lo que les he dado a todos. Aquí no hablamos de curar enfermedades tampoco. Más bien, hablamos de reajustar el cuerpo de los practicantes holísticamente[8] para que sean capaces de practicar *Gong*.[9] Con un cuerpo enfermo no podrán desarrollar *Gong* en lo absoluto. Por eso, no me pidan que les cure sus enfermedades; no voy a hacer tal cosa. El propósito principal de mi venida al público es el de guiar a la gente a los niveles superiores, guiar genuinamente a la gente a los niveles superiores.

La Ley Varía de Nivel a Nivel

En el pasado, muchos maestros de *Qigong* afirmaban que el *Qigong* estaba dividido en los llamados nivel elemental, nivel intermedio y nivel avanzado. Todos pertenecían al *Qi*, y sólo era algo que pertenecía al nivel de ejercicios de *Qi*, pero fue incluso clasificado como *Qigong* de nivel elemental, nivel intermedio y nivel avanzado. Con respecto a las cosas genuinas de alto nivel, la mente de la mayoría de los practicantes de *Qigong* estaba en blanco, ya que

---

[8] Holísticamente—Viene del concepto del holismo; integrar la suma de todas las partes del ser.
[9] *Gong*—1. Energía de cultivación. 2. Una práctica que cultiva esta energía.

simplemente no sabían nada. De ahora en adelante, todo lo que vamos a exponer será sobre la Ley en los niveles superiores. Además, yo quisiera rehabilitar la reputación de la práctica de la cultivación. En mis conferencias, voy a hablar de algunos fenómenos insanos en la comunidad de cultivadores y de cómo vamos a tratarlos y observarlos. Por otra parte, enseñar el *Gong* y la Ley en los altos niveles implica una amplia gama de asuntos de gran importancia, algunos de los cuales incluso son muy serios; también me gustaría aclarar tales cosas. Alguna interferencia en nuestra sociedad humana común, especialmente en la comunidad de cultivadores, viene de otras dimensiones. También me gustaría hacer eso público. Al mismo tiempo, voy a resolverles esos problemas a los practicantes. De otro modo, no serán capaces de practicar la cultivación. Para resolver fundamentalmente estos problemas, tenemos que considerarlos a todos como cultivadores genuinos. Por supuesto, no es fácil cambiar enseguida la mentalidad de uno, pero en las conferencias siguientes transformarán su pensamiento gradualmente. También espero que escuchen atentamente. La forma en la que enseño *Qigong* es diferente de la de otros. Algunos lo enseñan haciendo simples comentarios sobre los principios de su *Qigong*. Luego conectan sus mensajes a los estudiantes y les enseñan una serie de movimientos de manos, y eso es todo. La gente ya se ha acostumbrado a esta manera de enseñar el *Qigong*.

La enseñanza genuina del *Gong* requiere enseñar la Ley o el Tao. En mis diez conferencias, voy a exponer todos los principios de los niveles superiores para que puedan practicar la cultivación. De otro modo, les será imposible hacerlo. Todo lo que otros han enseñado pertenece al nivel de curar enfermedades y fortalecer las condiciones físicas. Por más que quieran practicar hacia los niveles superiores, no tendrán éxito en la cultivación sin la guía de la Ley de alto nivel. Esta verdad también se aplica si van a la escuela. Si van a la universidad con libros escolares de la escuela primaria, no dejarán de ser alumnos de escuela primaria. Algunas personas piensan que ya han aprendido diversas clases de *Qigong*, tales como este *Qigong* o ese *Qigong*, y tienen un montón de diplomas, pero su *Gong* todavía no ha crecido.

Piensan que esas cosas son la esencia verdadera del *Qigong* y la totalidad del *Qigong*. Están equivocados, porque son sólo conocimientos superficiales de *Qigong* y algo en el nivel más bajo. El *Qigong* incluye mucho más que estas cosas, dado que es la práctica de cultivación al igual que algo de extensa sabiduría y profunda erudición. Además, la Ley varía de nivel a nivel. Por eso es diferente de aquellas prácticas que ejercitan el *Qi* que conocemos en el presente. Será igual, no importa cuánto más hayan aprendido. Déjenme ilustrarlo con un ejemplo: Aunque hayan estudiado los libros escolares de las escuelas primarias británicas, los libros escolares de las escuelas primarias norteamericanas, los libros escolares de las escuelas primarias japonesas y los libros escolares de las escuelas primarias chinas, aún así seguirán siendo alumnos de primaria. Mientras más lecciones de *Qigong* del nivel bajo hayan aprendido y cuanto más hayan absorbido de ellas, tanto más daño les harán, porque se habrán enturbiado el cuerpo.

Debo hacer hincapié en otro punto. Nuestra práctica de cultivación requiere que expongamos la Ley y que enseñemos los ejercicios de práctica. Algunos monjes en los templos, especialmente aquellos del Budismo Zen, quizás tengan opiniones diferentes. En cuanto oigan hablar sobre la enseñanza de la Ley, no estarán dispuestos a escucharla. ¿Por qué? El Budismo Zen cree que la Ley (Fa) no debe enseñarse, que el Fa no es Fa si se enseña, y que no hay Fa que pueda enseñarse; uno sólo puede entender algo por medio del corazón y el alma. Como resultado, a través de toda la evolución del Budismo Zen hasta hoy, no han podido enseñar Fa alguno. El Patriarca Bodidharma del Budismo Zen enseñaba tales cosas basadas en una declaración que hizo Sakyamuni,[10] quien dijo: "Ningún Dharma[11] es definitivo." Basándose en esa declaración, Bodidharma fundó la vía del Budismo Zen. Nosotros consideramos que esta vía de

---

[10] Sakyamuni—El Buda histórico, Siddharta Gautama.
[11] Dharma—Las enseñanzas de Buda Sakyamuni.

cultivación está "cavando dentro de un cuerno de buey."[12] Entonces, ¿qué quiere decir cavar dentro de un cuerno de buey? Cuando Bodidharma comenzó a ahondar en el cuerno, sintió que era espacioso. Cuando el Patriarca II cavó hacia dentro, sintió que no era muy espacioso. El Patriarca III todavía podía pasar por él, pero para el Patriarca IV ya era muy estrecho. Al Patriarca V prácticamente no le quedaba espacio para moverse. Para tiempos de Huineng, el Patriarca VI, ya había llegado a la punta del cuerno y no había manera de continuar. Hoy, si van a un maestro de Zen para aprender Dharma, no hagan preguntas. Si hacen una pregunta, les darán un palo en la cabeza, lo que se llama "palo de advertencia." Eso quiere decir que no pueden hacer preguntas, y que deben iluminarse por sí mismos. Ustedes podrán decir: "He venido aquí para aprender, justamente porque no sé nada. ¿Sobre qué debo iluminarme? ¿Por qué me golpea con un palo?" Eso quiere decir que el Budismo Zen ha llegado a la punta del cuerno del buey y no tiene ya nada que enseñar. Incluso el mismo Bodidharma dijo que podía legar sus enseñanzas sólo a seis generaciones, y que después de eso, no habría más que enseñar. De eso ya hace varios siglos. Sin embargo, hoy día hay algunas personas que todavía se aferran a las doctrinas del Budismo Zen. Entonces, ¿qué quiso decir exactamente Sakyamuni con "Ningún Dharma es definitivo?" Sakyamuni estaba en el nivel de Tathagata.[13] Muchos monjes más adelante no se iluminaron al nivel en que estaba Sakyamuni, al estado mental de su nivel de consciencia, al sentido verdadero del Dharma que él había enseñado o al contenido real de sus palabras. Por eso, la gente más adelante interpretó sus palabras de una y otra manera, con interpretaciones llenas de confusión. Pensaron que "Ningún Dharma es definitivo" quiere decir que el Dhama no se debe enseñar, y que si se enseña, ya no es Dharma. En realidad, eso no

---

[12] "Cavando dentro de un cuerno de buey"—Una expresión china que significa seguir un camino sin salida (un callejón sin salida).
[13] Tathagata—Ser Iluminado con Estado de Fruto en la Escuela Buda que está por encima del nivel de Bodhisattva y Arhat.

es lo que significa. Cuando Sakyamuni se iluminó y abrio su *Gong* bajo el árbol Bodhi, no alcanzó el nivel de Tathagata de inmediato. El también estuvo perfeccionándose constantemente durante los 49 años de su enseñanza del Dharma. Cada vez que alcanzaba un nivel más alto, miraba hacia atrás, y se daba cuenta que el Dharma que recientemente había enseñado estaba todo mal. Luego, después de alcanzar un nivel más alto, se dio cuenta que el Dharma que acababa de enseñar estaba equivocado otra vez. Después de progresar aún más, descubría nuevamente que el Dharma que había enseñado era incorrecto. Siguió progresando constantemente durante todos sus 49 años. Cada vez que alcanzaba un nivel más alto, descubría que el Dharma que había enseñado en el pasado estaba a un nivel bastante bajo de entendimiento. También se dio cuenta que el Dharma en cada nivel era siempre la manifestación del Dharma en ese nivel, que cada nivel tiene su propio Dharma, y que ninguno de ellos es la verdad absoluta del universo. El Dharma en los niveles superiores se acerca más al carácter cósmico que aquél en los niveles más bajos. Esta es la razón por la cual dijo: "Ningún Dharma es definitivo."

Al final, Sakyamuni declaró: "No he enseñado ningún Dharma en toda mi vida." El Budismo Zen otra vez malentendió que esto significaba que no hay Dharma que se pueda enseñar. En sus años avanzados, Sakyamuni ya había alcanzado el nivel de Tathagata. Entonces, ¿por qué dijo que no había enseñado ningún Dharma? ¿Qué es lo que quiso decir exactamente? Lo que quiso decir fue: "Aún a mi nivel de Tathagata, todavía no he visto cuál es la última verdad del universo, ni cuál es el último Dharma." Por eso, le pidió a la gente más adelante que no tomaran sus palabras como la verdad absoluta ni inalterable. De otro modo, esto podría limitar más tarde a la gente al nivel de Tathagata o a un nivel más bajo, y no podrían avanzar hacia los niveles superiores. Más tarde, la gente que le siguió no podía comprender el sentido verdadero de esas palabras, y las malentendió pensando: Si el Dharma se enseña, deja de ser Dharma. En realidad, Sakyamuni quiso decir que el Dharma varía de nivel a nivel, y que el Dharma en cada nivel no es la verdad absoluta del universo. No obstante, el Dharma en dado nivel asume el papel de guía en ese nivel.

Este es exactamente el principio al que él se refería.

En el pasado muchas personas, especialmente las del Budismo Zen, habían mantenido ese prejuicio y tenían un punto de vista sumamente erróneo. ¿Cómo puede uno practicar y cultivarse sin que se le enseñe y se le guíe? Hay muchas historias budistas en el Budismo. Tal vez, algunos de ustedes habrán leído sobre una persona que subió al cielo. Después de llegar al cielo, descubrió que cada palabra en el <u>Sutra de Vajra</u>[14] allá arriba era diferente de la de aquí abajo, y el sentido era completamente diferente. ¿Cómo podía el <u>Sutra de Vajra</u> ser tan diferente de aquél encontrado en el mundo humano común? También hay personas que afirman: "Las Escrituras Sagradas en el Paraíso de la Felicidad Suprema son totalmente distintas de las de aquí abajo, y en nada se parecen. No sólo son distintas las palabras, sino que las implicaciones y el sentido son todos diferentes, ya que aquéllas han cambiado." De hecho, esto es porque la misma Ley tiene diferentes transformaciones y formas de manifestación en diferentes niveles, y puede servir de guía para los cultivadores en diferentes niveles.

Es sabido que en el Budismo hay un folleto titulado <u>Notas del Viaje al Paraíso de la Felicidad Suprema</u>. Este cuenta que mientras un monje estaba sentado en la práctica de meditación, su *Yuanshen*[15] (Espíritu Primordial) llegó al Paraíso de la Felicidad Suprema y vio algunas escenas. Se pasó un día allí; cuando regresó a la Tierra, ya habían transcurrido seis años. ¿Lo vio? Sí, lo vio. Pero lo que él vio no fue su estado verdadero. ¿Por qué? Porque no había alcanzado un nivel suficientemente alto, y lo que se le permitió ver fue sólo la

---

[14] <u>Sutra de Vajra</u>—"Genio Protector"; una antigua escritura budista.
[15] *Yuanshen* (Espíritu Primordial)—Este está subdividido entre el *Zhu Yuanshen* (Espíritu Primordial Principal) y el *Fu Yuanshen* (Espíritu Primordial Asistente). En el pensamiento tradicional chino, se cree que en el cuerpo existen muchos espíritus que gobiernan ciertas funciones y procesos corporales (ej., muchos creían que un espíritu reside en el hígado y gobierna sus funciones).

manifestación de la Ley Buda a su propio nivel. Debido a que un paraíso como ése es una manifestación de la composición de la Ley, no pudo ver la situación verdadera. Eso es lo que quiero decir cuando hablo sobre "Ningún Dharma es definitivo."

Zhen-Shan-Ren es el Unico Criterio Para Distinguir Entre una Persona Buena y una Mala

En el Budismo, la gente ha estado investigando y discutiendo qué es la Ley Buda. Hay también algunas personas que creen que el Dharma que se enseña en el Budismo es realmente toda la Ley Buda, pero en realidad, no lo es. El Dharma que enseñaba Sakyamuni hace 2.500 años iba dirigido a la gente común, en un nivel sumamente bajo; se le enseñaba a gente que recién había evolucionado de una sociedad primitiva y todavía poseía una mente muy sencilla. El Período de Decadencia del Dharma[16] al que él se refería, es precisamente hoy día. La gente actual ya no puede usar ese Dharma para cultivarse. En este Período de Decadencia, incluso a los monjes en los templos les es muy difícil salvarse, mucho menos ofrecer salvación a los demás. El Dharma que enseñaba Sakyamuni se compaginaba con la situación de esos tiempos, y no dio a conocer toda la Ley Buda que él entendía en su propio nivel. Es igualmente imposible mantener el Dharma inalterable para siempre.

Con el desarrollo de la sociedad, la mente humana se ha vuelto más y más sofisticada, haciendo que sea más difícil para la gente cultivarse de este modo. El Dharma en el Budismo no puede abarcar toda la Ley Buda, o mejor dicho, es sólo una diminuta parte de ésta. Hay aún muchas grandes vías de cultivación de la Escuela Buda que han circulado entre el pueblo y han sido legadas sólo a una persona en

---

[16] Período de Decadencia del Dharma—Según el Buda Sakyamuni, el Período de Decadencia del Dharma iba a empezar 500 años después de su muerte, y después de eso su Dharma ya no iba a poder salvar a la gente.

cada generación a través del tiempo. La Ley es diferente de nivel a nivel y de dimensión a dimensión. Todas son las diferentes manifestaciones de la Ley Buda en dimensiones diferentes y en niveles diferentes. Sakyamuni también mencionó que había 84.000 vías de cultivación para cultivar el Estado de Buda. Sin embargo, el Budismo incluye sólo una decena de ellas, tales como el Budismo Zen, la Vía de la Tierra Pura, la Vía Tiantai, la Vía Huayan, el Tantrismo, etc. Ciertamente éstas no pueden contener toda Ley Buda. Incluso, el mismo Sakyamuni no enseñó todo su Dharma; sólo enseñó una parte de éste basado en la habilidad de entendimiento de la gente en aquel tiempo.

Entonces, ¿qué es la Ley Buda? En este universo, la característica más fundamental es *Zhen-Shan-Ren*, la manifestación más alta y la más esencial de la Ley Buda. La Ley Buda se manifiesta de diferentes formas en diferentes niveles y desempeña un papel diferente de guía en diferentes niveles. Cuanto más bajo sea el nivel, tanto más complejas y numerosas son sus manifestaciones. Esta característica de *Zhen-Shan-Ren* está en las partículas microscópicas del aire, piedra, madera, tierra, hierro y acero, el cuerpo humano, como también en toda la materia. La gente antigua decía que los Cinco Elementos[17] constituyen los millares de cosas de la creación y toda la materia en el universo; también tienen esta característica de *Zhen-Shan-Ren*. Los practicantes sólo pueden percibir la manifestación específica de la Ley Buda en el nivel a que haya llegado su cultivación. Este es el Estado de Fruto[18] y el nivel adquirido por ellos en la cultivación. Hablando ampliamente, la Ley es muy inmensa. Vista desde la perspectiva del nivel más alto, la Ley es muy sencilla, porque se asemeja a la forma de una pirámide. En el punto más alto, ésta puede resumirse en tres palabras: *Zhen-Shan-Ren*. La Ley es sumamente compleja cuando se manifiesta en diferentes niveles. Tomemos como ejemplo a un ser humano. La Escuela Tao

---

[17] Cinco Elementos (*Wuxing*)—Metal, madera, agua, fuego, y tierra.
[18] Estado de Fruto—El nivel que uno logra en la Escuela Buda, ej. Arhat, Bodhisattva, Tathagata, etc.

considera el cuerpo humano un pequeño universo. Un ser humano tiene cuerpo físico, pero una persona no puede formar un ser humano íntegro sólo con este cuerpo. Se necesita tener también temperamento, carácter, personalidad y *Yuanshen* para convertirse en un individuo íntegro, independiente y específico. Esta también es la verdad de nuestro universo, el cual contiene la Galaxia de la Vía Láctea, otras galaxias, y también vida y agua. Los millares de cosas de la creación y toda materia en este universo son aspectos de existencia material. Sin embargo, existe simultáneamente con esta característica de *Zhen-Shan-Ren*. Todas las partículas microscópicas de materia encarnan esta característica. Aun las partículas sumamente diminutas contienen esta característica.

La característica de *Zhen-Shan-Ren* es el criterio para juzgar lo bueno y lo malo en este universo. ¿Qué es lo bueno y qué es lo malo? Eso sólo puede juzgarse por ese criterio. Lo mismo ocurre con la virtud (*De*)[19] a que nos referimos en el pasado. Por supuesto, hoy el valor moral de la sociedad humana ya ha cambiado y se ha distorsionado. Si ahora una persona aprendiera de Lei Feng,[20] podría considerársele como un enfermo mental. Pero si eso hubiera ocurrido en las décadas de los 50 y 60, ¿quién habría pensado eso? El valor moral de la humanidad va disminuyendo tremendamente, y los valores morales humanos están decayendo día a día. La gente sólo persigue sus propios intereses y daña a otros por pequeñas ganancias personales. Compiten y luchan unos con otros, recurriendo a todos los medios posible. Piénsenlo bien todos. ¿Puede permitirse que esto continúe así? Cuando alguien está haciendo una maldad, no lo creerá si se le dice que está obrando mal. Esa persona realmente no creerá que está haciendo mal. Algunas personas se juzgan a sí mismas con el valor moral disminuido. Debido a que el criterio de juicio ya ha cambiado, se consideran mejores que otros. No importa cómo cambie el valor moral de la humanidad, esta característica del universo se mantiene siempre igual. Esta característica es el único criterio para

---

[19] *De*—"Virtud"; una substancia blanca.
[20] Lei Feng—Un modelo moral chino en la década de 1960.

juzgar si una persona es buena o mala. Por eso, como cultivadores, deben actuar de acuerdo con esta característica del universo en lugar de actuar según el criterio de la gente común. Si desean regresar al ser original, volver a la verdad y ascender en la cultivación, tienen que comportarse de acuerdo con este criterio. Como seres humanos, se convertirán en buenas personas sólo si pueden actuar de acuerdo con la característica del universo, *Zhen-Shan-Ren*. Si actúan en contra de esta característica, se convertirán en personas verdaderamente malas. En la oficina o en la sociedad, algunos podrán decir que eres malo, pero no eres necesaria ni realmente malo. Algunos podrán decir que eres bueno, pero no eres necesaria ni realmente bueno. Como cultivadores, si se asimilan a esta característica, lograrán definitivamente el Tao. Esto es simplemente un principio muy sencillo.

En la práctica de *Zhen-Shan-Ren*, la Escuela Tao hace hincapié en la cultivación de *Zhen*. Por eso, la Escuela Tao se dedica a la cultivación de *Zhen* para nutrir la naturaleza de uno: Uno debe decir la verdad, actuar de acuerdo con la verdad, convertirse en una persona verdadera, regresar al ser original y volver a la verdad, y finalmente, volverse una persona verdadera a través de la cultivación. No obstante, también incluye *Ren* y *Shan*, pero con el énfasis en *Zhen* en la cultivación. La Escuela Buda pone énfasis en la cultivación de *Shan* de *Zhen-Shan-Ren*, porque la cultivación de *Shan* puede generar el crecimiento de gran bondad y benevolencia. Cuando la compasión de uno se ha desarrollado, encontrará que todos los seres conscientes están sufriendo. Como resultado, la Escuela Buda desarrolla el deseo de ofrecerle salvación a todo ser. Sin embargo, también tiene *Zhen* y *Ren*, pero con el énfasis en *Shan* en la cultivación. Nuestro Falun Dafa se basa en el criterio supremo del universo, *Zhen-Shan-Ren*, que cultivamos todos simultáneamente. El *Gong* que cultivamos es enorme.

El *Qigong* es una Cultura Prehistórica

¿Qué es el *Qigong*? Muchos maestros de *Qigong* han tratado de explicarlo, pero lo que yo digo es bastante diferente de lo que dicen ellos. Muchos maestros de *Qigong* lo explican a su propio nivel, mientras que yo expongo el entendimiento del *Qigong* en un nivel mucho más alto. Mi entendimiento es completamente diferente del de ellos. Algunos maestros de *Qigong* afirman que el *Qigong* tiene una historia de 2.000 años en nuestro país, y también hay algunos que afirman que tiene una historia de 3.000 años. Algunos dicen que el *Qigong* tiene una historia de 5.000 años, tan antiguo como la civilización china. Aún otros dicen, que basándose en lo que muestran los hallazgos arqueológicos, tiene unos 7.000 años de antigüedad, lo que sobrepasa por mucho la historia de nuestra civilización china. Pero no importa cuál sea su entendimiento acerca de la historia del *Qigong*, éste no sería mucho más antiguo que la civilización humana. De acuerdo con la teoría de Darwin sobre la evolución, el ser humano evolucionó primero de plantas acuáticas a animales acuáticos. Después se trasladaron a vivir sobre la tierra y más adelante, a los árboles. Volviendo de nuevo a la tierra, se convirtieron en monos, y finalmente evolucionaron hasta convertirse en seres humanos modernos con la cultura y mentalidad que hoy tenemos. De acuerdo con este cálculo, el surgimiento real de la civilización humana no sobrepasa más de los 10.000 años. Calculando hacia más atrás, incluso no había tal cosa como hacer nudos para recordar las cosas. Esas personas usaban hojas en lugar de ropa y comían carne cruda. Mirando hacia atrás aún más, eran verdaderos salvajes o personas primitivas que quizás ni siquiera sabían usar el fuego.

Sin embargo, hemos descubierto un problema. En el mundo hay muchas reliquias culturales que son mucho más antiguas que la historia de nuestra civilización humana. Todos estos restos de interés histórico tienen un orden muy alto de tecnología y artesanía. En términos de valor artístico, están en un nivel tan sumamente alto que la gente moderna está simplemente imitando las artes de los pueblos antiguos, las cuales tienen muy alto valor de apreciación. No obstante, son restos que se remontan hasta más de 100 mil años, hasta varios centenares de miles de años, hasta varios millones de años, o aún hasta más de 100 millones de años. Piensen todos sobre ello: ¿Acaso esto no está bromeando con la historia de hoy? De hecho, no hay nada de qué bromear, porque la humanidad ha venido siempre perfeccionándose y redescubriéndose a sí misma. Esta es exactamente la forma de cómo se desarrolla la sociedad. Lo que inicialmente se entendió acerca de ella no es necesaria ni absolutamente correcto.

Muchas personas han oído de "la cultura prehistórica," también conocida como "la civilización prehistórica." Ahora vamos a hablar sobre la civilización prehistórica. En la Tierra existen los continentes de Asia, Europa, América del Norte, América del Sur, Oceanía, Africa y Antártida. Los geólogos llaman a todos éstos "placas continentales." Hace decenas de millones de años que las placas continentales comenzaron a tomar forma. Eso quiere decir que una gran cantidad de tierra ha subido del fondo del océano y también una gran cantidad de tierra se ha sumergido al fondo del mar. Como resultado, han transcurrido decenas de millones de años desde que la tierra se estabilizó en el estado presente. Sin embargo, hemos descubierto en muchos fondos oceánicos edificios enormes de tiempos antiguos, cuyos tallados y arquitectura son tan exquisitos que no pueden ser restos culturales de los seres humanos de hoy. Por lo tanto, esos edificios tuvieron que haber sido construidos antes de que la tierra se hundiera al fondo del océano. Entonces, ¿quiénes fueron los que crearon esas civilizaciones hace decenas de millones de años? En aquel tiempo, los seres humanos aún no eran monos. ¿Cómo pudieron haber creado cosas de tan alta sabiduría? Los arqueólogos de todo el mundo han descubierto una clase de organismo llamado trilobite, que existió hace de 600 a 260 millones de años. Esta clase de organismo desapareció hace 260 millones de años. Un científico americano encontró un fósil de trilobite en el que había una huella humana; la huella humana estaba claramente impresa en el fósil por una persona calzada con zapatos. ¿No es eso hacerles una broma a los historiadores? De acuerdo con la teoría de evolución de Darwin, ¿cómo puede ser posible que hayan existido seres humanos hace 260 millones de años?

En el Museo de la Universidad Nacional de Perú, hay una roca en la que está grabada una figura humana, que de acuerdo con la investigación, fue hecha hace 30.000 años. Sin embargo, esa figura humana lleva sombrero, un par de zapatos, y está observando cuerpos celestiales con un telescopio que lleva en las manos. ¿Cómo es posible que la gente de hace 30.000 años supiera tejer tela y llevara ropa? Lo más inconcebible es que él está observando cuerpos celestiales con un telescopio y que ya tenía ciertos conocimientos de astronomía. Hemos creído siempre que fue Galileo, un europeo, el que inventó el telescopio, dándole una historia de sólo poco más de 300 años. Pero, ¿quién había inventado el telescopio hace 30.000 años? Además, hay muchos otros misterios sin resolver. Por ejemplo, hay frescos de losa descubiertos en muchas cavernas de piedra en Francia, Africa del Sur y en los Alpes que parecen realistas y vívidos. Las figuras humanas esculpidas son muy exquisitas y pintadas con pintura mineral. Sin embargo, todas las personas van vestidas al estilo contemporáneo, algo similar al traje occidental y con pantalones ajustados. Algunas de ellas llevan algo semejante a pipas en las manos, mientras que otros llevan bastones y sombreros. ¿Cómo pudieron tener artes de tan alto orden los monos de hace varios centenares de miles de años?

Para dar un ejemplo de algo más remoto, en Africa se encuentra la República de Gabón, rica en mineral de uranio. Como es un país relativamente subdesarrollado, no es capaz por sí solo de extraer el uranio del mineral y lo exporta a países avanzados. En 1972, una planta francesa importó ese mineral de uranio. Las examinaciones químicas demostraron que el mineral de uranio ya había sido extraído y utilizado. Lo encontraron muy extraño y enviaron personal científico a ese país para hacer investigaciones. Los científicos de muchos otros países también fueron allí a investigarlo. Al final, se verificó que la mina de uranio era un reactor nuclear de gran escala, con una disposición tan lógica, que aún a la gente de hoy le sería imposible de construir. Entonces, ¿cuándo fue hecho el reactor? Fue hecho hace 2.000 millones de años y estuvo en operación durante aproximadamente 500.000 años. Estas cifras son simplemente astronómicas, y no pueden explicarse con la teoría de la evolución de Darwin. Hay muchos ejemplos como éste. Lo que el mundo científico y tecnológico del presente ha descubierto es lo suficientemente convincente como para escribir de nuevo los libros escolares de hoy. Una vez que la mentalidad convencional de los seres humanos forma una manera sistemática de funcionar y pensar, las nuevas ideas le son muy difíciles de aceptar. Cuando la verdad misma se presenta, la gente no se atreve a aceptarla y la rechaza instintivamente. Debido a la influencia de los modos de un pensamiento convencional, hoy en día nadie ha recopilado sistemáticamente tales hallazgos. Por eso, los conceptos humanos siempre siguen por detrás de los desarrollos. Siempre que se hable de esas cosas, habrá gente que las llamará supersticiones y las rechazará, aunque ya hayan sido descubiertas. Simplemente no han sido ampliamente popularizadas todavía.

En el extranjero, muchos científicos intrépidos han reconocido públicamente estos fenómenos como culturas prehistóricas, que son civilizaciones anteriores a este ciclo de nuestra presente civilización humana. Es decir, ha habido períodos de civilización anteriores a este ciclo de nuestra civilización, y ha habido más de uno. Los hallazgos arqueológicos revelan que éstos no pertenecieron al período de una sola civilización. Por eso se cree que después de las muchas veces cuando las civilizaciones humanas fueron aniquiladas, sólo un pequeño número de personas sobrevivieron y comenzaron a vivir una vida primitiva. Luego se fueron multiplicando gradualmente y se convirtieron en la nueva raza humana, empezando una nueva civilización. Después, volvieron a exterminarse y a multiplicarse otra vez hasta formar una nueva raza humana. Esto muestra que periódicamente, la humanidad experimenta tales diferentes cambios, uno tras de otro. Los físicos sostienen que el movimiento de la materia sigue ciertas leyes. Los cambios de nuestro universo entero también siguen leyes.

Es imposible que nuestro planeta Tierra, en este vasto espacio del universo y la Vía Láctea, haya estado en órbita tranquilamente todo el tiempo. Es muy probable que nuestra Tierra haya chocado con otro planeta, o bien, haya encontrado otros problemas, causando así grandes catástrofes. Desde la perspectiva de nuestras capacidades sobrenaturales, simplemente fue planeado de esta manera. Después de una meticulosa investigación, descubrí que la humanidad ha sido aniquilada totalmente 81 veces. Con sólo un pequeño resto de la civilización previa, solamente unas pocas personas sobrevivieron y entraron en el próximo período, viviendo nuevamente una vida primitiva. Cuando los seres humanos se multiplican hasta llegar a un gran número, otra civilización emerge otra vez al final. La humanidad ha experimentado 81 veces tales transformaciones periódicas. Sin embargo, yo no las he contado hasta el origen. El pueblo chino cree en la sincronización de los fenómenos celestiales, las condiciones terrestres favorables, y la armonía entre la gente. Las variaciones en los fenómenos celestiales y las variaciones climáticas pueden traer diferentes condiciones a la sociedad humana común. De acuerdo con la ciencia física, el movimiento de la materia sigue ciertas leyes; lo mismo es verdad con el movimiento del universo.

La cultura prehistórica citada arriba les dice que el *Qigong* no es una invención de este ciclo de seres humanos. Fue heredado a través de una época muy remota, y también fue un tipo de cultura prehistórica. Podemos encontrar en escrituras budistas algunas afirmaciones al respecto. Sakyamuni dijo una vez que él había completado su cultivación y había encontrado el Tao hacía varios cientos de millones de *kalpa*.[21] ¿Cuántos años hay en un kalpa? Un kalpa es un número de varios cientos de millones de años. Un número tan enorme es simplemente inimaginable. Si eso es verdad, ¿no está

---

[21] *kalpa*—Un período de tiempo que dura dos mil millones de años; aquí este término se usa como número.

de acuerdo con la historia humana y la evolución de la Tierra? Sakyamuni también dijo que antes de él, habían existido Siete Budas de la edad primitiva, y que él había tenido sus propios maestros, los que habían encontrado el Tao hacía varios cientos de millones de kalpa. Si todo esto es verdad, ¿existen tales vías de cultivación entre esas prácticas ortodoxas y el *Qigong* verdadero que se enseñan hoy en la sociedad? Si me lo preguntan a mí, por supuesto diré que sí las hay, pero que no se ven muy a menudo. Actualmente, los falsos maestros de *Qigong*, el *Qigong* falso y aquellas personas poseídas por animales o espíritus (*futi*)[22] han todos inventado negligentemente algunas cosas para engañar al público. Estos falsos maestros de *Qigong* superan muchas veces el número de los genuinos. Es difícil distinguir el *Qigong* genuino del falso. No es fácil identificar una práctica de *Qigong* genuina, ni tampoco es fácil encontrarla.

De hecho, no sólo fue legado el *Qigong* desde un tiempo remoto. Taiji,[23] Hetu, Luoshu,[24] el Libro de los Cambios,[25] los Ocho Diagramas,[26] etc., son todos restos prehistóricos. Por eso, si hoy los estudiamos y los entendemos desde el punto de vista de la gente común, nunca podremos comprenderlos por ningún medio. Desde el nivel y la perspectiva de la gente común, y desde su estado de consciencia, uno no puede entender las cosas verdaderas.

---

[22] *futi*—Espíritu o animal que se apodera de un cuerpo humano; la posesión por un espíritu o animal.
[23] Taiji—El símbolo de la Escuela Tao, conocido popularmente en el Occidente como el "símbolo de *yin* y *yang*."
[24] Hetu, Luoshu—Diagramas prehistóricos que aparecieron en la China antigua. Se piensa que revelan los cambios en el curso de la naturaleza.
[25] El Libro de los Cambios (Zhouyi)—Un antiguo libro chino de profecía que data de la Dinastía Zhou (1100 a.C.-221 a.C.).
[26] los Ocho Diagramas (Bagua)—Viene del Libro de los Cambios. Un diagrama prehistórico que revela los cambios del curso de la naturaleza.

El *Qigong* es la Práctica de Cultivación

Ya que el *Qigong* tiene una historia tan remota, ¿para qué sirve? Déjenme decirles a todos que como nosotros somos la gran vía de cultivación de la Escuela Buda, naturalmente cultivaremos el Estado de Buda. En la Escuela Tao, uno naturalmente cultiva el Tao para obtener el Tao. Quiero decirles que "Buda" no es una superstición. "Buda" es una palabra del sánscrito, un antiguo lenguaje Hindú. En realidad, eran dos palabras las que se introdujeron en la China en aquel entonces: *"Fo Tuo."* También hubo personas que lo tradujeron como *"Fu Tu."* A medida que la palabra se transmitió de diferentes maneras, nosotros los chinos suprimimos una palabra y lo llamamos *"Fo."* Cuando ésta se traduce al chino, ¿qué quiere decir? Quiere decir "una persona iluminada," alguien que se ha iluminado a través de la práctica de cultivación. ¿Dónde hay aquí algún matiz de superstición?

Ahora pensemos: Uno puede desarrollar capacidades sobrenaturales a través de la práctica de cultivación. Actualmente, se han reconocido en el mundo seis capacidades sobrenaturales, pero no están limitadas sólo a éstas. Yo diría que existen más de diez mil capacidades sobrenaturales genuinas. Mientras un hombre está sentado allí, sin mover ni manos ni pies, pucdc haccr lo que otros no pueden hacer aun con manos y pies; puede percibir la verdadera realidad de cada dimensión del universo. Puede ver la verdad pura del universo y ver lo que es invisible para la gente común. ¿Acaso no es una persona que ha obtenido el Tao por medio de la práctica de cultivación? ¿Acaso no es un gran iluminado? ¿Cómo puede considerársele persona común? ¿No es una persona que se ha iluminado mediante la cultivación? ¿No es correcto llamarle iluminado? En el antiguo lenguaje Hindú se le llamaba un "Buda." En realidad, eso es lo que es. Para eso es lo que se usa el *Qigong*.

Hablando del *Qigong*, algunas personas preguntarán: Si alguien no está enfermo, ¿para qué va a practicar *Qigong*? Eso implica que el

Qigong se usa tan sólo para curar enfermedades. Este es un entendimiento muy superficial del *Qigong*, sumamente superficial. Eso no es culpa de nadie, porque muchos maestros de *Qigong* hacen lo mismo, curar enfermedades y fortalecer la salud. Todos ellos hablan de curar enfermedades y fortalecer la salud. Ninguno ha hablado de la cultivación hacia los niveles superiores. Yo no quiero decir que sus sistemas de cultivación no sean buenos. La misión de ellos es enseñar lo que está en el nivel de curar enfermedades para mejorar la salud y para popularizar el *Qigong*. Hay muchos a quienes les gustaría practicar la cultivación hacia los niveles superiores. Tienen tales pensamientos y tales deseos, pero no han obtenido los métodos de cultivación correctos, y como resultado se han causado grandes dificultades. También les han surgido muchos problemas. Por supuesto, enseñar el *Qigong* genuinamente en niveles altos supone asuntos muy profundos. Por lo tanto, hemos sido responsables ante la sociedad y con la gente durante todo el curso de la enseñanza de *Qigong*, y hemos obtenido buenos resultados. Es verdad que algunas de las cosas que mencionamos son muy profundas, que al comentarse, pueden parecer supersticiones. No obstante, haremos todo lo posible por explicarlas con la ciencia moderna.

Una vez que hablemos de ciertos asuntos, siempre habrá alguien que los llame supersticiones. ¿Por qué es así? El criterio de tal persona es que considerará aquello que la ciencia aún no ha reconocido, lo que ella misma no ha experimentado o lo que estima imposible de existir, todo como superstición o idealismo. Esta es su mentalidad. ¿Es correcta esta mentalidad? ¿Se debe tildar de superstición o idealismo lo que la ciencia aún no haya reconocido o lo que esté más allá del desarrollo de la ciencia? Entonces, ¿no está esa misma persona practicando la superstición y el idealismo? Con esa mentalidad, ¿cómo puede desarrollarse y avanzar la ciencia? La sociedad humana tampoco podrá marchar hacia adelante. Todas las invenciones en el campo de la ciencia y la tecnología eran desconocidas por la gente en el pasado. Si tales cosas fuesen todas consideradas superstición, por supuesto, no habría habido necesidad del desarrollo. El *Qigong* no es algo idealista. Hay muchas personas que no entienden lo que es el *Qigong*, y por eso siempre lo consideran idealista. En la actualidad, con instrumentos científicos hemos descubierto en el cuerpo de un maestro de *Qigong* ondas de infrasonido, ondas de sonido ultra corto, ondas electromagnéticas, rayos infrarrojos, rayos ultravioleta, rayos gamma, neutrones, átomos, restos de elementos de metal, etc. ¿No es todo esto algo de existencia material? También son materia. ¿No se componen todas las cosas de materia? ¿No se componen también de materia otros tiempos-espacio? ¿Cómo puede decirse que el *Qigong* es superstición? Debido a que el *Qigong* se usa para cultivar el Estado de Buda, naturalmente comprenderá muchos puntos de profundidad, y hablaremos sobre todos ellos.

Ya que el *Qigong* se usa para este propósito, ¿por qué lo llamamos *Qigong*? En realidad, no se llamaba *Qigong*. ¿Cómo se llamaba? Se llamaba "práctica de cultivación," y es simplemente la práctica de cultivación. Desde luego, tenía otros nombres específicos, pero hablando generalmente, se llamaba práctica de cultivación. Entonces, ¿por qué se llama *Qigong*? Como es bien sabido, el *Qigong* ha sido popular en la sociedad durante más de 20 años. Apareció por primera vez a mediados de "la Gran Revolución Cultural,"[27] y más tarde llegó a la cima de su popularidad. Piensen todos sobre esto: En aquel entonces prevalecía la ideología ultra-izquierdista. No mencionaremos qué nombres tenía el *Qigong* en las civilizaciones prehistóricas. Durante su desarrollo, este ciclo de la civilización humana pasó por un período de feudalismo. Por lo tanto, el *Qigong* tomaba frecuentemente nombres con un fuerte matiz feudal. Las prácticas que estaban relacionadas con las religiones por lo general tenían nombres con un fuerte matiz religioso. Por ejemplo, la llamada "Gran Vía de Cultivación de Tao," "La Dhyana de Vajra," "La Vía de Arhat,"[28] "La Gran Vía de Cultivación del Dharma de Buda," y "Los

---

[27] "La Gran Revolución Cultural"—Un movimiento político comunista que denunció los valores culturales y tradicionales (1966-1976).
[28] Arhat—Un ser iluminado con Estado de Fruto en la Escuela Buda y uno que está más allá de los "Tres Reinos."

Nueve Dobleces de la Alquimia Interna," etc., eran todos algo semejante. Si alguien hubiera usado esos nombres durante la Gran Revolución Cultural, ¿no se le habría criticado y denunciado? El deseo de los maestros de *Qigong* de popularizar el *Qigong* era bueno y tenían la intención de ayudar al público en general a curar enfermedades, fortalecer la salud, y mejorar las condiciones físicas. ¡Qué bueno hubiera sido eso! Pero eso todavía no se permitía. La gente simplemente no se atrevía a usar estos nombres de esa manera. Entonces, con el fin de popularizar el *Qigong*, muchos maestros de *Qigong* sacaron dos palabras de los textos de <u>Dan Jing</u> y <u>Tao Tsang</u>,[29] y lo llamaron *Qigong*. Algunas personas aún se concentran en el estudio de la terminología de *Qigong*. Allí realmente no hay nada que estudiar. En el pasado se le llamaba simplemente la práctica de cultivación. "*Qigong*" no es más que un nuevo término creado para ajustarse a la ideología de la gente moderna.

¿Por Qué no Aumenta el *Gong* con la Práctica?

¿Por qué no aumenta el *Gong* cuando hacen la práctica? Un gran número de personas piensan de esta manera: "Yo no he recibido enseñanzas genuinas para la cultivación. Si algún maestro me enseña algunas habilidades únicas y técnicas avanzadas, el *Gong* me aumentará." Hoy en día, un 95% de la gente comparte esta misma opinión. Eso me parece muy ridículo. ¿Por qué es ridículo? Porque el *Qigong* no es la maestría de una habilidad usada entre la gente común, sino algo completamente sobrenatural. Por eso, para poder investigarlo, deben aplicarse los principios de los niveles superiores. Quiero decirles a todos que la causa fundamental de que el *Gong* no se desarrolle son dos palabras: cultivación y práctica. La gente sólo presta atención a la "práctica" e ignora la "cultivación." Si buscan algo en el exterior, nunca lo conseguirán por ningún medio. Con el cuerpo de una persona común, las manos de una persona común y la

---

[29] <u>Dan Jing</u> y <u>Tao Tsang</u>—Textos clásicos chinos para la práctica de cultivación.

mente de una persona común, ¿creen que puedan transformar la materia de alta energía en *Gong* o aumentar el *Gong*? ¡Hablar es fácil! En mi opinión, eso es una broma. Es igual que buscar algo fuera de uno mismo y perseguir algo en el exterior. Nunca encontrarán nada.

Esto no es como una cierta habilidad de la gente común que se puede adquirir pagando cierto dinero o aprendiendo algunas técnicas. No es así, ya que es algo fuera del nivel de la gente común. Por eso se les requiere que actúen de acuerdo con principios sobrenaturales. ¿Qué se requiere de ustedes entonces? Deben cultivar solamente el interior de sí mismos sin buscar cosas en el exterior. Muchas personas buscan fuera de sí mismas. Buscan algo hoy, otra cosa mañana. Además, están obsesionadas por tener capacidades sobrenaturales y tienen toda clase de propósitos. Algunas personas incluso desean convertirse en maestros de *Qigong* y tratar enfermedades para hacer fortuna. Sin embargo, la verdadera cultivación requiere la cultivación del corazón, que se llama la cultivación del *Xinxing*. Por ejemplo, en un conflicto de persona a persona, deben tratar con indiferencia las Siete Pasiones y los Seis Deseos. No es fácil incrementar el *Gong* cuando están peleando y luchando contra otros por sus intereses personales. ¿No están haciendo así lo mismo que la gente común? ¿Cómo podrán incrementar su *Gong*? Por eso, sólo haciendo hincapié en la cultivación del *Xinxing*, les podrá aumentar el *Gong* y mejorarles su nivel.

¿Qué es el *Xinxing*? Este incluye el *De* (virtud, una forma de materia), *Ren* (Tolerancia, Paciencia, Resistencia), *Wu* (cualidad de entendimiento), *She* (el sacrificio, abandonar toda clase de deseos y apegos de la gente común), la capacidad para sobrellevar las penas, etc. Cubre cosas de muchos aspectos. Sólo cuando cada aspecto de su *Xinxing* haya mejorado, podrán progresar realmente. Este es un factor crucial para el aumento de la Potencia de Energía (*Gongli*).

Algunas personas pueden pensar: "El asunto del *Xinxing* que mencionaste concierne a algo ideológico y a un asunto de la consciencia humana. No tiene nada que ver con el *Gong* que practicamos." ¿Por qué no es la misma cuestión? A lo largo de las épocas, en el campo ideológico han existido siempre discusiones y debates en la comunidad de filósofos sobre este tema: ¿Qué viene primero, la materia o la mente? Puedo decirles que en verdad, la materia y la mente son lo mismo. En la investigación científica del cuerpo humano, los científicos de ahora creen que el pensamiento emitido por el cerebro humano es precisamente una substancia. Si el pensamiento es algo de existencia material, entonces, ¿no es también algo de la mente humana? ¿No son las dos cosas lo mismo? Precisamente como el universo que he descrito, éste no sólo existe en forma de materia, sino también, al mismo tiempo, tiene su característica. La gente común no puede detectar la existencia de esta característica de *Zhen-Shan-Ren* del universo, porque la gente común se encuentra toda en un mismo nivel. Cuando sobrepasen el nivel de la gente común, serán capaces de percibirlo. ¿Cómo lo percibirán? Toda la materia en el universo, inclusive todas las substancias que llenan el universo entero, son entidades inteligentes con una mente que piensa, y todas son formas de existencia de la Ley cósmica en diferentes niveles. No les permiten subir a los niveles superiores. Aunque deseen ascender, no pueden. Simplemente no les permiten ascender. ¿Por qué no los dejan subir? Porque su *Xinxing* no es lo suficientemente alto para eso. Hay un criterio diferente para cada nivel. Si quieren elevar su nivel, deben abandonar sus malos pensamientos y limpiar la mente de todas las cosas sucias para poder asimilarse a la norma que se requiere en ese nivel. Sólo de esta manera podrán ascender.

Con el mejoramiento de su *Xinxing*, vendrá un gran cambio en su cuerpo. Al mejorarse su *Xinxing*, ocurrirá seguramente una transformación en la materia del cuerpo. ¿Qué clase de cambios tendrán lugar? Dejarán las cosas malas que han buscado y seguido. Por ejemplo, si una botella llena de cosas sucias se sella herméticamente con su tapa y se tira al agua, se hundirá inmediatamente hasta el fondo. Ahora sacan de ella algunas cosas sucias. Cuanto más la vacíen, tanto más alto subirá. Si se le han sacado todas las cosas sucias, la botella subirá completamente a la superficie del agua. En el curso de la cultivación, se requiere que limpien el cuerpo de toda clase de cosas malas con el objetivo de permitir que cada quien pueda ascender a un nivel más alto. La característica de este universo desempeña justamente tal papel. Si no cultivan el *Xinxing*, no elevan su valor moral y no descartan sus pensamientos y substancias malas, ésta no les permitirá ascender a un nivel más alto. Entonces, ¿cómo pueden decir que no son idénticas la materia y la mente? Vamos a ilustrarlo con una broma. Si un hombre obtiene permiso de ascender al Estado de Buda con las Siete Pasiones y los Seis Deseos que se encuentran entre la gente común, sólo imagínense, ¿sería posible eso? Quizás se le ocurriría una idea perversa al ver a una hermosísima Bodhisattva.[30] Esa misma persona podría empezar un conflicto con un Buda porque su apego a la envidia no ha sido eliminado. ¿Cómo se puede permitir que exista tal cosa? Entonces, ¿qué deben hacer? Deben deshacerse completamente de toda clase de pensamientos malos que tengan como gente común. Sólo de esta manera podrán ascender a un nivel más alto.

Es decir, deben prestar atención a la cultivación del *Xinxing* y practicar la cultivación de acuerdo con la característica del universo, *Zhen-Shan-Ren*. Tienen que despojarse de los deseos de la gente común, los pensamientos inmorales y toda idea de hacer maldades. Con un pequeño mejoramiento de su estado mental, algunas de las substancias malas en su cuerpo se eliminarán. Mientras tanto, tendrán que soportar algunas penas y sufrir un poco para eliminar algo de su karma. Entonces, podrán elevarse un poco más; es decir, la característica del universo no los restringirá tanto. La cultivación depende de los esfuerzos de uno mismo, mientras que la transformación del *Gong* depende del maestro. Su maestro les ha proporcionado un *Gong* que desarrolla su *Gong*. Ese *Gong* funcionará, transformando la substancia de la virtud fuera de su cuerpo en *Gong*. Mientras se mejoran constantemente y suben en la práctica de

---

[30] Bodhisattva—Un ser femenino iluminado con Estado de Fruto en la Escuela Buda, y que está por encima de un Arhat e inferior a un Tathagata.

cultivación, su Pilar de *Gong* (*Gongzhu*)[31] también crecerá continuamente. Como cultivadores, deben cultivarse a sí mismos, templarse en el ambiente de la gente común y deshacerse gradualmente de sus apegos y sus varios deseos. Frecuentemente, lo que nuestra humanidad considera bueno, usualmente se considera malo desde la perspectiva de los altos niveles. Por lo tanto, lo que la gente considera bueno es ganar más intereses personales entre la gente común, y así vivir una vida mejor. Al juicio de los grandes seres iluminados, esa persona está peor parada. ¿Por qué es tan malo eso? Cuanto más gana uno, tanto más daño hace a otros, porque uno obtendrá cosas que no se merece. Esa persona prestará mucha atención a la fama y la riqueza, y así perderá su virtud. Si desean incrementar el *Gong* sin prestar atención a la cultivación del *Xinxing*, no incrementarán su *Gong* en lo absoluto.

La comunidad de cultivadores sostiene que el *Yuanshen* de uno es inmortal. En el pasado, la gente probablemente lo llamaría supersticioso si se hablara sobre el *Yuanshen*. Es sabido que en el estudio del cuerpo humano, la ciencia física ha encontrado moléculas, protones, electrones, y con una investigación más adelantada hasta quarks, neutrinos, etc. A ese punto, éstos ya están fuera de la visibilidad de un microscopio. Sin embargo, esto está aún demasiado lejos del origen de la vida y del origen de la materia. Todos sabemos que es necesaria una gran colisión de energía y una enorme cantidad de calor para producir la fusión o la fisión nuclear. ¿Cómo pueden los núcleos atómicos en el cuerpo de uno extinguirse tan fácilmente cuando uno muere? Por eso, hemos descubierto que cuando una persona está muerta, solamente los elementos moleculares más grandes en esta dimensión nuestra son desechados, mientras que los cuerpos en otras dimensiones no son destruidos. Por favor, piensen en lo que parece un cuerpo humano bajo el microscopio. El cuerpo humano entero está en movimiento. Incluso cuando ustedes se quedan sentados allí inmóviles, su cuerpo entero está en movimiento. Las células moleculares están en movimiento y el cuerpo entero está

---

[31] *Gongzhu*—Pilar de *Gong* que crece por encima de la cabeza de un practicante.

sueltamente ordenado, como si estuviera hecho de arena. Un cuerpo humano se ve justamente así a través de un microscopio, y eso es completamente diferente del cuerpo humano que vemos con nuestros ojos. Eso se debe a que este par de ojos humanos pueden producir impresiones falsas, impidiéndole a uno ver tales cosas. Cuando el Tercer Ojo (*Tianmú*)[32] de uno está abierto, las cosas pueden verse magnificadas. Eso era originalmente una capacidad innata del ser humano, pero ahora se llama una capacidad sobrenatural. Si quieren desarrollar capacidades sobrenaturales, deben retornar a su ser original y verdadero, y regresar a través de la cultivación.

Ahora voy a decir algo sobre la virtud. ¿Qué relación específica tiene ésta? Vamos a analizarla detalladamente. Como seres humanos, tenemos un cuerpo en cada una de las muchas dimensiones. Cuando estudiamos el cuerpo humano ahora, los elementos visibles más grandes son las células, y éstas componen nuestro cuerpo humano físico. Si pueden entrar en el espacio entre las células y las moléculas, o el espacio entre las moléculas, descubrirán que ustedes mismos han entrado en otra dimensión. ¿A qué se parece la forma de existencia de ese cuerpo? Por supuesto, no pueden usar los conceptos de esta dimensión para entenderlo, y su cuerpo debe asimilarse a los requisitos de la forma de existencia de esa dimensión. El cuerpo en otra dimensión puede hacerse grande o pequeño, y entonces encontrarán que es otra dimensión incomparablemente inmensa. Esto se refiere a una forma sencilla de existencia de otras dimensiones, las cuales existen en el mismo lugar y al mismo tiempo. Cada persona tiene un cuerpo específico en cada una de tantas otras dimensiones, y en una dimensión específica hay un campo alrededor del cuerpo humano. ¿Qué clase de campo es éste? Ese campo es exactamente la virtud de la que hablamos. La virtud es una substancia blanca, pero no es como pensábamos en el pasado, una cosa espiritual o ideológica. Es absolutamente una clase de existencia material. Por eso, en el pasado los viejos solían hablar de acumular virtud o perder virtud, y

---

[32] *Tianmú*—"Ojo Celestial"; también conocido como "Tercer Ojo."

lo que decían era absolutamente correcto. Esta virtud forma un campo alrededor del cuerpo humano. Anteriormente en la Escuela Tao, el maestro era el que buscaba a su discípulo, no era el discípulo el que buscaba a su maestro. ¿Qué significa eso? Un maestro sólo deseaba ver si ese discípulo llevaba una gran proporción de virtud alrededor del cuerpo. Si el discípulo tenía mucha virtud, le iba a ser fácil practicar la cultivación. De otro modo, no iba a poder hacerlo fácilmente, e iba a tener mucha dificultad para desarrollar el *Gong* hacia los niveles superiores.

Al mismo tiempo, coexiste una substancia negra que aquí llamamos "karma," y que se llama "karma pecaminoso" en el Budismo. La substancia blanca y la negra existen simultáneamente. ¿Cuál es la relación entre estas dos substancias? La substancia de la virtud se logra después de que hemos soportado penas, sufrido dificultades o efectuado obras buenas, mientras que la substancia negra se obtiene después que hemos cometido maldades, hecho cosas malas o maltratado a otros. Hoy en día, algunas personas no sólo se dedican totalmente a la búsqueda de ganancias, sino que también hacen toda clase de perversidades. Por dinero cometen toda clase de crímenes, tales como matar, incriminar a gente inocente, comprar la vida de alguien con dinero, practicar la homosexualidad, y el consumo abusivo de drogas. Hacen toda clase de cosas. Cuando uno comete maldades, pierde virtud. ¿Cómo pierde virtud una persona? Cuando una persona maldice a otro, piensa que se ha aprovechado del otro y se ha desahogado. Sin embargo, en este universo hay un principio que se llama: "Sin pérdida, no hay ganancia." Para ganar, uno tiene que perder. Si ustedes no quieren perder, se les forzará a hacerlo. ¿Quién se encarga de eso? Es precisamente la característica del universo la que asume este papel. Por eso, es imposible si sólo piensan en ganar cosas. ¿Qué pasará entonces? Cuando un hombre está maldiciendo o maltratando a otro, él mismo está tirándole su virtud a esa persona. Como la otra persona es la que sufre pérdidas y penas, se le compensará como corresponde. Cuando una persona maldice a otra, con esas maldiciones, un trozo de virtud de su propio campo dimensional se va volando y cae en el cuerpo de la otra.

Cuanto más la maldiga, tanta más virtud le dará. Lo mismo sucede al golpear o humillar a otros. En cuanto uno le da un puñetazo o un puntapié a otra persona, la virtud de uno se la envía a la otra conforme a la fuerza con que la golpea. Una persona común no puede ver este principio en este nivel. Sintiéndose humillada, no puede tolerarlo y piensa: "Ya que tú me has dado un puñetazo, voy a devolvértelo." "Zas," le asesta un puñetazo y le devuelve la virtud al otro. Ninguno de los dos ha perdido o ganado. Sin embargo, puede pensar: "Tú me has dado un golpe, así que voy a darte dos. De otro modo, no me sentiré vengado." Así le dará otro golpe, y otro trozo de virtud se separará de su cuerpo y volará al de la otra persona.

¿Por qué valoramos tanto esta virtud? ¿Qué clase de relación existe en la transformación de la virtud? Las religiones afirman: Si uno tiene virtud, ganará algo en su vida próxima, si no es en esta vida. ¿Qué ganará uno? Si uno tiene mucha virtud, probablemente se convertirá en un funcionario de alto rango o hará grande fortuna. Uno puede obtener lo que quiera, todo se adquiere a cambio de la virtud. Las religiones también mencionan que si uno ha agotado su virtud, tanto su cuerpo como su alma se destruirán. El *Yuanshen* de uno se aniquilará, y al morir, uno estará ya completamente muerto sin quedarle nada. Sin embargo, nosotros en el campo de la cultivación, decimos que la virtud puede transformarse directamente en *Gong*.

Ahora vamos a hablar sobre cómo la virtud se transforma en *Gong*. En la comunidad de cultivadores hay un dicho: "La cultivación depende de los esfuerzos de uno mismo, mientras que la transformación del *Gong* depende del maestro de uno." Sin embargo, algunos enseñan a "colocar un crisol en un horno para hacer el *Dan*[33] usando hierbas medicinales recolectadas"[34] y actividades mentales, porque piensan que eso es muy importante. Déjenme decirles que eso

---

[33] *Dan*—Masa de energía en el cuerpo de un cultivador, recolectada de otras dimensiones.
[34] "Colocar un crisol en un horno para hacer el *Dan* con hierbas medicinales recolectadas"—Metáfora taoísta para la Alquimia Interna.

no tiene nada de importancia y es un apego si piensan demasiado en ello. ¿No están apegados a algo que persiguen si piensan demasiado en ello? La cultivación depende de los esfuerzos de uno mismo, mientras que la transformación del *Gong* depende de su maestro. Para ustedes es suficiente tener ese deseo. Es realmente su maestro el que lo hace, ya que ustedes no pueden hacerlo en lo absoluto. Con un cuerpo humano común como el suyo, ¿cómo serían capaces de transformarlo en un cuerpo vital de alto nivel compuesto de materia de alta energía? Eso es absolutamente imposible. Incluso el hablar sobre eso suena a broma. El proceso de transformación de un cuerpo humano en otra dimensión es muy sutil y complejo. Es tan complejo que está completamente fuera de la capacidad de ustedes.

¿Qué les va a dar su maestro? Les va a dar el mecanismo de *Gong* que desarrolla su *Gong*. Debido a que la virtud se encuentra fuera del cuerpo humano, la virtud es la que da nacimiento al *Gong* real de uno. La virtud es lo que determina tanto la altura del nivel de uno y la fuerza de su Potencia de Energía. Su maestro transforma su virtud en *Gong*, el cual crece en forma espiral hacia arriba. El *Gong* que decide verdaderamente el nivel de logro de uno se desarrolla fuera del cuerpo, y crece en forma espiral, formando eventualmente un Pilar de *Gong* después de que crezca encima de la cabeza. Con una sola mirada a la altura del Pilar de *Gong* de esa persona, uno puede discernir la altura de su *Gong*. Ese verdaderamente es el nivel de cultivación y Estado de Fruto[35] al que se refiere el Budismo. Mientras están sentados en la práctica, el *Yuanshen* de algunos puede salir de su cuerpo y alcanzar un cierto nivel. Aún si uno lo intenta, su *Yuanshen* no puede ascender más, y no se atreve a ascender. Debido a que sube sentado encima de su propio Pilar de *Gong*, sólo puede ascender hasta esa altura. Puesto que su Pilar de *Gong* está sólo a esa altura, no puede ascender más. Ese es el asunto del Estado de Fruto que menciona el Budismo.

También hay una regla que se usa para medir qué tan alto es el

---

[35] Estado de Fruto—El nivel de logro de uno en la Escuela Buda, v.g., Arhat, Bodhisattva, Buda, etc.

Xinxing de uno. La regla y el Pilar de *Gong* no se encuentran en una misma dimensión, pero coexisten al mismo tiempo. El *Xinxing* de ustedes ya se ha mejorado con la cultivación, si por ejemplo, cuando alguien los insulta entre la gente común, no pronuncian ni una sola palabra y se sienten completamente calmados, o si cuando alguien les da un puñetazo no dicen nada y lo dejan pasar con una sonrisa. Su nivel de *Xinxing* ya es muy alto. Ya que son cultivadores, ¿qué deben ganar? ¿No van a ganar *Gong*? A medida que sube su *Xinxing*, su *Gong* crece también. La altura del *Gong* depende de la altura del *Xinxing*. Esta es una verdad absoluta. En el pasado, ya sea que las personas practicasen *Qigong* en el parque o en la casa, lo hacían con mucho esmero y dedicación, y practicaban bastante bien. Sin embargo, una vez que salían fuera, se comportaban de forma diferente y hacían lo que querían, peleando y luchando contra otros por fama y riqueza entre la gente común. ¿Cómo iba a poder crecer su *Gong*? No iba a poder crecer en lo absoluto. Esta es también la razón por la cual no podían librarse de sus enfermedades. ¿Por qué algunos no han eliminado sus enfermedades después de un largo tiempo de practicar el *Qigong*? El *Qigong* es la práctica de cultivación y es algo sobrenatural; no es el ejercicio que hace la gente común. Por eso, sólo prestando mucha atención al *Xinxing*, podrá uno curarse de sus enfermedades e incrementar su *Gong*.

Algunas personas creen en la colocación de un crisol en un horno para hacer el *Dan* con las hierbas medicinales recolectadas, y consideran que este *Dan* es *Gong*. Pero no lo es. Este *Dan* contiene sólo una parte de la energía, y no incluye toda la energía. ¿Qué clase de materia es el *Dan*? Como todos sabemos, tenemos otras cosas para cultivar la vida, y nuestro cuerpo desarrollará capacidades sobrenaturales y numerosas habilidades. La mayor parte de éstas están bajo llave y su uso no está permitido. Hay muchas capacidades sobrenaturales, más de diez mil clases. Tan pronto como una se forma, se bloqueará. ¿Por qué no está permitido que se manifiesten? El propósito es de no permitirles usarlas a la ligera en la sociedad humana común para hacer cosas. No está permitido que ustedes despreocupadamente perturben la sociedad humana ordinaria, ni está permitido que muestren a la ligera sus habilidades en la sociedad humana común. Eso es porque los actos suyos podrían dañar el estado de la sociedad humana común. Muchas personas practican la cultivación por la vía de iluminarse a la verdad. Si ustedes les demostraran todas sus habilidades, ellas verían que todo es real, y vendrían todas a practicar la cultivación. Incluso las personas que han cometido perversidades imperdonables vendrían también a practicar la cultivación, y eso no está permitido. Por eso, no se les permite a ustedes demostrarlas de esa manera. Además, ustedes podrían muy fácilmente hacer maldades porque no pueden ver la relación predestinada, ni la naturaleza real de las cosas. Pueden pensar que están haciendo algo bueno, pero puede que sea algo malo. Por eso, no está permitido que usen estas capacidades sobrenaturales, porque una vez que cometan una maldad, su nivel bajará y su cultivación será en vano. Como resultado, muchas capacidades sobrenaturales están bajo llave. Entonces, ¿qué pasará? Cuando llegue el día en que se vuelvan *KaiGong*[36] y se conviertan en iluminados, ese *Dan* servirá como una bomba que explota y abre todas las capacidades sobrenaturales, todas las cerraduras y todos los puntos de acupuntura en el cuerpo. Con una sacudida "¡Pum!," todas se abrirán explotando. Para eso es lo que se usa el *Dan*. Cuando se efectúa la incineración de un monje después de su muerte, se encuentran restos de *sarira*.[37] Algunos dicen que son huesos y dientes. Pero, ¿por qué no los tiene una persona común? Eso es precisamente el *Dan* que ha explotado, y su energía se ha desatado. Contiene en sí mismo gran cantidad de substancias de otras dimensiones. Después de considerar todo, es algo de existencia material, pero es de poco uso. La gente en la actualidad lo considera una cosa muy valiosa. Contiene energía, brilla, y es también muy duro. Eso es lo que es el *Dan*.

Hay todavía otra razón que impide el aumento del *Gong*. Debido al no saber la Ley existente en los niveles altos, uno no puede subir en

---

[36] *KaiGong*—La liberación final de la energía de cultivación; iluminación completa.
[37] *sarira*—Las reliquias de un monje después de la incineración.

la cultivación. ¿Qué significa eso? Como acabo de decir, algunas personas han practicado muchos ejercicios de *Qigong*. Déjenme decirles que no importa cuántos más hayan estudiado, aún es en vano. Siguen siendo sólo alumnos de escuela primaria, alumnos de escuela primaria en la práctica de la cultivación. Todos los principios que hayan aprendido pertenecen al nivel bajo. Los principios del nivel bajo no pueden desempeñar ningún papel para guiar su práctica de cultivación hacia los niveles altos. Si ustedes aprenden con textos escolares de primaria en la universidad, seguirán siendo alumnos de primaria. No importa cuántos estudien, no les servirá de nada. En cambio, les resultará aún peor. La Ley varía de nivel a nivel. La Ley desempeña diferentes papeles de guía en diferentes niveles. Por eso, los principios aplicados para los niveles bajos no pueden guiarlos a la cultivación hacia los niveles superiores. Lo que vamos a exponerles de ahora en adelante son los principios que se requieren para la cultivación hacia los niveles superiores. Estoy incorporando cosas existentes en diferentes niveles en la enseñanza. Por eso, de ahora en adelante esto les servirá de guía en su práctica de cultivación en el futuro. Tengo varios libros, cintas magnetofónicas y vídeos. Verán que después de leerlos y escucharlos una vez, seguirán guiándolos cuando los lean y escuchen nuevamente después de un tiempo. Como están mejorándose a sí mismos progresivamente, continuarán sirviéndoles de guía. Esta es la Ley. Lo susodicho constituye las dos razones por las cuales uno no es capaz de incrementar su *Gong* cuando practica *Qigong*. Sin conocer la Ley que guía la cultivación en los niveles superiores, no puede uno practicar la cultivación. Sin cultivar el ser interior y sin cultivar el *Xinxing*, no puede uno incrementar su *Gong*. Estas son las dos razones.

Características de Falun Dafa

Nuestro Falun Dafa es una de las 84.000 vías de cultivación de la Escuela Buda. Durante el ciclo histórico de esta civilización humana, nunca se había enseñado en público. Sin embargo, durante cierto período prehistórico, fue popularizado para ofrecer la salvación a los seres humanos. Ahora en el período final del Ultimo Estrago,[38] yo lo estoy haciendo público una vez más. Por eso, es sumamente valioso. He explicado el proceso por el cual las virtudes se transforman directamente en *Gong*. En realidad, el *Gong* no se adquiere a través de la práctica. Se adquiere a través de la cultivación. Muchas personas intentan incrementar su *Gong* y sólo prestan atención a cómo practicar, sin darle importancia a cómo hacer la cultivación. En realidad, el *Gong* se consigue sólo a través de la cultivación del *Xinxing*. Entonces, ¿por qué enseñamos aquí también a practicar los ejercicios? Primero, quisiera hablar sobre el por qué un monje no practica ningún ejercicio. El principalmente se sienta en meditación, lee los Sutras, cultiva su *Xinxing* y puede entonces incrementar su *Gong*. Incrementa su *Gong*, lo que eleva su nivel logrado. Debido a que Sakyamuni enseñaba a la gente a abandonar todas las cosas en el mundo humano, inclusive el *Benti*,[39] los movimientos físicos eran entonces innecesarios. La Escuela Tao no ofrece salvación a todos los seres conscientes. Por eso, los taoístas no tienen que encarar a personas de diferentes mentalidades y niveles, algunas de las que pueden ser muy egoístas y otras, menos egoístas. Los taoístas seleccionan a sus discípulos. Si se selecciona a tres discípulos, sólo a uno se le imparte la enseñanza verdadera. Tiene que haber certidumbre de que esa persona es muy virtuosa, muy buena y que no se va a desviar. Por eso, el maestro enfatiza la enseñanza de los movimientos de manos con el fin de cultivar la vida y de cultivar poderes divinos, otras habilidades, etc. Esto requiere algunos ejercicios.

Falun Dafa es también un sistema de cultivación que integra el cuerpo y la mente, por eso requiere practicar algunos movimientos. Por un lado, los movimientos se usan para fortalecer las capacidades

---

[38] Ultimo Estrago—La comunidad de cultivadores sostiene que el universo tiene tres fases de evolución (el Primer Estrago, el Estrago Intermedio, y el Ultimo Estrago), y que ahora estamos en el período final del Ultimo Estrago.
[39] *Benti*—El cuerpo físico, aquí y en otras dimensiones.

sobrenaturales. ¿Qué es el fortalecimiento? Es el fortalecimiento de sus capacidades sobrenaturales por medio de su poderosa Potencia de Energía, haciéndolas progresivamente más fuertes. Por otro lado, muchas entidades vivientes necesitan desarrollarse en el cuerpo de ustedes. En la práctica de cultivación de alto nivel, la Escuela Tao requiere el nacimiento del Infante Inmortal (*Yuanying*),[40] mientras que la Escuela Buda requiere el cuerpo indestructible de Vajra. Además, muchas habilidades sobrenaturales aparecerán también por medio del desarrollo. Todas estas cosas se practican y necesitan desarrollarse a través de los ejercicios, y son lo que nuestros movimientos de manos cultivan. Un sistema completo de cultivación que cultiva el cuerpo y la mente, requiere tanto la cultivación como la práctica. Ahora creo que todos ya entienden cómo se logra el *Gong*. El *Gong* que realmente determina su nivel de logro no se consigue en lo absoluto a través de la práctica, sino por medio de la cultivación. A través de mejorar su *Xinxing* y de asimilarse a la característica del universo en el curso de su cultivación entre la gente común, la característica del universo no los restringirá más; así serán capaces de ascender al nivel alto. La virtud comenzará a transformarse en *Gong*, y con el mejoramiento de su *Xinxing*, el *Gong* crecerá naturalmente. Tal es la relación entre éstos.

La nuestra es una práctica de cultivación genuina que cultiva simultáneamente tanto: el cuerpo como la mente. El *Gong* que cultivamos se almacena en cada célula del cuerpo, y el *Gong* compuesto de materia de alta energía se almacena hasta en las minúsculas partículas originales de materia que existen en estado sumamente microscópico. Con el crecimiento de su Potencia de Energía, la densidad y el poderío del *Gong* también aumentarán. Esta materia de alta energía es inteligente. Debido a que se almacena en cada célula del cuerpo humano llegando hasta el origen de la vida, gradualmente llegará a ser de la misma forma que las células en su cuerpo, tomando el mismo orden de colocación molecular y la misma

---

[40] *Yuanying*—Término taoísta para "el Infante Inmortal."

formación de todos los núcleos atómicos. Pero ha ocurrido un cambio fundamental, es decir, su cuerpo ya no es aquel cuerpo compuesto de las células físicas originales. ¿No significa eso que ya no se encuentran dentro de los Cinco Elementos? No obstante, su cultivación aún no ha terminado, y todavía tienen que practicar la cultivación entre la gente común. Por eso, en la superficie todavía aparentan ser personas comunes. La única diferencia consiste en que aparentan ser mucho más jóvenes que la gente de su misma edad. Naturalmente, todas las cosas malas en su cuerpo, incluso las enfermedades, desde un principio tienen que eliminarse. Sin embargo, aquí no curamos enfermedades. Les estamos purificando el cuerpo, y no usamos el término de "curar enfermedades." Lo llamamos simplemente "purificación del cuerpo," y les limpiamos el cuerpo a los practicantes genuinos. Algunos han venido aquí sólo para curarse de sus enfermedades. A aquellos que están seriamente enfermos, no les permitimos asistir a las conferencias, porque no pueden dejar de pensar en sus enfermedades. Si uno está gravemente enfermo y sufre grandes molestias, ¿puede uno dejar de pensar que está enfermo? Esa persona es incapaz de practicar la cultivación. Hemos enfatizado una y otra vez que a los que están seriamente enfermos no los admitimos en las conferencias. Nos encontramos aquí para practicar la cultivación, lo cual está muy lejos de lo que ellos piensan. Ellos pueden encontrar a otros maestros de *Qigong* para que les ayuden. Por supuesto, tenemos muchos alumnos que están enfermos. Ya que son cultivadores genuinos, trataremos estas cosas para ustedes.

Después de un período de práctica de cultivación, nuestros practicantes de Falun Dafa tienen una apariencia muy diferente. El cutis se convierte en un cutis delicado, suave y blanco, con un brillo rosado. Para los de edad avanzada, las arrugas de la cara van disminuyendo, quedando muy pocas. Este es un fenómeno muy común. No estoy haciendo alarde aquí de algo imposible, dado que ya lo saben muchos practicantes veteranos sentados aquí ahora. Además, las mujeres mayores recuperarán la menstrución, ya que una vía de cultivación que cultiva simultáneamente la mente y el cuerpo humano, necesita la menstruación para cultivar el cuerpo. El ciclo menstrual aparecerá, pero el flujo menstrual no será mucho. En la presente etapa, ese poquito será lo suficiente para cultivar el cuerpo. Este fenómeno también es bastante común. De lo contrario, ¿cómo podrían cultivar el cuerpo sin eso? Lo mismo es verdad para los hombres. Los viejos y los jóvenes todos sentirán que el cuerpo entero se les aligera. Los practicantes genuinos experimentarán esta transformación.

Al contrario de muchos otros sistemas que imitan movimientos de animales, nuestro sistema de cultivación cultiva algo muy inmenso. Esta vía de cultivación cultiva algo simplemente muy enorme. Todos los principios que Sakyamuni y Lao Tsé[41] enseñaron en aquel entonces estaban limitados dentro de los principios que guían nuestra Galaxia. ¿Qué cultiva nuestro Falun Dafa? Hacemos nuestra cultivación de acuerdo con la teoría de evolución del universo, y está guiada por la norma de la característica suprema del universo, *Zhen-Shan-Ren*. Cultivamos algo de tal magnitud que equivale a la cultivación del universo.

Nuestro Falun Dafa tiene otra característica sumamente distintiva y única, que es diferente de todos los otros *Qigong*. Actualmente, todos los *Qigong* popularizados en la sociedad pertenecen completamente a la cultivación de la Alquimia Interna, el refinamiento del *Dan*. En las prácticas de *Qigong* que cultivan el *Dan*, es muy difícil que uno alcance *KaiGong* y se vuelva iluminado mientras vive entre la gente común. Nuestro Falun Dafa no cultiva el *Dan*. Nuestra práctica cultiva un Falun en la parte inferior del abdomen. Durante la clase, yo lo implanto personalmente en el cuerpo de mis alumnos. Mientras estoy enseñando Falun Dafa, les implantaré sucesivamente el Falun en el cuerpo. Algunas personas pueden sentirlo mientras que otras no, pero la mayor parte de ustedes pueden sentirlo. Esto es porque la gente tiene diferentes condiciones físicas. Nosotros cultivamos el Falun en lugar del *Dan*. El Falun es la miniatura del universo que posee todas las capacidades del universo,

---

[41] Lao Tsé—Fundador de la Escuela Tao y autor del Dao De Jing (Tao Te Ching). Se cree que vivió y enseñó en China cerca del siglo V o IV a.C.

y tiene la habilidad de operar y girar automáticamente. Una vez que se les implante en el cuerpo, girará para siempre en su abdomen inferior y girará así años tras año, sin cesar. Mientras está girando en el sentido de las agujas del reloj, absorbe automáticamente la energía del universo. Adicionalmente, éste mismo puede transformar energía y proveer la energía necesaria para transformarles todas las partes del cuerpo. Cuando está girando en sentido opuesto a las agujas del reloj, emite energía y arroja las substancias indeseables que se dispersarán alrededor de su cuerpo. Cuando emite energía, la energía se lanza muy lejos, y luego trae hacia dentro nueva energía. La energía que emite puede beneficiar a toda la gente a su alrededor. La Escuela Buda enseña la salvación propia y la salvación para todos los seres conscientes. Uno no sólo se cultiva a sí mismo, sino que también ofrece salvación a todos los seres conscientes. De esa manera, otros también se beneficiarán, ya que ustedes podrán rectificarles el cuerpo a otros involuntariamente, curarles las enfermedades, etc. No obstante, la energía no se pierde. Cuando el Falun gira en el sentido de las agujas del reloj, vuelve a recuperar la energía, porque gira sin cesar.

Algunas personas quieren saber: ¿Por qué gira este Falun constantemente y sin cesar? También hay algunos que me han preguntado: ¿Cómo es que puede girar? y ¿cuál es la razón? Es fácil entender que el *Dan* puede formarse cuando la energía se acumula, pero es inconcebible imaginar que el Falun gire. Les voy a dar un ejemplo. El universo está en movimiento y todo el sistema de la Vía Láctea y todas las otras galaxias en el universo están en movimiento. Los nueve planetas principales dan vueltas alrededor del sol, y la Tierra también gira alrededor de sí misma. Entonces pensemos sobre esto: ¿Quién está empujándolos? ¿Quién les está dando esa fuerza? No pueden entenderlo con el concepto de una persona común, porque simplemente tiene su propio mecanismo giratorio. Lo mismo es también cierto de nuestro Falun, porque éste simplemente gira. Al incrementar el tiempo de práctica, el Falun resuelve el problema de la gente común para practicar la cultivación bajo las condiciones de la vida normal. ¿Cómo lo hace? Debido a que nunca cesa de girar, constantemente absorbe y transforma la energía del universo. Cuando trabajan, está cultivándolos. Naturalmente, además del Falun, implantaremos también en su cuerpo numerosos sistemas de energía y mecanismos que junto con el Falun, girarán y transformarán todo automáticamente. Eso quiere decir que este sistema de cultivación transforma al practicante automáticamente. De esta forma se convierte en "*Gong* cultiva al practicante," lo cual también se llama "la Ley cultiva al practicante." El *Gong* los cultiva cuando no están practicando, y también los cultiva cuando están practicando. Cuando están comiendo, durmiendo o trabajando, siempre los está transformando el *Gong*. Entonces, ¿para qué hacen los ejercicios? Hacen los ejercicios con el fin de fortalecer al Falun y reforzar todos los mecanismos de energía y sistemas que les he implantado en el cuerpo. Cuando uno practica la cultivación en los niveles superiores, debe ser completamente en *wuwei*,[42] y los movimientos de los ejercicios también siguen los mecanismos. No hay ninguna guía de intención mental, ni debe uno usar ningún método de respiración, etc.

Practicamos sin preocuparnos de tiempo o de lugar. Algunos han preguntado: ¿Cuál es el mejor tiempo para practicar: a medianoche, al alba o al mediodía? Nosotros no tenemos requisitos para la hora de práctica. Si no practicaron a la medianoche, el *Gong* estuvo cultivándolos. Si no practicaron al alba, el *Gong* estuvo cultivándolos en aquel entonces. Mientras están durmiendo, el *Gong* aún está cultivándolos. Mientras están caminando, el *Gong* todavía los está cultivando. El *Gong* también está cultivándolos mientras trabajan. ¿Acaso esto no acorta considerablemente su tiempo de práctica? Muchos de ustedes tienen el corazón para obtener verdaderamente el Tao, lo que es naturalmente el propósito de la cultivación. La meta final de la cultivación consiste exactamente en obtener el Tao y llegar a la consumación. Sin embargo, a algunas personas les queda tiempo limitado en la vida. Los años que les quedan de vida son contados y quizás no sean suficientes para la cultivación. Nuestro Falun Dafa

---

[42] *wuwei*—"Hacer-sin-hacer"; sin intención; seguir el curso natural.

puede resolver tal problema, acortando el curso de la cultivación. Además, Falun Dafa es un sistema de cultivación tanto de cuerpo como de mente. Cuando continuamente practiquen la cultivación, constantemente prolongarán su vida. Con una práctica consistente, su vida se prolongará constantemente. De este modo, las personas de edad avanzada con buenas cualidades innatas tendrán también suficiente tiempo para la cultivación. Sin embargo, hay un principio que la vida prolongada más allá del tiempo predestinado para vivir está reservada totalmente para la cultivación. Si el pensamiento se les desvía en lo más mínimo, su vida correrá peligro, porque el curso natural de su vida debía haber pasado ya. Tendrán esta restricción, a menos que su cultivación haya alcanzado más allá de *Shi-Jian-Fa*. Después de eso, uno estará en otro estado.

Nuestro sistema no requiere que uno mire hacia ciertas direcciones en la práctica ni requiere cierta manera de terminar la práctica. Debido a que el Falun gira constantemente, no se puede parar. Cuando hay una llamada telefónica o alguien toca la puerta, simplemente pueden ir y encargarse de esos asuntos sin tener que acabar antes la práctica. Cuando paran para hacer algo, el Falun inmediatamente gira en el sentido de las agujas del reloj y recobra la energía emitida fuera del cuerpo. Para aquéllos que intencionalmente sostienen el *Qi* entre las manos y se lo vierten por la coronilla, el *Qi* aún se perderá no importa cómo lo sostengan. El Falun es una entidad inteligente, y por sí mismo sabe hacer todo esto. Tampoco requerimos que miren hacia cierta dirección, porque el universo entero está en movimiento. La Vía Láctea está en movimiento y los nueve planetas están girando alrededor del sol. La Tierra también gira sobre sí misma. Nos cultivamos de acuerdo con esta gran Ley del universo. ¿Qué dirección es el este, sur, oeste o norte? No hay dirección. Cuando practicamos mirando a cualquier dirección, estamos mirando a todas las direcciones. Practicar mirando a cualquier dirección es igual que practicar mirando al este, sur, oeste y norte al mismo tiempo. Nuestro Falun Dafa protege a los alumnos de la desviación. ¿Cómo los protege? Si son practicantes genuinos, nuestro Falun los protegerá. Yo estoy arraigado en el universo. Si alguien pudiera hacerles daño a ustedes, podría hacerme daño a mí. Poniéndolo simplemente, esa persona podría hacerle daño al universo. Lo que he dicho puede parecer inconcebible, pero lo entenderán más tarde cuando continúen en su cultivación. También hay otras cosas que son demasiado profundas, que no puedo decirles. Vamos a exponer sistemáticamente la Ley en los niveles superiores, de lo superficial a lo profundo. Sin embargo, no funcionará si su *Xinxing* no es recto. Si persiguen algo, quizás se encontrarán con problemas. He descubierto que los Falun de muchos de nuestros alumnos veteranos de algún modo están deformados. ¿Por qué? Porque han mezclado otras cosas con su práctica, y han aceptado las cosas de otros. Entonces, ¿por qué no los protegió el Falun? Si éste se les dio, les pertenece, y está bajo el control de su mente. Es un principio de este universo que nadie interferirá con lo que ustedes persigan. Si no quieren continuar la cultivación, nadie puede forzarlos a hacerla. De otro modo, sería equivalente a hacer una mala acción. ¿Quién puede obligarlos a cambiar el corazón? Ustedes deben disciplinarse a sí mismos. Si practican este *Qigong* hoy y aquél mañana, aprendiendo lo mejor de cada escuela y aceptando cosas de todos con el propósito de curarse de las enfermedades, ¿se les ha curado la enfermedad? No. Sus enfermedades sólo se han aplazado para más tarde. Para practicar la cultivación en los niveles superiores, enseñamos la importancia de concentrar la atención en un solo sistema de cultivación. Si han decidido cultivar una vía, tienen que concentrar la atención y poner el corazón en ella hasta que se les abra el *Gong* y se conviertan en iluminados en esa vía. Sólo entonces pueden practicar la cultivación en otra escuela, y ese será un sistema diferente. Debido a que un sistema de enseñanzas genuinas ha sobrevivido después de haber sido legado desde una época remota, habrá pasado por un proceso de transformación bastante complejo. Algunas personas practican según cómo se sienten. ¿Qué explica cómo se sienten? No es nada. El proceso real de transformación tiene lugar en otras dimensiones, y es sumamente complejo e intrincado. No puede haber ni el más mínimo error. Es justamente como un instrumento de precisión, que se descompone enseguida si le añaden una pieza de otro instrumento.

Sus cuerpos en todas las dimensiones están cambiando, lo que es sumamente sutil y maravilloso y no permite equivocación alguna. Como les he dicho, la cultivación depende de los esfuerzos de uno mismo, mientras que la transformación del *Gong* depende de su maestro. Si aceptan negligentemente cosas ajenas y las añaden a lo que cultivan, los mensajes ajenos interferirán con las cosas de esta escuela de práctica, y ustedes se desviarán. Además, eso se reflejará también en la sociedad humana común y les traerá los problemas de la gente común. Como eso es algo que ustedes mismos se han buscado, los demás no pueden intervenir. Por eso, es un asunto de su cualidad de entendimiento. Además, lo que añaden a su cultivación hará un desorden de su *Gong*, y ya no podrán continuar su práctica de cultivación. Ese problema surgirá. No digo que todos tienen que aprender Falun Dafa. Si no aprenden Falun Dafa pero han recibido enseñanzas verdaderas de otras prácticas de *Qigong*, yo lo apruebo también. Sin embargo, déjenme decirles que si realmente desean llegar a la cultivación de los niveles superiores, deben ser constantes en un solo sistema de cultivación. Además, hay algo que necesito señalar: Actualmente, no hay otra persona que enseñe realmente el *Qigong* hacia los niveles superiores como yo. En el futuro, comprenderán lo que he hecho por ustedes. Por lo tanto, espero que su cualidad de entendimiento no sea muy pobre. Muchos de ustedes desean practicar la cultivación hacia los niveles superiores. Esta Gran Ley ahora se presenta frente a ustedes, y quizás no se hayan dado cuenta de ello. Han buscado maestros por todos lados y han gastado mucho dinero, y no han encontrado nada. Hoy se les ha ofrecido en su propia puerta, y tal vez todavía no se hayan dado cuenta. Es una cuestión de si pueden despertarse o no, y una cuestión de si pueden salvarse o no.

Lectura Segunda

Sobre el Asunto del Tercer Ojo

Muchos maestros de *Qigong* han mencionado algunas cosas sobre el Tercer Ojo. Sin embargo, la Ley tiene diferentes manifestaciones en diferentes niveles. Un practicante cuya cultivación ha alcanzado un nivel particular, sólo puede ver las manifestaciones en ese nivel. Es incapaz de ver la verdad más allá de ese nivel, ni tampoco la creería. Por eso, sólo cree que es correcto lo que ha visto en su propio nivel. Antes de que su cultivación haya alcanzado niveles más altos, piensa que esas cosas no existen ni son creíbles. Todo eso depende del nivel que ha alcanzado, y por eso su mente tampoco puede elevarse. Es decir, sobre el asunto del Tercer Ojo, algunos hablan de ello de una manera, mientras que otros, de otra manera. Como resultado, han creado una confusión, y al final nadie lo ha explicado claramente. En realidad, el Tercer Ojo no puede explicarse claramente al nivel inferior. En el pasado, la estructura del Tercer Ojo pertenecía al secreto de los secretos, y a la gente común se le prohibía tener conocimiento de él. Por eso, a lo largo de la historia, nadie jamás lo ha revelado. Aquí no vamos a explayarnos en teorías del pasado. Usamos la ciencia moderna y el lenguaje moderno más claros y sencillos para explicarlo y presentamos sus asuntos fundamentales.

En realidad, el Tercer Ojo del que hablamos ahora se encuentra ubicado en el punto un poco arriba y en medio de las cejas, y está conectado con el cuerpo pineal. Este forma su canal principal. Hay numerosos ojos en el cuerpo humano. La Escuela Tao dice que cada apertura es un ojo. La Escuela Tao llama a un punto de acupuntura en el cuerpo una "apertura (*Qiao*)," mientras que la medicina tradicional china lo llama punto de acupuntura. La Escuela Buda sostiene que cada poro es un ojo. Por eso, algunas personas pueden leer con las orejas y algunos pueden ver con las manos o con la parte posterior de la cabeza. Aún hay otros que pueden ver con los pies o el vientre.

Todo esto es posible.

Al hablar sobre el Tercer Ojo, primero vamos a decir algo sobre nuestros ojos físicos. En la actualidad, algunas personas creen que los ojos físicos pueden ver cualquier materia o cualquier objeto en este mundo nuestro. Por eso, algunas personas han caído en una noción rígida, creyendo que lo que han visto con los ojos es verdadero y real, y no creen en lo que no pueden ver. En el pasado, siempre se consideraba a esa clase de gente como de pobre cualidad de entendimiento, y algunos no entendían por qué su cualidad de entendimiento era tan pobre. No ver, es no creer; puede que esto parezca razonable. Pero desde la perspectiva de un nivel un poco más alto, no es razonable. Cada tiempo-espacio está compuesto de materia. No obstante, diferentes tiempos-espacio tienen diferente composición material y varias manifestaciones diferentes de vida.

Déjenme citarles un ejemplo. El Budismo sostiene que todos los fenómenos de la sociedad humana son ilusorios e irreales. ¿Cómo pueden ser ilusorios? Ya que esos objetos son tan reales y tangibles, ¿quién podría afirmar que son falsos? La forma real en que existe un objeto es diferente de su manifestación. No obstante, nuestros ojos tienen la capacidad de estabilizar un objeto en nuestra dimensión física en el estado en que lo podemos ver ahora. Los objetos en realidad no están en tal estado, y no están en ese estado incluso en nuestra dimensión. Por ejemplo, ¿cómo se ve el cuerpo humano visto a través de un microscopio? El cuerpo entero se compone de pequeñas moléculas sueltas que parecen granos de arena en movimiento. Los electrones giran alrededor del núcleo atómico, y todo el cuerpo se mueve. La superficie del cuerpo no es lisa ni regular. Cualquier objeto en el universo, como el acero, hierro o piedra, son iguales, y dentro de ellos todos sus elementos moleculares están en movimiento. No pueden ver su formación entera, y en realidad son inestables. Esta mesa también está en movimiento, pero nuestros ojos no pueden ver la verdad. Este par de ojos pueden darle a uno tales impresiones falsas.

No es que seamos incapaces de ver las cosas a nivel microscópico. No es que el hombre no tenga esa capacidad. En realidad, el hombre está dotado por la naturaleza de esta capacidad y es capaz de ver cosas a cierto nivel microscópico. Debido precisamente a que en esta dimensión física tenemos este par de ojos, la gente recibe una impresión falsa y no puede verlas. Por eso, en los círculos de cultivación, siempre se ha dicho que las personas que no creen lo que no pueden ver tienen una pobre cualidad de entendimiento, y que las engañan las impresiones falsas de la gente común, y que están perdidas entre la gente común. Esta afirmación la han hecho históricamente las religiones. En realidad, nosotros también encontramos que es bastante razonable.

Este par de ojos pueden estabilizar las cosas a tal estado en nuestra dimensión física. A excepción de eso, no tienen ninguna otra capacidad de importancia. Cuando uno ve algo, la imagen del objeto no se forma directamente en los ojos. Los ojos son semejantes a la lente de una cámara fotográfica, la cual sólo sirve de instrumento. Para sacar una foto a distancia, la lente de la cámara se dilata. Nuestros ojos también tienen tal función. Cuando uno mira en la oscuridad, las pupilas se agrandan. Cuando una cámara saca una foto en la oscuridad, el diafragma también debe agrandarse, de otra manera, con insuficiente exposición de luz, la foto entera sale negra. Cuando uno sale a un lugar muy brillante, las pupilas se le contraen rápidamente; de otro modo se deslumbraría y no podría ver claramente. El mismo principio rige el funcionamiento de una cámara, y la apertura también tiene que contraerse. Este sólo puede captar la imagen de un objeto y es sólo un instrumento. Cuando realmente miramos cierta cosa, a una persona o la forma existente de un objeto, las imágenes se forman en el cerebro. Dicho de otra manera, vemos a través de los ojos, y lo que vemos se transporta por medio del nervio óptico al cuerpo pineal localizado en la mitad posterior del cerebro, y allí se refleja como una imagen en esa región. Eso quiere decir que es el cuerpo pineal del cerebro el que refleja realmente las imágenes y ve los objetos. La ciencia médica moderna también reconoce eso.

La apertura del Tercer Ojo a la que nos referimos significa abrir un pasaje entre las cejas, de modo que el cuerpo pineal pueda ver el exterior directamente, evitando el uso del nervio óptico. Eso es lo que llamamos la apertura del Tercer Ojo. Algunos pueden pensar: "Eso no es realista. De todas maneras, este par de ojos todavía pueden servir como un instrumento y pueden captar la imagen de un objeto, algo que es imposible sin ojos." La disección médica moderna ya ha descubierto que la mitad delantera del cuerpo pineal tiene la estructura orgánica entera de un ojo. Debido a que se encuentra dentro del cráneo, se considera un ojo vestigio. En los círculos de cultivación, tenemos reservas sobre si es un ojo vestigio o no. Pero la medicina moderna, después de todo, ya ha reconocido que hay un ojo en el centro del cerebro humano. Abrimos el pasaje que se dirige exactamente a ese punto. Así, esto concuerda justamente con lo que la medicina moderna ha descubierto. Este ojo, a diferencia de los ojos físicos, no crea ilusiones, porque puede ver la realidad de las cosas y la esencia de la materia. Por eso, una persona con un Tercer Ojo de alto nivel puede ver más allá de nuestra dimensión en otros tiempos-espacio, y puede percibir escenas que una persona común no puede ver. Una persona con el Tercer Ojo en un nivel bajo tiene una visión penetrante y puede ver cosas a través de una pared o ver el interior de un cuerpo humano. El Tercer Ojo tiene precisamente esta capacidad sobrenatural.

La Escuela Buda habla sobre los cinco planos de la Visión del Tercer Ojo: la Visión del Ojo Físico, la Visión del Ojo Celestial, la Visión del Ojo-Sabiduría, la Visión del Ojo-Ley y la Visión del Ojo-Buda. Estos son los cinco grandes planos del Tercer Ojo. Cada plano se subdivide en tres niveles: alto, medio y bajo. La Escuela Tao dice que hay nueve por nueve, u ochenta y un niveles del Ojo-Ley. Ahora estamos abriendo el Tercer Ojo de todos ustedes, pero no al plano de la Visión del Ojo Celestial ni a un nivel inferior. ¿Por qué? Aunque están sentados aquí y han empezado a practicar la cultivación, después de todo, están empezando desde el nivel de la gente común y tienen aún muchos apegos de la gente común por abandonar. Si les abriera el Tercer Ojo por debajo del plano de la Visión del Ojo Celestial, poseerían lo que la gente común llama capacidades sobrenaturales y podrían ver cosas a través de una pared o el interior de un cuerpo humano. Si proveyéramos esta capacidad sobrenatural en una escala tan grande que abriéramos el Tercer Ojo de cada uno a tal plano, eso afectaría seriamente la sociedad de la gente común y trastornaría su estado normal. No habría manera de guardar secretos de Estado. Para ustedes sería igual si la gente estuviera vestida o no. Podrían ver a una persona en su habitación desde afuera. Al caminar por la calle, pasarían ante un puesto de la lotería y escogerían el boleto del primer premio. ¡No se permite que ocurran tales cosas! Imagínenselo, ¿sería esta una sociedad humana si el Tercer Ojo de todos estuviera abierto a la Visión del Ojo Celestial? No se permite en absoluto la existencia de cualquier cosa que perturbe seriamente la sociedad humana. Si yo realmente les abriera el Tercer Ojo a tal plano, a lo mejor actuarían como maestros de *Qigong* en ese instante. En el pasado, algunas personas soñaban con ser maestros de *Qigong*. Si el Tercer Ojo se les abriera repentinamente, estarían deseosos de tratar enfermedades para otros. Haciéndolo así, ¿no los conduciría por una vía desviada?

Entonces, ¿a qué plano les voy a abrir el Tercer Ojo? Voy a abrirlo directamente al plano de la Visión del Ojo-Sabiduría. Si lo abriera a un plano superior, su *Xinxing* no sería lo suficientemente elevado; si se abriera a un plano inferior, eso afectaría seriamente el estado normal de la sociedad. Si lo abro al plano de la Visión del Ojo-Sabiduría, no tienen la habilidad de ver a través de una pared ni en el interior de un cuerpo humano, pero serán capaces de ver escenas existentes en otras dimensiones. ¿Qué ventaja tiene eso? Eso puede aumentar su confianza en la cultivación. Cuando puedan ver claramente lo que la gente común no puede ver, creerán que realmente existe. Sin importar si pueden ver claramente o no actualmente, el Tercer Ojo se les abrirá a ese nivel, lo que les es beneficioso para su cultivación. Un verdadero cultivador de la Gran

Ley, que es exigente consigo mismo en la mejora de su *Xinxing*, logrará el mismo resultado sólo con leer este libro.

¿Qué es lo que determina el nivel del Tercer Ojo de uno? No es que vayan a poder ver todas las cosas después de abrírseles el Tercer Ojo; no es así. Aún hay una clasificación de niveles. Entonces, ¿de qué depende el nivel del Tercer Ojo de uno? Depende de tres factores. El primer factor es que el Tercer Ojo de uno debe tener un campo que va del interior al exterior. Llamamos a este campo la esencia de *Qi*. ¿Cuál es su función? Justamente como la pantalla de un televisor, si no hay material fluorescente en ella, no sería nada más que una bombilla que sólo emite luz, pero no muestra imágenes cuando encienden el televisor. Es el material fluorescente el que hace posible que aparezcan imágenes en la pantalla. No obstante, éste no es un ejemplo adecuado, porque mientras que el televisor muestra las imágenes en la pantalla fluorescente, nosotros las vemos directamente. Pero ésa es básicamente la idea que quiero ilustrar. Esa pizca de esencia de *Qi* es sumamente valiosa. Está compuesta de una substancia más fina que se refina de la virtud. Normalmente, la esencia de *Qi* de cada persona es diferente. Entre diez mil personas, tal vez se pueda encontrar a dos que estén en un mismo nivel.

El nivel del Tercer Ojo es la manifestación directa de la Ley de nuestro universo. Es algo sobrenatural y está estrechamente relacionado con el *Xinxing* de uno. Si el *Xinxing* de una persona es bajo, su nivel es bajo. Ya que su *Xinxing* es pobre, esta persona ha perdido mucha de su esencia de *Qi*. Si uno posee un *Xinxing* muy alto y desde su infancia en la sociedad humana común le ha importado muy poco la fama, la riqueza, los conflictos entre la gente, los beneficios personales, y las Siete Pasiones y los Seis Deseos, es posible que su esencia de *Qi* se preserve bien. Por eso, después de estar abierto su Tercer Ojo, podrá ver muy claramente. Un niño menor de seis años tendrá una visión muy clara cuando se le abra el Tercer Ojo. Es muy fácil de abrirle el Tercer Ojo. Una sola palabra mía lo abre.

Debido a la contaminación de la poderosa corriente actual o la gigantesca tina de tinta de la sociedad común, las cosas que la gente considera correctas, en realidad son frecuentemente erróneas. ¿Quién no desea vivir una buena vida? El deseo de una buena vida, puede llevar a uno a invadir los intereses de otros, a la estimulación de sus deseos egoístas, a aprovecharse de otros, o puede llevar a uno a humillar y dañar a otros. Para sacar beneficios personales uno compite y pelea entre la gente común. ¿No va eso en contra de la característica del universo? Por eso, lo que la gente común considera bueno, no es necesariamente bueno. Cuando se educa a un niño pequeño, el adulto a veces lo enseña así: "Debes aprender a ser astuto," para que en el futuro el niño pueda tomar posición en la sociedad de la gente común. Desde la perspectiva de nuestro universo, la astucia es ya errónea, ya que debemos seguir el curso natural y dar poca importancia a los intereses personales. El se hace muy astuto justamente para sacar beneficios personales. "Si alguien te humilla, díselo a tu maestro y busca a sus padres." "Cuando veas una moneda en el suelo, recógela." Se educa al niño de esa manera. Cuando crezca, recibirá más y más de tales enseñanzas y gradualmente se hará más y más egoísta en la sociedad de la gente común. Obtendrá ventajas injustas y perderá así su virtud.

Esta substancia de la virtud no desaparece después de que uno la pierde. Se transfiere a otra persona en vez de disiparse. Sin embargo, la esencia de *Qi* puede disiparse. Si uno ha sido astuto y sagaz desde su niñez hasta la edad mayor, con un fuerte deseo por sus propios intereses y piensa sólo en buscar ganancias, generalmente no verá claramente después de abrírsele el Tercer Ojo. Sin embargo, eso no quiere decir que uno nunca tendrá una visión clara. ¿Por qué? Porque en el curso de la práctica, nos cultivamos para retornar a nuestro ser original y verdadero, y con perseverancia en la cultivación lograremos constantemente compensar la esencia de *Qi* perdida y recuperarla. Por eso le damos importancia al *Xinxing*, a la mejora en forma holística y a la sublimación holística. Cuando uno mejora su *Xinxing*, se da cuenta que él mismo ha mejorado en otros aspectos. Si no puede mejorar su *Xinxing*, tampoco recuperará su esencia de *Qi* alrededor del Tercer Ojo. Esta es la verdad.

Ahora trataremos el segundo factor. Si una persona practica el *Qigong* por su propia cuenta y tiene buenas cualidades innatas, también puede abrírsele el Tercer Ojo. Pero muchas veces, algunas personas se asustan en el momento que se les abre el Tercer Ojo. ¿Por qué se asustan? Porque uno hace la práctica usualmente a medianoche, cuando la noche está oscura y silenciosa. Mientras una persona está practicando, de repente ve un gran ojo justamente ante ella, lo cual la asusta. Se espanta tanto que no se atreve a practicar *Qigong* después de esto. ¡Qué espantoso es eso! Un ojo tan grande la está mirando y parpadeando, y es tan real y vivo. Por eso, algunos lo llaman el ojo del demonio, mientras que otros lo llaman el ojo de Buda, etc. En realidad, es su propio ojo. Por lo tanto, la cultivación depende de los esfuerzos de uno mismo, mientras que la transformación del *Gong* depende de su maestro. El proceso entero de la transformación del *Gong* para un cultivador es muy complejo, y ocurre en otras dimensiones. El cuerpo de un cultivador no sólo cambia en una dimensión, sino en todas las diferentes dimensiones. ¿Pueden hacerlo ustedes mismos? No, ustedes no lo pueden hacer. Todo esto está planeado por su maestro. Es el maestro el que está haciendo esto. Por eso, hay un dicho de que la cultivación depende de los esfuerzos de uno mismo, mientras que la transformación del *Gong* depende de su maestro. Ustedes sólo pueden tener tal deseo o tal pensamiento, pero es el maestro quien realmente lo hace.

A algunas personas se les ha abierto el Tercer Ojo por medio de su propia cultivación. Decimos que ése es su propio ojo, pero no son capaces de desarrollarlo por su propia cuenta. Algunas personas tienen maestros. Cuando el maestro se da cuenta que el Tercer Ojo de una persona está abierto, transformará un ojo para ella. Este ojo se llama el Ojo Verdadero. Naturalmente, algunas personas no tienen maestro, pero puede que tengan un maestro-pasajero. La Escuela Buda dice: "Los Budas son omnipresentes." Los Budas son tan numerosos que pueden encontrarlos dondequiera. Otros dicen: "Hay seres espirituales a tres pies por encima de la cabeza de uno," lo que quiere decir que son simplemente incontables. Si un maestro-pasajero ve que han practicado muy bien con el Tercer Ojo abierto y que necesitan un ojo, les transformará uno, lo cual también puede considerarse resultado de su propia cultivación. Al ofrecer la salvación a la gente, no hay ninguna condición ni consideración de costo, remuneración, o fama. Por eso, ellos son mucho más nobles que los héroes entre la gente común, y lo hacen así completamente por su compasión benevolente.

Después de la apertura del Tercer Ojo, se encontrarán en tal estado que la luz los deslumbrará, y sentirán como una irritación en los ojos. En realidad lo que está irritado no son sus ojos sino su cuerpo pineal. Sienten como si la luz estuviera irritándoles los ojos porque no han obtenido este Ojo. Al proporcionárseles ese Ojo, se darán cuenta que la luz ya no les irrita más. Algunos de ustedes pueden sentir o ver este Ojo. Ya que tiene la misma naturaleza del universo, es muy inocente y también curioso. Mira hacia adentro para ver si el Tercer Ojo está abierto, o si es capaz de ver. También ve para adentro, hacia ustedes. En este momento, su Tercer Ojo está abierto. Les dará un susto cuando vean de repente que los está mirando. De hecho, éste es su Ojo. De ahora en adelante, cuando miren las cosas, las verán por medio de este ojo. Aunque su Tercer Ojo esté abierto, no podrán ver nada en absoluto sin este ojo.

El tercer factor consiste en las diferencias que se manifiestan en diferentes dimensiones después de que uno avanza en niveles. Este es el asunto que verdaderamente determina el nivel logrado por uno en la cultivación. Además, uno ve cosas no sólo a través del canal principal, sino también a través de muchos subcanales. La Escuela Buda considera que cada poro del cuerpo humano es un ojo, mientras que La Escuela Tao dice que cada apertura del cuerpo humano es un ojo. Es decir, todos los puntos de acupuntura son ojos. Por supuesto, lo que ellos exponen es todavía una forma de las transformaciones de la Ley en el cuerpo, y uno puede ver cosas desde cualquier parte del cuerpo.

El nivel logrado al que nos referimos es diferente de eso. Además del canal principal, hay varios subcanales principales en varios lugares, v.g., encima de las cejas, en la parte superior e inferior del párpado, y en el punto *Shangen*.[1] Ellos determinan el asunto de hacer avances en los niveles logrados por uno. Desde luego, si un practicante común puede ver a través de estos diversos lugares, el nivel que ha alcanzado ya es bastante alto. Algunas personas pueden ver también con sus ojos físicos, porque han perfeccionado sus ojos en la cultivación, los cuales poseen también varias formas de capacidades sobrenaturales. Sin embargo, si uno no usa el ojo apropiadamente, cuando vea un objeto no podrá ver ese (objeto) de otra dimensión. Eso no funcionará tampoco. Por eso, algunos generalmente usan uno de los ojos para ver cosas en otra dimensión y el otro para ver cosas en este mundo. Sin embargo, no hay subcanal debajo de ese ojo (el ojo derecho), porque tiene ciertas relaciones directas con la Ley. La gente tiende a usar el ojo derecho cuando hace cosas malas. Por eso, no hay un subcanal bajo el ojo derecho. Esto se refiere a algunos de los subcanales principales que se desarrollan en la cultivación de *Shi-Jian-Fa*.

Al llegar a un nivel sumamente alto y más allá de la cultivación de *Shi-Jian-Fa*, uno desarrollará un ojo que se asemeja a un ojo compuesto. Específicamente, en la parte superior de la cara aparecerá un ojo grande con incontables ojos pequeños dentro del grande. Algunos grandes seres iluminados en un nivel muy alto han desarrollado tantos ojos que les cubren toda la cara. Todos los ojos pueden ver a través del ojo grande que puede ver cualquier cosa que quiera ver y es capaz de ver todas las dimensiones con una simple mirada. Actualmente, los zoólogos y entomólogos han hecho algunos estudios sobre las moscas. Los ojos de una mosca son muy grandes. Con un microscopio, se puede ver que dentro de estos hay incontables ojos pequeños, y asi estos grandes se llaman ojos compuestos. Sólo

---

[1] Punto *Shangen*—Punto de acupuntura localizado en medio de las cejas.

después de llegar a un nivel sumamente alto, un nivel mucho más alto que el de un Tathagata, podrá uno adquirir tal ojo. Pero la gente común no puede ver la existencia de ese ojo, tampoco puede verla un practicante que se encuentra en un nivel regular. Debido a que este ojo existe en otra dimensión, sólo pueden ver que él o ella es como una persona normal. He hablado aquí sobre el avance de niveles logrados por uno. Es decir, es un asunto de si uno es capaz de alcanzar diferentes dimensiones.

He revelado básicamente la estructura del Tercer Ojo a todos. Abrimos su Tercer Ojo con fuerza externa, lo que constituye una manera relativamente más rápida y más fácil para hacerlo. Mientras que estoy hablando sobre el Tercer Ojo, cada uno de ustedes percibe que el músculo de la frente está tenso como si los músculos se congregaran allí, taladrando hacia adentro. ¿No es así? Sí, con tal que hayan venido realmente para aprender Falun Dafa, dejando toda clase de deseos, tendrán tal sensación, y sentirán gran fuerza empujando el músculo hacia adentro. He soltado un *Gong* especial para abrirles el Tercer Ojo. Mientras tanto, les he enviado también Falun para repararles el Tercer Ojo. Cuando estoy hablando sobre el Tercer Ojo, estoy abriéndolo sólo para los que cultivan Falun Dafa. Pero esto no quiere decir que cada uno de ustedes tendrá una visión clara o que será capaz de ver. Eso tiene algunas relaciones directas con ustedes. No se preocupen, ya que no importa si no son capaces de ver cosas con él. Dense tiempo para cultivarlo. Siempre que constantemente eleven su nivel, serán capaces de ver cosas gradualmente, y su visión nublada se volverá gradualmente más clara. Siempre que se cultiven y tengan la determinación de hacerlo, recobrarán todo lo que hayan perdido.

Es bastante difícil que uno mismo abra su Tercer Ojo. Ahora voy a hablar sobre algunas maneras en las que uno mismo abre su Tercer Ojo. Por ejemplo, cuando están sentados en la cultivación observando la frente y el Tercer Ojo, algunos de ustedes no pueden ver nada más que la oscuridad, y que no hay nada allí. Después de un largo período de tiempo, uno percibirá que gradualmente su frente se va poniendo blanca. Después de otro período de cultivación, uno percibirá que la frente se va haciendo brillante, y luego se pone roja. En este tiempo, comenzará a florecer justamente como las flores que se muestran por televisión o en películas en donde un capullo abre sus pétalos instantáneamente. Tales escenas aparecerán. Ese color rojo es plano al comienzo y luego, súbitamente, se hace protuberante en el centro y continúa floreciendo. Si quieren hacer que florezca completamente hasta el final por su propia cuenta, aún ocho o diez años no serán tiempo suficiente porque su Tercer Ojo entero está obstruido.

El Tercer Ojo de algunos no está obstruido y tiene un canal. Sin embargo, no tiene energía porque no practican el *Qigong*. Por eso, cuando practiquen el *Qigong*, aparecerá súbitamente una masa redonda de materia negra ante sus ojos. Después de un tiempo largo de práctica, esa cosa negra se pondrá blanca y luego más y más brillante, hasta que el practicante siente que los ojos se deslumbran. Algunos dicen: "He visto el sol," o "He visto la luna." En realidad, no han visto el sol ni la luna. Entonces, ¿qué vieron? Aquello justamente es el canal de su Tercer Ojo. Algunas personas han hecho progreso rápido en sus niveles. Después de haber estado provistos del Ojo Real pueden ver cosas inmediatamente. Otros encontrarán mucha dificultad. Durante la práctica, sentirán como si corrieran hacia fuera a lo largo de este canal, que parece como un túnel o un pozo. Incluso dormidos, sentirán como si estuviesen corriendo hacia fuera. Algunos sienten como si estuviesen cabalgando; algunos sienten como si estuviesen volando; algunos sienten como si estuviesen corriendo; otros sienten como si estuviesen lanzándose en coche hacia adelante. Debido a que es muy difícil para uno abrir el Tercer Ojo, siempre se sienten como si no pudiesen lanzarse hasta el final del canal. La Escuela Tao considera el cuerpo humano como un pequeño universo. Si este es un pequeño universo, sólo imagínense, hay más de 108 mil *li*[2] desde la frente hasta el cuerpo pineal. Por eso, uno siente como si siempre estuviese lanzándose hacia fuera pero nunca puede alcanzar

---

[2] *li*—Una unidad china de distancia; un *li* equivale a 0.5 km. En chino, "108 mil *li*"es una expresión común para describir una distancia muy grande.

el final.

Es muy razonable que la Escuela Tao considere el cuerpo humano como un pequeño universo. Eso no quiere decir que su composición y estructura sean similares a las del universo, ni se refiere a la forma existente del cuerpo humano en nuestra dimensión física. Preguntamos: "De acuerdo con el entendimiento de la ciencia moderna, ¿cuál es el estado del cuerpo físico en un nivel microscópico, menor que el de la célula?" Hay diferentes composiciones moleculares. Más pequeños que las moléculas, hay átomos, protones, núcleos atómicos, electrones y quarks. Las partículas más pequeñas que se han estudiado hoy día son los neutrinos. Entonces, ¿cuál es la partícula más microscópica? Es ciertamente demasiado difícil estudiarla. En sus años posteriores, Sakyamuni una vez hizo esta afirmación: "Es tan inmenso que no tiene exterior y tan diminuto que no tiene interior." ¿Qué quiso decir? Para alguien al nivel de Tathagata, el universo es tan inmenso que es incapaz de ver sus confines, y a la vez tan diminuto que no se puede ver la partícula de materia más microscópica. Por eso dijo: "Es tan inmenso que no tiene exterior, y tan diminuto que no tiene interior."

Sakyamuni expuso también la teoría de los Tres Mil Mundos. Afirmó que en la Galaxia de la Vía Láctea de nuestro universo había tres mil planetas donde existían seres vivientes como los seres humanos. Afirmó también que había tales Tres Mil Mundos en un grano de arena. Un grano de arena es entonces justamente como un universo en el cual hay seres inteligentes como nosotros. También hay planetas, montañas y ríos. ¡Eso parece inconcebible! Si es verdad, sólo piensen en esto: ¿Hay arena en esos Tres Mil Mundos? ¿Y hay Tres Mil Mundos en cada grano de arena? Entonces, ¿hay arena en cada uno de esos Tres Mil Mundos? Y luego, ¿hay aún Tres Mil Mundos en cada grano de arena? Por eso, en el nivel de Tathagata, uno no puede ver el fin.

Lo mismo ocurre en las células moleculares humanas. La gente pregunta qué tan grande es el universo. Déjenme decirles que este universo también tiene su límite. Sin embargo, incluso al nivel de Tathagata, uno considerará que no tiene límite y que es infinitamente inmenso. Pero el interior del cuerpo humano, desde las moléculas hasta las partículas microscópicas en el nivel microscópico, es tan grande como este universo. Esto suena demasiado inconcebible. Cuando se crea un ser humano o una vida, su composición de vida y su cualidad esencial ya se han formado en un nivel sumamente microscópico. Por eso, en el estudio de esta materia nuestra ciencia contemporánea está muy atrasada. En comparación con esas vidas de más alta sabiduría en los planetas del universo entero, el nivel de la ciencia y tecnología de nuestra humanidad es bastante bajo. Somos aún incapaces de abrir y alcanzar otras dimensiones que existen simultáneamente en el mismo lugar. Sin embargo, los platillos voladores de otros planetas vienen y van directamente desde otras dimensiones, donde el concepto de tiempo-espacio es completamente diferente. Por lo tanto, vienen y van como quieren, tan rápida y misteriosamente que la mente humana no puede aceptarlo.

Al hablar sobre el Tercer Ojo, mencioné que cuando sienten que están corriendo hacia fuera por un canal, sentirán que es infinito. Algunos pueden ver otra escena en donde no sienten que están corriendo a lo largo de un túnel, sino corriendo hacia adelante a lo largo de un amplio camino infinito. Al continuar corriendo hacia afuera, se encuentran montañas, ríos y ciudades en ambos lados. Esto puede sonar aún más inconcebible. Yo recuerdo las palabras de un maestro de *Qigong*. El dijo que en un poro del cuerpo humano había una ciudad en donde transitaban trenes y coches. Al oír esto, algunos se sorprendieron y lo encontraron incomprensible. Como todos saben, las partículas microscópicas de materia incluyen las moléculas, átomos y protones. Al profundizar aún más en la investigación, si pudieran ver el plano de cada nivel en lugar de un solo punto, y ver el plano de moléculas, el plano de átomos, el plano de protones, o el del núcleo, podrían ver las formas de existencia en diferentes dimensiones. Cualquier materia, incluso el cuerpo humano, coexiste simultáneamente en conexión con planos dimensionales del espacio del universo. Cuando nuestra ciencia física moderna estudia las partículas microscópicas de materia, sólo estudia una partícula microscópica partiéndola y fisionándola. Después de la fisión nuclear, estudia los componentes catalizados. Si existiese un instrumento con el que pudiésemos expandir y ver el plano en el cual todos los átomos o moléculas existentes pudiesen manifestarse en su totalidad, o si tal escena se pudiese observar, uno podría llegar más allá de esta dimensión y ver los auténticos escenarios existentes en otras dimensiones. El cuerpo humano corresponde a dimensiones externas y todas ellas tienen tales formas de existencia.

Hay aún otras situaciones diferentes que pueden aparecer cuando uno mismo trata de abrir su Tercer Ojo. Hemos relatado algunos fenómenos relativamente generales. Algunos también pueden ver su Tercer Ojo girando. Aquellos que practican en la Escuela Tao frecuentemente ven algo girando en su Tercer Ojo. Después de que el disco Taiji se quiebra y se abre con un chasquido, uno puede ver imágenes. Sin embargo, eso no quiere decir que tienen Taiji en el cerebro. De hecho, fue su maestro el que les implantó un sistema de cosas al comienzo, una de las cuales era Taiji. El maestro les selló el Tercer Ojo. Cuando llegue el tiempo para la apertura de su Tercer Ojo, el disco Taiji se romperá al abrirse. El maestro lo planeó intencionalmente de esta manera y no es una cosa innata en el cerebro de ustedes.

Algunos persiguen la apertura del Tercer Ojo. Pero cuanto más practican, tanta más dificultad encuentran para abrirlo. ¿Cuál es la razón? Ellos mismos no tienen idea. La razón principal es que el Tercer Ojo no puede perseguirse. Cuanto más deseo tienen, tanto menos obtienen. Cuando una persona quiere el Tercer Ojo desesperadamente, no sólo no se le abrirá, sino que en su lugar una cosa que no es negra ni blanca saldrá del Tercer Ojo. Esta cubrirá el Tercer Ojo. Después de un largo tiempo, formará un campo muy grande. Cuanto más fluya, tanto más se acumula. Cuanta más dificultad encuentre para abrir el Tercer Ojo y cuanto más lo persiga, tanto más fluirá esa substancia. Como resultado, la substancia le rodeará todo el cuerpo hasta el punto de hacerse muy gruesa, formando un campo muy grande. Incluso si el Tercer Ojo de esta persona está realmente abierto, todavía no puede ver nada porque ha sido sellado por ese apego. Sólo cuando deje de pensar en ello en el futuro y deje completamente ese apego, el fluido desaparecerá gradualmente. Sin embargo, se llevará un período de cultivación muy largo y muy doloroso para despojarse de él. Esto es totalmente innecesario. Algunos no saben eso. Aunque el maestro les advierte que no persigan el Tercer Ojo y que no lo busquen, tercamente no le creen. No dejan de pensar en ello, y al final, el resultado termina siendo justo lo contrario.

La Capacidad Sobrenatural de la Visión Remota

Una capacidad sobrenatural relacionada directamente con el Tercer Ojo se llama Visión Remota. Algunos afirman: "Yo puedo ver escenas en Pekín, en los Estados Unidos o escenas en el otro lado de la Tierra mientras estoy sentado aquí." Algunos no pueden entenderlo, ni puede esto explicarse científicamente. ¿Cómo puede ser esto posible? Algunos han tratado de explicarlo de ésta o esa manera, pero sus explicaciones no son convincentes. Les extraña que las personas puedan hacerse tan capaces. De hecho, esto no es así. Un practicante que se cultiva en el nivel de *Shi-Jian-Fa* no tiene esta capacidad. Lo que ve, inclusive la Visión Remota y muchas otras capacidades sobrenaturales, todas funcionan dentro de una dimensión específica. Como mucho, éstas no pueden ir más allá de la dimensión física donde existe nuestra humanidad. Típicamente, ni siquiera van más allá del campo dimensional de la propia persona.

El cuerpo humano tiene un campo dentro de una dimensión específica. Este campo es diferente del campo de la virtud. Estos no están en la misma dimensión, pero son del mismo tamaño. Este campo tiene una relación correspondiente con el universo. Cualquier cosa que exista en el universo puede reflejarse correspondientemente en este campo. Todas las cosas pueden reflejarse. Es una clase de imagen, pero no es un objeto real. Por ejemplo, en la Tierra existen los Estados Unidos y Washington, D.C. Dentro del campo de una persona, los Estados Unidos y Washington, D.C. se reflejan, pero son imágenes reflejadas. Sin embargo, las imágenes reflejadas son una forma de existencia material, y son el resultado de un reflejo correspondiente que cambia de acuerdo con el cambio en aquel lugar. Por eso, con la capacidad sobrenatural de la Visión Remota a la que algunos se refieren, uno realmente ve cosas dentro de la esfera de su propio campo dimensional. Cuando una persona practica la cultivación después de estar más allá de *Shi-Jian-Fa*, ya no verá las cosas de esa manera. Verá las cosas directamente, lo que se llama el poder divino de la Ley Buda. Es algo con un poder ilimitado.

¿Cómo funciona la capacidad sobrenatural de la Visión Remota en *Shi-Jian-Fa*? Aquí voy a explicárselo a todos. En el espacio de este campo, hay un espejo en la posición de la frente. El espejo de un no practicante mira hacia él mismo, pero el espejo de un practicante gira. Cuando uno está a punto de desarrollar la capacidad de la Visión Remota, el espejo continuará girando y girando. Se sabe que una película de cine muestra 24 imágenes por segundo para poder producir imágenes en movimiento continuo. Si la película muestra menos de 24 imágenes por segundo, las imágenes saltarán. La velocidad de rotación del espejo es más rápida que 24 imágenes por segundo, y refleja lo que recibe; luego da vuelta para mostrárselo. Cuando da la vuelta otra vez, las imágenes se borran. Después, hace lo mismo una y otra vez, volteando y borrando. Por eso, lo que ven está en movimiento. Les deja ver lo que se refleja dentro de su propio campo dimensional, lo cual corresponde con lo que está en el gran universo.

Entonces, ¿cómo puede uno ver las cosas detrás de su cuerpo? Con un espejo tan pequeño, ¿cómo puede reflejar todas las cosas alrededor del cuerpo de uno? Como saben, cuando el Tercer Ojo de uno está abierto por encima del plano de la Visión del Ojo Celestial y está a punto de llegar al plano de la Visión del Ojo-Sabiduría, está cerca de alcanzar más allá de nuestra dimensión. Justamente en ese punto cuando la apertura es inminente, el Tercer Ojo experimentará un cambio: Cuando mire objetos físicos, todos habrán desaparecido. Las personas y paredes todas habrán desaparecido. Todo desaparece. Ya no hay ninguna existencia material. Es decir, cuando miren más de cerca encontrarán que en esta dimensión particular la gente ya no existe; sólo hay un espejo que está en posición vertical dentro de la esfera de su campo dimensional. Sin embargo, este espejo en su campo dimensional es tan grande como el campo entero de su campo dimensional. Así que cuando da vueltas una y otra vez en el campo, no hay lugar que no pueda reflejarse en él. Puede reflejar todas las cosas en su campo dimensional, siempre que éstas correspondan a las cosas en el universo. Esto es lo que llamamos capacidad sobrenatural de la Visión Remota.

Cuando aquellos que estudian el cuerpo humano comprueban esta capacidad sobrenatural, usualmente pueden desacreditarla fácilmente. La razón de su rechazo es la siguiente: Por ejemplo, a una persona le pidieron que dijera lo que estaba haciendo el pariente de alguien en su casa en Pekín. Después de darle el nombre del pariente y algunos datos generales, la persona puede verlo. Dará una descripción del edificio, cómo entrar en la habitación y cómo está amueblada la habitación al entrar por la puerta. Lo que dijo era todo correcto. ¿Qué está haciendo el pariente? "Está escribiendo," responde él. Con el fin de verificarlo, el examinador llamará por teléfono a su pariente y preguntará: "¿Qué estás haciendo en este momento?" "Estoy comiendo." ¿No está esto en desacuerdo con lo que había visto? Esta es la razón por la cual esta capacidad sobrenatural no fue reconocida en el pasado. Sin embargo, el ambiente que vio era exactamente correcto. Debido a que llamamos nuestro tiempo y espacio "tiempo-espacio," y es diferente del tiempo-espacio donde existen las capacidades sobrenaturales, los conceptos de tiempo son diferentes en los dos espacios. El hombre estaba escribiendo algo antes y ahora está comiendo; hay tal diferencia de tiempo. Como resultado, si los científicos que estudian el cuerpo humano hacen sus deducciones y estudios basados en teorías convencionales y la ciencia moderna, no obtendrán éxito aún después de diez mil años de esfuerzos, porque estas cosas son originalmente sobrenaturales. Por lo tanto, la humanidad necesita cambiar su mentalidad y no debe seguir entendiendo estas cosas de esta manera.

La Capacidad Sobrenatural de Precognición y Retrocognición (*Suming Tong*)[3]

Hay otra capacidad sobrenatural que tiene una relación directa con el Tercer Ojo llamada *Suming Tong*. Actualmente hay seis capacidades sobrenaturales que son reconocidas públicamente en el mundo. Estas incluyen el Tercer Ojo, la Visión Remota y *Suming Tong*. ¿Qué es *Suming Tong*? Es una capacidad sobrenatural con la que uno puede saber el futuro y el pasado de una persona. Si la capacidad es poderosa, uno puede saber el auge y la decadencia de una sociedad; si la capacidad es aún más poderosa, uno puede ver la ley de todos los cambios cósmicos. Esta es la capacidad sobrenatural de *Suming Tong*. Debido a que la materia se mueve siguiendo cierta ley, cualquier objeto en una dimensión especial tiene su forma de existencia en muchas, muchas otras dimensiones. Por ejemplo, cuando el cuerpo de una persona hace un movimiento, las células en el cuerpo también se mueven con él, y en el nivel microscópico todos los elementos, tales como moléculas, protones, electrones, y las partículas más microscópicas, también se mueven. Sin embargo, tienen su propia forma de existencia independiente, y las formas de existencia del cuerpo humano en otras dimensiones experimentarán también cambios.

¿Acaso no hemos hablado sobre la conservación de la materia? Dentro de una dimensión específica, lo que una persona ha hecho o lo que hace con la agitación de su mano, es todo existencia material, y

---

[3] *Suming Tong*—Precongnición y retrocognición; la clarividencia.

todo lo que haga dejará una imagen y un mensaje. En otra dimensión, esto se conserva y existirá allí para siempre. Una persona que posee capacidades sobrenaturales puede saber lo ocurrido en el pasado con sólo echar una mirada a las imágenes en el pasado, que están todavía allí. Después de haber desarrollado la capacidad sobrenatural de *Suming Tong* en el futuro, la forma de la conferencia que estoy dando hoy aquí, aún existirá cuando echen una mirada para verla. Ya existe allí simultáneamente. Dentro de una dimensión especial que no tiene el concepto del tiempo, cuando nace una persona, su vida entera ya existe allí simultáneamente. Para algunas personas, aún más de una vida existe allí.

Algunos pueden pensar así: ¿No son innecesarios nuestros esfuerzos personales para cambiarnos a nosotros mismos? No lo pueden aceptar. De hecho, los esfuerzos personales sí pueden cambiar cosas pequeñas en la vida de uno. Algunas cosas menores pueden ser alteradas ligeramente a través de esfuerzos personales, pero es precisamente debido a sus esfuerzos por cambiarlas que pueden contraer karma. De otro modo, el asunto de cometer karma no existiría, ni habría el asunto de hacer cosas buenas o cosas malas. Cuando insisten obstinadamente en hacer las cosas de esa manera, se aprovecharán de otros y cometerán maldades. Por consiguiente, esta es la razón por la cual se enfatiza repetidamente que un cultivador debe seguir el curso natural, porque dañarán a otras personas con sus esfuerzos. Si su vida originalmente no tuvo cierta cosa y obtienen lo que debe pertenecerle a otra persona en la sociedad, contraerán una deuda con esa persona.

En cuanto a los eventos mayores, una persona común no puede cambiarlos en lo absoluto. Sin embargo, hay una sola manera para cambiarlos. Si una persona sólo hace cosas malas y nada más que cosas malas, puede cambiar su vida. Sin embargo, con lo que se enfrentará será una destrucción total. Desde un nivel alto, podemos ver que cuando una persona muere, su *Yuanshen* no muere. ¿Por qué el *Yuanshen* no se extingue? En realidad, hemos encontrado que después de que una persona muere, su cuerpo en la cámara mortuoria no es más que una masa de células humanas en esta dimensión nuestra. En esta dimensión, todos los tejidos celulares de los órganos internos y todas las células en el cuerpo humano entero han decaído, mientras que en otras dimensiones los cuerpos compuestos de partículas más microscópicas que las moléculas, átomos, protones, etc., no están muertos en lo absoluto. Existen en otras dimensiones y todavía viven en esas dimensiones microscópicas. Sin embargo, una persona que hace toda clase de maldades, se enfrentará con la completa destrucción de todas sus células. En el Budismo esto se llama Perdición del Cuerpo y Alma.

Hay otra manera de cambiar la vida de uno, y ésta es realmente la única manera. Esta es que la persona de ahora en adelante comience a tomar la vía de la cultivación. ¿Por qué puede ser cambiada su vida cuando uno toma la vía de la cultivación? ¿Quién tiene un poder tan grande para cambiarla? Una vez que esta persona desee tomar la vía de la cultivación y en cuanto este deseo surja, brillará como oro, estremeciendo el Mundo en las Diez Direcciones. En su perspectiva del universo, la Escuela Buda tiene la teoría del Mundo de Diez Direcciones. A los ojos de un ser de alta dimensión, la vida de una persona no es solamente para vivir como ser humano. El sostiene que la vida humana se origina dentro del espacio cósmico y comparte la misma naturaleza que el universo; la vida es bondadosa y está compuesta de la materia de *Zhen-Shan-Ren*. No obstante, la vida establece relaciones sociales. Durante las interacciones sociales en la comunidad, algunas vidas se vuelven corruptas y por eso caen a un nivel inferior. Cuando empeoran y no puedan quedarse más en ese nivel, siguen cayendo a un nivel aún más bajo. Continúan cayendo y cayendo de esta manera, y finalmente llegan a esta dimensión de la gente común.

En este nivel, estas personas deberían ser destruidas o aniquiladas. Sin embargo, por gran compasión, los grandes seres iluminados crearon especialmente un espacio como este de nuestra sociedad humana. En esta dimensión de espacio, el hombre está provisto adicionalmente de un cuerpo físico y un par de ojos que sólo pueden ver los objetos en esta dimensión física. Es decir, el hombre está perdido en el laberinto y no se le permite ver la verdad del universo, aunque puede verse en todas las otras dimensiones. En este laberinto y bajo tales circunstancias, al hombre se le da esta clase de oportunidad. Debido a que se encuentra en medio de un laberinto, también tiene el sufrimiento más grande. El tener este cuerpo le trae a uno sufrimientos. Si una persona desea regresar de esta dimensión a su origen, la Escuela Tao enseña que uno debe practicar la cultivación para volver a su ser original y verdadero. Si un hombre tiene el corazón para practicar la cultivación, es su naturaleza-Buda la que ha surgido. Este corazón se considera como lo más valioso, y la gente le ayudará. Bajo circunstancias tan difíciles, esta persona todavía no está perdida y aún desea regresar al origen. Como resultado, la gente le ayudará incondicionalmente y le echará una mano. Le ayudarán con cualquier cosa. ¿Por qué podemos hacer tal cosa para un practicante pero no para una persona común? Esta es la razón.

En lo que concierne a una persona común que sólo desea curarse de enfermedades, no podemos ayudarle en lo absoluto. Una persona común es justamente una persona común. La gente común debe ajustarse al estado de la sociedad de la gente común. Mucha gente dice que los Budas ofrecen la salvación a todos los seres conscientes, y la Escuela Buda enseña la salvación universal de todos los seres. Déjenme decirles que pueden consultar todas las escrituras budistas y no encontrarán allí ninguna palabra que diga que tratar enfermedades para la gente común es ofrecer la salvación a todos los seres. Son aquellos seudo-maestros de *Qigong* en años recientes los que han embrollado este asunto. Los maestros de *Qigong* genuinos, los que despejaron el camino para la Gran Ley, nunca les dijeron que les traten enfermedades a otros. Sólo les enseñaron cómo curar enfermedades y mejorar las condiciones físicas mediante su propia práctica. Siendo personas comunes, ¿cómo podrían curar enfermedades tan sólo después de haber aprendido *Qigong* por un par de días? ¿No sería eso engañar a otras personas? ¿No estimula eso su apego? ¡Están buscando la fama, riqueza y cosas sobrenaturales para mostrarlas entre la gente común! No se permite en lo absoluto hacer eso. Por eso, cuanto más las buscan, tanto menos pueden conseguirlas. No les está permitido hacerlo así, ni tampoco perturbar a su gusto el estado social de la gente común.

En este universo hay un principio tal que cuando desean regresar a su ser original y verdadero, otros los ayudarán. Sostienen que el hombre debe vivir para volver de donde vino en vez de quedarse entre la sociedad de la gente común. Aun si los seres humanos no sufrieran enfermedades y vivieran una vida cómoda, no estarían interesados en convertirse en inmortales aunque se lo preguntasen. ¡Qué maravilloso sería eso si la gente no sufriera enfermedades ni penas y tuviera cualquier cosa que quisiera! Sería realmente un mundo de inmortales. Pero cayeron hasta este nivel porque se volvieron corruptos; por consiguiente no estarán cómodos. Al hombre le es fácil hacer cosas malas cuando está perdido en el espejismo de la gente común. En el Budismo esto se llama el principio del castigo kármico. Por eso, cuando algunas personas tienen una tribulación o algún infortunio, en realidad están pagando su karma de acuerdo con el principio del castigo de su karma. El Budismo también sostiene que los Budas son omnipresentes. Si un Buda moviera la mano una sola vez, podría hacer desaparecer todas las enfermedades de la humanidad; esto definitivamente es posible. Con tantos Budas, ¿por qué no han hecho tal cosa? Es porque uno tiene que soportar sufrimientos a causa de las malas acciones que cometió en el pasado. Si ustedes le curaran su enfermedad, eso es lo mismo que violar el principio del universo, porque entonces estaría permitido que uno hiciera maldades y le debiera algo a alguien sin tener que pagar por ello. Eso no está permitido. Por eso, todos ellos preservan el estado normal de la sociedad humana, y ninguno quiere alterarlo. La práctica de cultivación es la única vía para poder librarse realmente de enfermedades y alcanzar la meta de la verdadera liberación. Solamente a través de hacer que la gente cultive una vía ortodoxa, puede haber salvación real de todos los seres vivientes.

¿Por qué pueden muchos maestros de *Qigong* curar

enfermedades? ¿Por qué hablan sobre el tratamiento de enfermedades? Algunos pueden haber considerado estas preguntas. La mayoría de tales maestros de *Qigong* no son de prácticas ortodoxas. En el curso de la cultivación, un verdadero maestro de *Qigong* encuentra que todos los seres vivientes están sufriendo. A él se le permite ayudar a algunos de ellos por compasión y simpatía. Pero no puede curar la enfermedad, sino sólo reprimirla temporalmente o posponerla, de modo que la sufrirán en el futuro. Las trasladará a algún otro lugar o a los miembros de su familia. Es incapaz de eliminar el karma para ustedes completamente. No se le permite eliminar a la ligera el karma para una persona común, solamente para los practicantes. Este es el principio.

En la Escuela Buda, la "salvación de todos los seres" implica traerlos desde el estado más doloroso de la gente común hacia las dimensiones más altas, donde ya nunca sufrirán y podrán gozar de libertad. Eso es lo que ello implica. ¿Acaso no mencionó Sakyamuni el otro lado de Nirvana? Este es el verdadero sentido de la salvación de todos los seres. Si viven cómodamente entre la gente común, contando con mucho dinero y con la cama acolchonada de billetes y sin ningún sufrimiento, no estarían interesados si les pidieran que se convirtieran en un ser inmortal. Si son cultivadores, el curso de su vida se puede cambiar. Sólo por medio de la práctica de cultivación es posible cambiarles la vida.

La manera en que funciona la capacidad sobrenatural de *Suming Tong* es similar a tener una pequeña pantalla fluorescente de televisión en la posición de la frente. Algunos la tienen en la frente; algunos la tienen cerca de la frente; algunos la tienen dentro de la frente. Hay quienes pueden ver cosas con los ojos cerrados. Si la capacidad es poderosa, algunos pueden ver cosas con los ojos abiertos. Sin embargo, otras personas no pueden verlas, porque son algo que está dentro de la esfera de su propio campo dimensional. Es decir, después de que esta capacidad se desarrolla, tiene que haber otra capacidad que sirva de portador para reflejar las imágenes de otras dimensiones. Como resultado, uno puede verlas con el Tercer Ojo.

Con esta capacidad, uno puede ver muy precisamente el futuro o el pasado de una persona. No importa lo bien que funcione la adivinación, ésta es incapaz de revelar las cosas pequeñas o detalles de un suceso. Sin embargo, con la capacidad de *Suming Tong*, puede uno verlos claramente, inclusive el tiempo del año. Los detalles de los cambios son todos visibles porque lo que uno ve es la reflexión verdadera de personas u objetos en dimensiones diferentes.

Voy a abrir el Tercer Ojo para cada uno de los cultivadores de Falun Dafa. Sin embargo, las capacidades sobrenaturales que se mencionarán más tarde, no se las voy a proporcionar. Con el constante ascenso de su nivel, la capacidad sobrenatural de *Suming Tong* aparecerá en su debido curso. Este escenario aparecerá en su futura práctica de cultivación y sabrán lo que está ocurriendo cuando desarrollen esta capacidad. Por consiguiente, les hemos enseñado estos principios de la Ley.

Trascendiendo los Cinco Elementos y los Tres Reinos

¿Qué significa "Trascender los Cinco Elementos y los Tres Reinos?" Este es un asunto muy delicado para abordar. En el pasado, muchos maestros de *Qigong* hablaron sobre este tema y fueron sofocados por las preguntas de los que no creían en el *Qigong*: "¿Cuál de ustedes que practica el *Qigong* ha trascendido los Cinco Elementos y no está dentro de los Tres Reinos?" Algunas personas no son maestros de *Qigong* y se autodenominan maestros de *Qigong*. Si no son capaces de aclarar este tema, deberían callarse. Sin embargo, aún son lo suficientemente audaces para hablar sobre este tema, y los oyentes entonces los dejan sin habla. Esto ha causado mucho daño a la comunidad de cultivadores, creando mucho caos. Algunos han utilizado esto como un pretexto para atacar al *Qigong*. "Trascender los Cinco Elementos y los Tres Reinos," es un dicho común en la comunidad de cultivadores. Tiene sus raíces en la religión y proviene de la religión. Por lo tanto, no podemos hablar sobre este tema sin dar consideración al fondo histórico y al ambiente de aquel entonces.

¿Qué significa "Trascender los Cinco Elementos?" Tanto la antigua ciencia china como la física contemporánea sostienen que la teoría china de los Cinco Elementos es correcta. Es verdad que los Cinco Elementos: Metal, Madera, Agua, Fuego y Tierra, constituyen todas las cosas en nuestro universo. Por eso, hablamos sobre la teoría de los Cinco Elementos. Si se dice que una persona ha trascendido los Cinco Elementos, diciéndolo en lengua moderna, esto significa que ha ido más allá de este mundo físico nuestro. Esto parece inconcebible. Sólo piensen en esta cuestión: Un maestro de *Qigong* posee *Gong*. Yo he participado en un experimento y muchos otros maestros de *Qigong* también han sido sometidos a este experimento para medir su energía. Actualmente, la composición material de este *Gong* puede medirse por medio de muchos aparatos. Es decir, con tal de que haya tal aparato, los elementos emitidos por un maestro de *Qigong* y la existencia de su *Gong* pueden detectarse. Los aparatos modernos pueden detectar rayos infrarrojos, rayos ultravioleta, ondas de ultrasonido, ondas de infrasonido, electricidad, fuerza magnética, rayos gamma, átomos y neutrones. Los maestros de *Qigong* poseen todas estas substancias. Algunas substancias emitidas por algunos maestros de *Qigong* no pueden ser determinadas porque no existen los aparatos para medirlas. Siempre que haya tales aparatos, todas esas substancias podrán determinarse. Se ha descubierto que las substancias que emiten los maestros de *Qigong* son sumamente abundantes.

Bajo el efecto de un campo magnético especial, un maestro de *Qigong* puede emitir un aura poderosa y muy bonita. Cuanto más alta sea su Potencia de Energía, tanto más grande será el campo de energía emitido por él. Una persona común también tiene aura, pero es muy pequeña y débil. En la investigación de la ciencia física de alta energía, la gente cree que la energía está compuesta de partículas tales como neutrones y átomos. Muchos maestros de *Qigong*, inclusive todos los famosos maestros de *Qigong*, han sido examinados. Yo también he sido examinado, y el aparato de medición mostró que la cantidad de rayos gamma y neutrones termales que yo había emitido era de 80 a 170 veces más grande que la radiación de la materia normal. Sin embargo, en ese momento el indicador del aparato alcanzó su límite, y la aguja paró en el punto máximo. Al final, el aparato no pudo decirnos qué tan grande era mi energía real. ¡Es simplemente inconcebible que uno pueda producir neutrones tan poderosos! ¿Cómo puede uno generar neutrones tan poderosos? Esto también verifica que nosotros los maestros de *Qigong* realmente poseemos *Gong* y energía. Esto ha sido comprobado por las comunidades científica y tecnológica.

Para trascender los Cinco Elementos, se requiere practicar un sistema de cultivación que integre el cuerpo y la mente. Si una práctica o vía de cultivación no es una de cuerpo y mente y sólo desarrolla el *Gong* para el nivel de la persona sin cultivar el cuerpo, no le concierne esta cuestión y no requiere trascender los Cinco Elementos. Un sistema de cultivación tanto de cuerpo como de mente, acumula energía en todas las células del cuerpo. La energía emitida por un practicante común o por una persona que acaba de comenzar a desarrollar su *Gong* está compuesta de partículas gruesas de energía, dispersas y de poca densidad. Por consiguiente, esta persona tiene muy poco poder. Cuando el nivel de uno es mucho más alto, es completamente posible que la densidad de su energía sea cien veces, mil veces, o cien millones de veces más grande que la de las moléculas de agua común. Cuanto más alto sea el nivel de uno, tanto más grande será la densidad, más pequeñas las partículas, y más poderosa su energía. Bajo esta circunstancia, la energía se almacena en cada célula del cuerpo. Esta energía no sólo se almacena en cada célula del cuerpo en esta dimensión física, sino que también llena todas las moléculas, átomos, protones y electrones de todos los cuerpos en otras dimensiones, hasta alcanzar las partículas sumamente microscópicas. Con el transcurso del tiempo, el cuerpo humano estará completamente lleno de esta materia de alta energía.

Esta materia de alta energía posee inteligencia y tiene muchas capacidades. Después de incrementarse en cantidad, hacerse más densa y ocupar todas las células del cuerpo humano, puede reprimir las células físicas, que son las más incompetentes. Una vez que las células estén reprimidas, ya no se someterán al metabolismo y al final las reemplazará completamente la materia de alta energía. Naturalmente, me es fácil decirlo, pero alcanzar este punto en la cultivación será un proceso gradual y lento. Cuando lleguen a este nivel de cultivación, todas las células de su cuerpo se reemplazarán por materia de alta energía. Piensen en esto: ¿Está su cuerpo aún compuesto de los Cinco Elementos? ¿Es aún materia de esta dimensión física nuestra? Ya está compuesto de la materia de alta energía recolectada de otras dimensiones. La substancia de la virtud también es materia que existe en otra dimensión, la cual no está restringida por el campo de tiempo en nuestra dimensión física.

La ciencia contemporánea sostiene que el tiempo posee un campo y que cualquier cosa que no esté dentro de la esfera de un campo de tiempo, no está restringida por ese tiempo. En otras dimensiones, los conceptos de tiempo-espacio son diferentes del nuestro. ¿Cómo puede el tiempo aquí restringir la materia de otras dimensiones? Eso no funcionaría en lo absoluto. Pensemos en esto: ¿No habrán ustedes mismos trascendido los Cinco Elementos para aquel entonces? ¿Será su cuerpo aún como el de una persona común? No lo será en lo absoluto. Sin embargo, una persona común es incapaz de ver la diferencia. Aunque el cuerpo de uno haya sido transformado hasta tal grado, uno no ha llegado al final de su cultivación. Debe continuar cultivándose para alcanzar niveles aún más altos. Por eso, uno debe seguir practicando la cultivación entre la gente común; no funcionaría si la gente no pudiera ver a esta persona.

¿Qué le sucederá más tarde? En el proceso de la cultivación, todas las células moleculares de esta persona son reemplazadas por la materia de alta energía, pero los átomos tienen su orden de colocación, y el orden de colocaciones molecular y nuclear no cambia. El orden de la colocación molecular de las células está en tal estado que se sienten suaves cuando las tocan. El orden de la colocación molecular de los huesos tiene una gran densidad y los huesos se sienten duros.

La densidad molecular de la sangre es muy baja, así que es fluida. La gente común no puede ver los cambios en ustedes según su apariencia exterior, porque sus células moleculares guardan aún las estructuras y orden de colocación originales. Aunque la estructura de una célula se mantiene como la original, la energía en ella habrá cambiado. Por eso, de ese momento en adelante, esta persona no se hará vieja naturalmente y sus células no morirán. Por consiguiente, se mantendrá joven continuamente. En el proceso de cultivación, uno tendrá una apariencia joven, y al final, esta apariencia permanecerá así.

Por supuesto, los huesos de uno todavía podrán fracturarse después de que a su cuerpo lo atropelle un coche. Uno también podrá sangrar si se corta con un cuchillo, porque el orden de colocación molecular no ha cambiado. Es solamente que las células no morirán ni se volverán viejas de forma natural. Tampoco habrá metabolismo. Esto es lo que llamamos "Trascender los Cinco Elementos." No hay nada de superstición en ello. Se puede explicar con principios científicos. Cuando algunos son incapaces de explicarlo claramente, hacen comentarios a su antojo. Otra gente podrá decir que están propagando la superstición. Dado que esta afirmación viene de la religión, no es un término creado por el *Qigong* contemporáneo.

¿Qué significa, "Trascender los Tres Reinos?" Yo dije el otro día que la clave para el incremento del *Gong* consiste en nuestra cultivación del *Xinxing* y en asimilarse a la característica del universo. Entonces, la característica del universo no les restringirá más. Una vez que mejoren su *Xinxing*, la substancia de la virtud se transformará en *Gong*, el cual crecerá incesantemente hacia arriba al nivel alto, formando así un Pilar de *Gong*. Cualquiera que sea la altura de este Pilar de *Gong*, ésa será la altura de su nivel de energía. Hay un dicho: "La Gran Ley no tiene límites." Cultivarla depende enteramente de su corazón. En cuanto a qué nivel podrán ustedes alcanzar, todo depende de su resistencia y habilidad para soportar sufrimientos. Si han usado toda su propia substancia blanca, pueden transformar su substancia negra en la blanca a través de sufrir penas. Si todavía no es suficiente, pueden cargar con los pecados de sus parientes o buenos amigos que no practican la cultivación, y así también pueden incrementar su *Gong*. Sin embargo, esto sólo puede realizarse por un cultivador que esté ya en un nivel sumamente alto. Un cultivador común no debe tener la idea de cargar con los pecados de sus parientes. Con un karma tan grande, a un cultivador común le sería imposible llegar a la perfección en su cultivación. Lo que estoy explicando aquí son principios en diferentes niveles.

Los Tres Reinos mencionados en las religiones se refieren a los nueve niveles del cielo o los treinta y tres niveles del cielo, es decir, el cielo, la Tierra y el mundo subterráneo, inclusive a todos los seres dentro de los Tres Reinos. Mantienen que todos los seres dentro de los treinta y tres niveles del cielo tienen que pasar por el ciclo de reencarnación de *samsara*. El *samsara* significa que un ser humano en esta vida puede convertirse en un animal en la próxima reencarnación. En el Budismo se dice: "Uno debe aprovechar bien el tiempo limitado en esta vida. Si no practican la cultivación ahora mismo, ¿cuándo se cultivarán? Esto es porque a los animales no se les permite practicar la cultivación, ni tampoco pueden escuchar la Ley. Aunque practiquen la cultivación, no podrán lograr el Fruto Verdadero.[4] Si su nivel de *Gong* es demasiado alto, serán eliminados por el cielo. Puede que ustedes no sean capaces de obtener un cuerpo humano en muchos centenares de años y quizás no lo obtengan en más de mil años. Una vez que tienen un cuerpo humano, ni siquiera saben apreciarlo. Si reencarnan en una piedra, no serán capaces de salir de ella aun en diez mil años. Si esa piedra no se hace polvo ni se desgasta por la erosión, nunca podrán salir. ¡Obtener un cuerpo humano es tan difícil! Una persona que verdaderamente puede obtener la Gran Ley, es simplemente la más afortunada. El cuerpo humano es muy difícil de obtener, y esto trata de esa verdad.

En la práctica de la cultivación, nos concierne la cuestión de

---

[4] Fruto Verdadero—El logro del Estado de Fruto en la Escuela Buda.

niveles. El nivel al que ustedes lleguen depende totalmente de su cultivación. Si desean trascender los Tres Reinos y si su Pilar de *Gong* es cultivado hasta un nivel muy alto, entonces, ¿no están más allá de los Tres Reinos? Cuando el *Yuanshen* de algunos sale de su cuerpo durante la meditación sentada, puede alcanzar un nivel muy alto en un instante. Uno de mis practicantes escribió en su informe de experiencia: "Maestro,[5] subí a tantos niveles del cielo y vi varias escenas." Le dije que subiera más alto. Dijo: "No puedo ni me atrevo a hacerlo." El no era capaz de subir más. ¿Por qué? Porque su Pilar de *Gong* era sólo de esa altura, y había ascendido allí sentado encima de su Pilar de *Gong*. Este es el Estado de Fruto que menciona el Budismo, y su cultivación había alcanzado esa posición. Sin embargo, para un cultivador, esto aún no es la cúspide de su Estado de Fruto. Uno está constantemente subiendo, sublimándose y mejorándose. Si el Pilar de *Gong* de ustedes ha sobrepasado los límites de los Tres Reinos, ¿acaso no han trascendido los Tres Reinos? Hemos investigado y descubierto que los Tres Reinos mencionados en las religiones se encuentran sólo dentro de los límites de los nueve planetas principales. Algunas personas dicen que hay diez planetas principales. Yo diría que eso no es verdad en lo absoluto. He encontrado que algunos de esos maestros de *Qigong* en los años anteriores tenían Pilares de *Gong* tan altos que habían sobrepasado más allá de los límites de la Galaxia de la Vía Láctea. Habían sobrepasado mucho más allá de los Tres Reinos. Ahora mismo acabo de hablar sobre el trascender los Tres Reinos. En realidad es una cuestión de niveles.

Sobre el Tema del Deseo

Muchas personas vienen a nuestro campo de cultivación con el apego del deseo. Algunos anhelan capacidades sobrenaturales; algunos desean escuchar la teoría; algunos esperan la curación de sus enfermedades; algunos intentan obtener un Falun. Han venido aquí

---

[5] Maestro—Una forma respetuosa de llamar a un maestro en China.

con toda clase de deseos. Alguien incluso me dijo: "Un miembro de mi familia no puede asistir a la clase. Si pago el costo de la enseñanza, ¿podría Ud. darle un Falun?" Para formar este Falun, nos ha tomado muchas generaciones, desde un tiempo muy remoto y un número de años tan grande que se sorprenderían si se lo revelara. ¿Cómo podrían comprar un Falun con unas cuantas decenas de yuanes?[6] ¿Por qué podemos dárselo sin condición a cada uno de ustedes? Es simplemente porque desean ser cultivadores. Ninguna cantidad de dinero puede comprar ese corazón. Sólo cuando su naturaleza-Buda se revela, podemos hacer tal cosa por ustedes.

Se aferran al apego del deseo. ¿Han venido sólo para conseguir esto? Mi *Fashen*[7] en otra dimensión sabe todas las cosas que están pensando. Como los conceptos de tiempo-espacio en las dos dimensiones son diferentes, en otra dimensión, la formación de sus pensamientos se ve como un proceso sumamente lento. Mi *Fashen* sabe todo aun antes de que tengan el pensamiento. Por consiguiente, deben abandonar todos sus pensamientos incorrectos. La Escuela Buda cree en la relación predestinada, la cual ha traído aquí a todos los presentes. Si lo han obtenido, quizás les era predestinado tenerlo. Por eso, deberían atesorarlo y no apegarse a ningún deseo.

En la cultivación religiosa del pasado, la Escuela Buda enseñaba el vacío. Uno no debe pensar en nada y entrar en la puerta del vacío. La Escuela Tao enseñaba la nada, ya que no hay nada. Uno no desea nada, ni persigue nada. Un practicante habla de tener el corazón para practicar el *Gong*, en vez de obtenerlo intencionalmente. En la cultivación y en la práctica uno debe mantenerse en un estado libre de intención. Con tal que se enfoquen en cultivar el *Xinxing*, subirán de un nivel a otro y seguramente adquirirán las cosas que se merecen. Si se aferran a sus deseos, ¿no significa eso que tienen apegos? Aquí les hemos enseñado de una sola vez una Ley de tan alto nivel y los requisitos para su *Xinxing* son, por supuesto, también de un nivel alto.

---

[6] yuan—Unidad monetaria china (aprox.= $0.12 Dólares EE.UU.).
[7] *Fashen*—"*Fashen*"; un cuerpo compuesto de *Gong* y Fa.

Por eso, uno no debe venir a aprender la Ley con el apego a los deseos.

Para ser responsable a todos, les estamos guiando hacia la vía correcta, y tenemos que explicarles esta Ley detenidamente. Cuando uno desea obtener el Tercer Ojo, el mismo Tercer Ojo se cerrará y será sellado. Además, les digo que en la cultivación de *Shi-Jian-Fa*, todas las capacidades que uno desarrolla son capacidades originales e innatas de este cuerpo físico. Hoy en día las llamamos capacidades sobrenaturales. Estas sólo pueden funcionar y controlar a la gente común en esta dimensión, es decir, en nuestro espacio físico. ¿Para qué desean estos pequeños e insignificantes trucos? Aun si las han adquirido después de una búsqueda obstinada, serán inútiles en otras dimensiones después de que entren en la cultivación de *Chu-Shi-Jian-Fa*. Cuando hayan salido fuera de *Shi-Jian-Fa*, todas estas capacidades deberán ser descartadas y comprimidas dentro de una dimensión profunda para su preservación. En el futuro, éstas servirán como un registro de su cultivación, y sólo pueden tener este pequeño uso.

Después de salir de la cultivación de *Shi-Jian-Fa*, uno tiene que empezar la cultivación nuevamente. Como he mencionado arriba, su cuerpo es uno que ha trascendido los Cinco Elementos, es decir, es un cuerpo-Buda. ¿No es correcto llamar a tal cuerpo un cuerpo-Buda? Este cuerpo-Buda tiene que practicar otra vez desde el principio la cultivación y también desarrollar capacidades sobrenaturales de nuevo. En lugar de llamarlas capacidades sobrenaturales, ahora se llaman poderes divinos de la Ley Buda. Los poderes divinos son infinitamente poderosos y pueden actuar eficazmente sobre diferentes dimensiones. Entonces, ¿qué uso tiene su búsqueda de capacidades sobrenaturales? Para todos aquellos que buscan capacidades sobrenaturales, ¿no desean usarlas o lucirlas entre la gente común? De otro modo, ¿para qué las desean? Estas son invisibles e intangibles. Para elegir un artículo meramente como adorno, uno quiere escoger algo bonito. Estoy seguro que en la subconsciencia desean usarlas con algún propósito. No pueden buscarse como habilidades de la gente común. Estas son cosas completamente sobrenaturales y se prohíbe lucirlas entre la gente común. El hacer alarde de sí mismo es un apego muy fuerte, un corazón muy malo, y un corazón que un cultivador debe abandonar. Si desean usarlas para ganar dinero, para hacer fortuna, o para lograr intereses entre la gente común a través de la lucha personal, eso está prohibido. Eso es tratar de usar cosas de alto nivel para perturbar y alterar la sociedad de la gente común; ese pensamiento es aún peor. Por consiguiente, no les está permitido usar sus capacidades a la ligera.

Generalmente los niños y la gente de edad avanzada componen la mayoría de aquellos cuyas capacidades es más probable que se desarrollen. En particular, las mujeres mayores usualmente controlan bien su *Xinxing* y no tienen muchos apegos de la gente común. Después de que desarrollan sus capacidades sobrenaturales, pueden controlarlas fácilmente porque no tienen el deseo de lucirlas. ¿Por qué es difícil para la gente joven desarrollarlas? Porque la gente joven, especialmente los hombres jóvenes, aún desean competir para lograr sus objetivos en la sociedad de la gente común. Una vez que tienen capacidades sobrenaturales, las usan y las toman como una habilidad para realizar sus metas. Eso nunca será permitido. Por eso, ellos no desarrollan capacidades sobrenaturales.

La cultivación no es un asunto de broma, ni una técnica de la gente común, sino un asunto muy serio. Si desean cultivarse, o si son capaces de cultivarse, depende completamente de cómo mejoren su *Xinxing*. Sería terrible si uno realmente pudiera obtener capacidades sobrenaturales a través de la búsqueda. Descubrirían entonces que a esa persona no le importa la cultivación ni piensa en absoluto sobre este asunto. Debido a que su *Xinxing* está en el mismo nivel que el de la gente común y sus capacidades sobrenaturales las adquiere a través de la búsqueda, podría cometer toda clase de malos actos. Hay mucho dinero en el banco y usaría una forma de magia para llevarse algún dinero. Como hay muchos puestos de lotería en la calle, iría a escoger el boleto del primer premio. ¿Por qué jamás han ocurrido tales cosas? Algunos maestros de *Qigong* afirman: "Sin ser una persona virtuosa, uno puede fácilmente hacer cosas malas después de desarrollar capacidades sobrenaturales." Yo diría que eso es una afirmación errónea. Este no es el caso en lo absoluto. Si no prestan atención a mejorar sus virtudes y no cultivan el *Xinxing*, simplemente nunca desarrollarán ninguna capacidad sobrenatural. No obstante, se dan también casos en que algunas personas de buen *Xinxing* desarrollan capacidades sobrenaturales en su debido nivel. Más tarde, no pueden controlarse bien y hacen cosas que no deberían hacer. Pero una vez que uno hace algo malo, sus capacidades sobrenaturales se debilitan o se pierden. Una vez que se han perdido, no se recobran jamás. Además, lo peor de todo es que esto puede hacer que uno desarrolle apegos.

Algunos maestros de *Qigong* afirman que si una persona estudia su práctica por tres o cinco días, sería capaz de curar enfermedades. Eso es como un anuncio, y tales maestros de *Qigong* deberían llamarse comerciantes de *Qigong*. Piensen todos sobre esto: Siendo una persona común, ¿cómo podrían curar enfermedades de otros tan sólo emitiendo algo de su *Qi*? Las personas comunes también poseen *Qi* en su cuerpo, igual que ustedes. Ustedes son practicantes que acaban de iniciar la práctica, y es sólo porque tienen abierto su punto de acupuntura *Laogong*[8] que pueden absorber o emitir el *Qi*. Cuando tratan de curarles las enfermedades a otros, ellos también tienen *Qi* en su cuerpo. ¡Quizás el *Qi* de ellos les cure las enfermedades a ustedes! ¿Cómo puede el *Qi* de uno dominar el *Qi* del otro? El *Qi* no puede curar enfermedades en lo absoluto. Además, cuando están tratando a un paciente, ustedes y el paciente forman un campo, y todo el *Qi* patogénico de ellos vendrá al cuerpo de ustedes. Tendrán tanto *Qi* patogénico como el paciente. Aunque la raíz de la enfermedad radica en el cuerpo del paciente, caerán enfermos si tomaron de él mucho *Qi* patogénico. Una vez que crean ser capaces de curar enfermedades, comenzarán a tratar pacientes. No rehusarán la petición de nadie, y de esa manera desarrollarán un apego. ¡Qué contentos están cuando han

---

[8] Punto *Laogong*—Punto de acupuntura localizado en medio de la palma.

curado la enfermedad de alguien! ¿Por qué pueden curar enfermedades? ¿No han pensado en esto? Todos los falsos maestros de *Qigong* están poseídos por animales o espíritus (*futi*), y con el fin de que les crean, les darán algún mensaje. Cuando hayan tratado a tres, cinco, ocho o diez pacientes, el mensaje desaparecerá. Como eso consume energía, después no tendrán más de esa energía. Ustedes mismos no poseen *Gong*, entonces, ¿de dónde pueden obtenerlo? Nosotros los maestros de *Qigong* hemos practicado la cultivación por decenas de años. Era muy difícil practicar la cultivación en el pasado. Practicar la cultivación es bastante difícil si uno toma una puerta lateral o una vía no ortodoxa, en vez de seguir una vía ortodoxa.

Aunque puedan encontrar que algunos grandes maestros de *Qigong* gozan de amplia fama, ellos han practicado la cultivación por decenas de años habiendo desarrollado sólo un poquito de *Gong*. Ustedes nunca han practicado la cultivación. ¿Cómo pueden haber adquirido *Gong* después de asistir a una clase de instrucción? ¿Cómo es posible eso? Ustedes desarrollarían un apego después de eso. Una vez que un apego se desarrolla, se inquietan si no pueden curar enfermedades. Con el fin de mantener su reputación, ¿en qué están pensando algunas personas cuando tratan a un paciente? "Por favor, déjenme tener esta enfermedad para que el paciente pueda curarse." Esta idea suya no viene de su compasión, ya que su deseo de fama y ganancia no ha sido descartado en absoluto. Esta persona es incapaz de desarrollar su corazón de compasión. Tiene miedo de perder su reputación. Por lo tanto, preferiría tener ella misma esta enfermedad para poder mantener su reputación. ¡Qué apego más intenso de obtener fama! Bien, una vez que tenga este deseo, la enfermedad se trasladará del paciente a ella inmediatamente. Esto verdaderamente ocurrirá. Regresará a casa a sufrir la enfermedad mientras que el paciente ha quedado curado. Después de tratar al paciente, caerá enferma en casa. Cree que ha curado una enfermedad. Cuando otros la llamen maestro de *Qigong*, estará complacida y se alegrará enormemente. ¿No es eso un apego? Cuando fracasa en el tratamiento de una enfermedad, baja la cabeza y se siente abatida. ¿No es esto causado por su apego hacia la fama y ganancia personal? Además, todo el Qi patogénico de su paciente vendrá a su cuerpo. Aunque esos falsos maestros de $Qigong$ le enseñaron cómo eliminarlo de su cuerpo, les digo que es completamente incapaz de eliminarlo, ni siquiera un poquito, porque no tiene en sí la capacidad de distinguir el Qi malo del Qi bueno. A la larga, su cuerpo se pondrá totalmente negro por dentro. Eso es karma.

Cuando deseen realmente practicar la cultivación, será una prueba considerable. ¿Qué harán? ¿Cuánto sufrimiento tienen que padecer para transformar el karma en la substancia blanca? Es muy difícil de hacer. En particular, cuanto mejor sea la cualidad innata de uno, tanto más fácil le será encontrar este asunto. Algunos persisten en buscar las capacidades para curar enfermedades. Si tienen tal deseo en la mente, un animal lo verá y les vendrá a poseer el cuerpo. Esto es la posesión de animal o espíritu. ¿No desean curar enfermedades? El animal les echará una mano. Sin embargo, no les ayudará a tratar enfermedades sin ningún motivo. Sin pérdida, no hay ganancia. Esto es muy peligroso y terminarán por invitarlo a su cuerpo. ¿Cómo podrán continuar la práctica de cultivación? Se arruinarán completamente.

Algunas personas que tienen buenas cualidades innatas intercambian sus cualidades innatas por el karma de otros. Un enfermo tiene usualmente mucho karma. Si curan a un paciente que tiene una enfermedad grave, caerán muy enfermos al regresar a casa después del tratamiento. En el pasado, muchos de los que trataban enfermedades tuvieron esta experiencia: el paciente quedaba bien, pero ustedes sufrían serias enfermedades en casa. Con el transcurso del tiempo, mucho karma se les transferirá a ustedes. Le dan virtud a otros a cambio de su karma. Sin pérdida, no hay ganancia. Aunque lo que ustedes obtienen es la enfermedad, también tienen que pagar por el karma con virtud. En este universo hay un principio: nadie los va a detener con tal de que sea algo que ustedes mismos quieran, ni tampoco dirá nadie que son buenos. Este universo también tiene un reglamento específico, es decir, quien tenga mucho karma es una persona mala. Están regalándoles su cualidad innata a otra persona por el karma. Con mucho karma, ¿cómo podrían practicar la cultivación? Su cualidad innata se arruinará totalmente por esa persona. ¿No es eso terrible? El paciente está bien y se siente cómodo, pero ustedes regresan a casa para sufrir. Si curan a dos pacientes de cáncer, tendrán que morir en lugar de ellos. ¿No es esto algo peligroso? Ciertamente es así. Pero mucha gente no sabe el por qué de esta verdad.

No se dejen llevar por la alta reputación de que gozan algunos falsos maestros de *Qigong*. Una persona de alta reputación no tiene necesariamente sabiduría. ¿Qué saben los humanos ordinarios? Sólo debido a la gran promoción de otros, creen en algo a ciegas. Lo que los falsos maestros de *Qigong* están haciendo ahora no sólo hace daño a otros, sino también les hace daño a ellos mismos. Después de un par de años, ya verán en qué se convertirán. No se permite arruinar así la práctica de cultivación. La práctica de cultivación puede curar enfermedades, pero no se debe usar con el propósito de curar enfermedades. La cultivación es algo sobrenatural en lugar de una técnica de la gente común. Arruinarla a su gusto está absolutamente prohibido. Actualmente, algunos falsos maestros de *Qigong* han creado un ambiente caótico, usando el *Qigong* como un medio de asegurar fama y fortuna. Forman sectas para expandir su influencia perversa y superan muchas veces en número a los maestros verdaderos. Toda la gente común dice cosas y hace cosas de esta manera, ¿y ustedes simplemente les creen? Podrán pensar que el *Qigong* es simplemente así, pero no lo es. Lo que yo digo es la verdad genuina.

En las diferentes interacciones sociales que se desarrollan entre la gente común, uno cometerá maldades para ganar beneficios personales y quedará en deuda con otros. Uno tiene que soportar sufrimientos para pagar lo que debe a otros. Supongamos que tratan una enfermedad a la ligera. ¿Cómo puede permitirse que curen realmente una enfermedad? Hay Budas presentes en todas partes. Habiendo tantos, ¿por qué no lo hacen ellos? ¡Qué maravilloso sería si un Buda hiciera que todos los seres humanos vivieran cómodamente! ¿Por qué no lo han hecho así? Uno mismo debe pagar su deuda kármica. Nadie se atreve a violar este principio. Durante el curso de la cultivación, un practicante puede ocasionalmente ayudar a otros por su compasión. Sin embargo, esto sólo puede aplazar la enfermedad. Si ellos no sufren ahora, tendrán que sufrir más tarde. El también puede transformar las enfermedades para que pierdan dinero o sufran una desgracia, en vez de padecer enfermedades. Puede que sea así. Curarles realmente sus enfermedades significa eliminar de una vez ese karma. Eliminar verdaderamente el karma de una persona de una sola vez puede hacerse sólo para practicantes y no para una persona común. Aquí no estoy hablando sólo del principio de mi escuela. Estoy exponiendo los principios del universo entero, y estoy hablando sobre la situación real dentro de la comunidad de cultivadores.

Aquí, no les enseñamos a curar enfermedades. Les estamos guiando hacia la Gran Vía, la vía ortodoxa, y les estamos elevando hacia arriba. Por eso, en cada clase, siempre diré que no se permite a ningún discípulo de Falun Dafa curar enfermedades. Si tratan enfermedades, no serán practicantes de Falun Dafa. Como estamos guiándolos hacia el camino correcto, durante el curso de la práctica de cultivación de *Shi-Jian-Fa*, el cuerpo de ustedes será purificado constantemente hasta estar completamente transformado por la materia de alta energía. Pero, ¿cómo pueden practicar la cultivación si todavía recolectan esas cosas negras en el cuerpo? ¡Esas cosas son karma! Ya nunca podrán practicar la cultivación. Con tanto karma, serán incapaces de aguantarlo. Si sufren demasiado, serán incapaces de practicar la cultivación. Esta es la razón. He hecho pública esta Gran Ley y quizás no comprendan todavía lo que les he enseñado. Ya que esta Gran Ley puede hacerse pública, hay medios de protegerla. Si les tratan las enfermedades a otros, mi *Fashen* recobrará todas las cosas implantadas en su cuerpo para la cultivación. No podemos permitirles arruinar negligentemente algo tan valioso para ganar fama y riqueza. Si no actúan de acuerdo con los requisitos de la Ley, no serán practicantes de Falun Dafa. Ya que desean ser una persona común, el cuerpo les será restituido al nivel de una persona común y las cosas malas se les devolverán.

Después de escuchar mi conferencia de ayer, muchos comenzaron a sentir que su cuerpo entero era liviano. Sin embargo, aquellas pocas personas que están seriamente enfermas se adelantaron y comenzaron a sentirse incómodas desde ayer. Después de ayer que les quité las cosas malas del cuerpo, la mayor parte de ustedes se sintieron livianos por todo el cuerpo y muy cómodos. Sin embargo, hay un principio en este universo: Sin pérdida, no hay ganancia. No podemos quitarles todas las cosas malas. Está absolutamente prohibido que no tengan que aguantar ningún sufrimiento. Eso quiere decir que hemos eliminado las causas fundamentales de sus enfermedades y de su pobre salud. Sin embargo, tienen aún un campo de enfermedad. Una persona cuyo Tercer Ojo está abierto en un plano muy bajo puede ver en su cuerpo masas de *Qi* negro y *Qi* patogénico turbio, lo cual es una masa concentrada de *Qi* negro con gran densidad. Una vez que esta masa se disperse, el *Qi* negro les llenará todo el cuerpo.

Desde hoy, algunos de ustedes sentirán frío por todo el cuerpo como si hubieran contraído una fuerte gripe, y probablemente sentirán dolor en los huesos también. La mayor parte de ustedes sentirán incomodidad en algunas partes del cuerpo, tales como dolor en las piernas o mareo. La parte enferma de su cuerpo que pensaban que estaba curada por medio de los ejercicios de *Qigong* o por maestros de *Qigong*, la sentirán enferma otra vez. Eso es porque ese maestro de *Qigong* no les curó esa enfermedad, solamente la aplazó. Como resultado, la enfermedad aún quedó en el lugar original y tendrían una recaída más tarde si no en ese momento. Tenemos que sacarla fuera y eliminarla completamente de raíz. De esta manera, pueden sentir que la enfermedad ha vuelto. En realidad, esto es una disolución fundamental de su karma. Por eso, sentirán algunas reacciones. Algunos sentirán reacciones en algunas partes del cuerpo. Algunos pueden sentirse incómodos de una manera o de otra, ya que diferentes clases de dolencias se manifestarán. Todo esto es normal. Les estoy diciendo a todos que no importa qué tan incómodos se sientan, tienen que seguir asistiendo a mis conferencias. Una vez que entren a la clase, todos sus síntomas desaparecerán y no estarán en ningún peligro. Sobre esto hay un punto que decir: No importa qué difícil les sea soportar la "enfermedad," espero que persistan en venir a la clase, porque es difícil obtener la Ley. Cuando se sienten muy enfermos, esto indica que las cosas tomarán un curso opuesto después de llegar al límite extremo. Es decir, todo el cuerpo les será purificado y tiene que ser purificado completamente. La raíz de su enfermedad ha sido eliminada, y lo que queda es sólo un poco de *Qi* negro que saldrá por su propia cuenta para que padezcan un poco de tribulación y aguanten algún sufrimiento. Está prohibido que no sufran nada.

En la sociedad de la gente común, ustedes compiten contra otros por el deseo de fama y ganancia personal. No pueden dormir bien ni gozan de buen apetito y su cuerpo está en muy mal estado. Cuando su cuerpo es visto desde otra dimensión, los huesos son totalmente negros. Para purificar tal cuerpo en un tiempo tan corto, es imposible que no tengan ninguna reacción. Por eso, tendrán algunas reacciones. Algunas personas pueden vomitar y tener diarrea a la vez. En el pasado, muchos alumnos en diferentes regiones mencionaron este asunto en sus informes de experiencias: "Maestro, después de la clase, yo estuve buscando inodoros a lo largo de todo el camino hasta llegar a casa." Esto es porque los órganos internos de muchos alumnos tienen que ser purificados. Algunos alumnos podrán dormirse en la clase y se despertarán cuando termine mi conferencia. ¿Por qué? Es porque tienen enfermedades en el cerebro que necesitan ser tratadas. Pero no podrían aguantar en absoluto tal ajuste de su cerebro. Por lo tanto, deben ser puestos en un estado de anestesia para que no sientan nada. Sin embargo, algunos de ellos no tienen ningún problema para escucharme. Aunque estén durmiendo profundamente, oyen todo sin perder ni una sola palabra. Además, después de esto estarán llenos de vigor y no sentirán sueño aunque se pasen dos días sin dormir. Hay diferentes condiciones que necesitan todas ajustarse, porque su cuerpo entero tiene que purificarse completamente.

Si son cultivadores genuinos de Falun Dafa y pueden renunciar a los apegos en su corazón, desde ahora cada uno de ustedes tendrá algunas reacciones. Aquellos que no pueden renunciar a sus apegos podrán afirmar que los han abandonado, pero en realidad no lo han hecho en absoluto. Por eso, es muy difícil purificarles el cuerpo. También hay algunos que más tarde entenderán el contenido de mis conferencias. Empiezan a dejar sus apegos y su cuerpo se purifica. Mientras que otros han encontrado el cuerpo liviano desde la cabeza hasta los pies, estas personas comienzan a librarse de sus enfermedades y empiezan a sentirse incómodas. En cada clase hay tales personas que se quedan atrás y no tienen muy buena cualidad de entendimiento. Por lo tanto, cualquier cosa que se encuentren será normal. Esta situación también ocurrió en las clases que di en otras regiones. Había una persona que se sentía tan enferma que estaba tendida boca abajo en una silla, esperando que yo bajara del podio para darle algún tratamiento. Yo no haría tal cosa. Si no son capaces ni de pasar esta prueba, ¿cómo podrán practicar la cultivación en el futuro cuando se encuentren con muchas tribulaciones grandes? ¿Acaso no pueden superar una tribulación tan pequeña? Seguro que pueden hacerlo. Por eso, nadie debe venir a pedirme que trate enfermedades, ni trataré enfermedades tampoco. Una vez que mencionen la palabra "enfermedad," no estoy dispuesto a escucharlos.

Los seres humanos son muy difíciles de salvar. Siempre hay aproximadamente un cinco o diez por ciento de los alumnos en cada curso de mis conferencias que no pueden seguir a los otros. Es imposible que todos obtengan el Tao. Aún para aquellos que pueden perseverar en la práctica de cultivación, es difícil decir si podrán obtener la perfección o no, y si tienen la inflexible determinación de cultivarse o no. Es imposible que todos se conviertan en Buda. Un verdadero cultivador de la Gran Ley experimentará los mismos estados sólo leyendo este libro, y podrá obtener todo lo que se merezca tener de igual manera.

Lectura Tercera

Yo Tomo a Todos los Practicantes Como mis Discípulos

¿Saben ustedes lo que estoy haciendo? Considero a todos los practicantes, incluso a los que pueden cultivarse realmente por su propio estudio, como mis discípulos, y así les doy mi guía. Para guiarlos al alto nivel, enseñándoles el sistema de cultivación, no tengo otra alternativa que tratarlos de esta manera. De otro modo, sería lo mismo que actuar irresponsablemente y crear confusión. Les hemos dado muchas cosas y les hemos permitido saber tantos principios que la gente común no debería saber. Además de proveerlos de muchas otras cosas, les he enseñado la Gran Ley. Debo purificarles el cuerpo y tratar algunos otros asuntos. Por consiguiente, sería simplemente inaceptable si yo no los tomara como mis discípulos. No está permitido revelar libremente tantos secretos celestiales a la gente común. Sin embargo, hay un punto que mencionar. Ahora, los tiempos han cambiado. No practicamos la ceremonia de postrarnos y tocar el suelo con la cabeza, bajando y subiendo las dos manos juntas. Esa clase de ceremonia tiene poca utilidad, y su ejecución parece práctica religiosa. Nosotros no la practicamos. ¿Para qué sirve la ceremonia de tocar el suelo con la cabeza y postrarse ante el maestro, si después de salir fuera de esta puerta continúan comportándose como de costumbre y hacen lo que quieren, compitiendo y peleando por fama y fortuna entre la gente común? ¡Podrían dañar la reputación de Falun Dafa ostentando mi estandarte!

La verdadera práctica de cultivación depende enteramente de su corazón. Siempre y cuando puedan cultivarse y continuar cultivándose firme y constantemente, les tomaré como mis discípulos. Me es imposible no tratarlos así. Sin embargo, hay algunos que quizás no sean capaces de tomarse a sí mismos realmente como cultivadores y continuar su cultivación. A algunas personas, les es imposible. Pero muchas personas seguirán verdaderamente practicando la cultivación. Siempre que perseveren en la cultivación, los consideraré mis discípulos y los guiaré.

¿Puede uno considerarse discípulo de Falun Dafa si sólo practica esta serie de ejercicios todos los días? No necesariamente. Esto es porque la cultivación verdadera requiere que actúen de acuerdo con la norma de *Xinxing* que hemos establecido, y tienen que elevar en serio el *Xinxing*. Entonces, esa será la verdadera práctica de cultivación. Si sólo practican esos movimientos sin mejorar el *Xinxing*, no tendrán la energía poderosa que refuerza todas las cosas. Eso no puede llamarse cultivación y no podemos considerarlos tampoco como discípulos de Falun Dafa. Si continúan así sin actuar de acuerdo con los requisitos de Falun Dafa y se comportan como antes entre la gente común sin mejorar el *Xinxing*, aún podrían toparse con algunos otros problemas aunque practiquen los ejercicios. Hasta podrían decir que la práctica de nuestro Falun Dafa es la que los ha conducido a la desviación. Todo es posible. Por eso, deben actuar de acuerdo con los requisitos de nuestra norma de *Xinxing*, y sólo de este modo se convertirán en cultivadores genuinos. Se lo he explicado claramente a todos. Por consiguiente, no vengan a mí para la ejecución de tales ceremonias formales como la de postrarse ante el maestro. Siempre que practiquen genuinamente la cultivación, los trataré de esta manera. Mis *Fashen* son tantos que son innumerables. Además de estos practicantes presentes, no importa cuántas más personas haya, todavía soy capaz de cuidarlos.

El *Qigong* de la Escuela Buda y el Budismo

El *Qigong* de la Escuela Buda no es la religión budista. Necesito aclararles este punto a todos. En realidad, el *Qigong* de la Escuela Tao tampoco es la religión taoísta. Algunos de ustedes siempre se confunden con estas cosas. Algunas personas son monjes de los templos y algunos son budistas laicos. Piensan que saben un poco más sobre el Budismo, y por eso hacen esfuerzos por propagar apasionadamente cosas del Budismo entre nuestros practicantes. Déjenme decirles que no deben hacer tal cosa, porque esas cosas son de una escuela de cultivación diferente. Una religión tiene formas religiosas. Aquí estamos enseñando la parte de cultivación de nuestra escuela. A excepción de aquellos monjes y monjas que son discípulos de Falun Dafa, todos los demás no deben observar las formas religiosas. Por lo tanto, nuestro sistema de cultivación no es el Budismo en el Período de Decadencia.

El Dharma del Budismo es sólo una pequeña parte de la Ley Buda. Aún hay muchas otras Leyes grandes y profundas. Diferentes niveles tienen también diferentes Leyes. Sakyamuni dijo que había 84.000 vías de cultivación. La religión budista incluye sólo unas cuantas vías de cultivación, tales como la Secta Tiantai, la Secta Huayan, el Budismo Zen, la Vía de la Tierra Pura, el Tantrismo, etc. ¡Estas ni siquiera son suficientes para formar una mínima parte de todas las vías! Por lo tanto, el Budismo no puede representar la totalidad de la Ley Buda, y es sólo una parte muy pequeña de la Ley Buda. Nuestro Falun Dafa es también una de las 84.000 vías de cultivación en la Escuela Buda. No tiene nada que ver con el Budismo original, ni con el Budismo en el Período de Decadencia, ni está relacionado con las religiones actuales.

El Budismo fue fundado por Sakyamuni en la India antigua hace 2.500 años. Después de volverse *KaiGong* y obtener la iluminación, Sakyamuni recordó lo que él mismo había cultivado en sus encarnaciones previas y lo hizo público para salvar a los seres humanos. No importa cuántos miles y miles de volúmenes de Sutras hayan salido de esa escuela, sus características pueden resumirse en tres caracteres chinos. Las características de esa escuela son: Precepto, Samadhi[1] y Sabiduría. El Precepto significa renunciar a todos los deseos de una persona común, obligándolo a uno a dejar la búsqueda

---

[1] Samadhi—En el Budismo, "Meditación en trance."

de su propio interés, abandonando todas las cosas mundanas, etc. De esta manera, la mente estará vacía, sin ningún pensamiento, y así será capaz de entrar en la tranquilidad. Se complementan mutuamente. Después de ser capaz de entrar en la tranquilidad, uno puede sentarse con las piernas cruzadas en meditación para la cultivación genuina y hacer progreso por medio del poder de concentración. Esta es precisamente la parte genuina de cultivación en esa escuela. En esa vía de cultivación, uno no presta atención a hacer ejercicios, ni tampoco cambia su *Benti*[2]. Sólo cultiva el *Gong* que determina la altura de su nivel. Por lo tanto, uno solamente cultiva su *Xinxing*. No cultiva su cuerpo, así que no presta atención a la transformación del *Gong*. Mientras tanto, a través de la meditación, uno intensifica su poder de concentración y disminuye su karma con el sufrimiento de sentarse en meditación con las piernas cruzadas. La sabiduría se refiere a que uno se ilumina con gran sabiduría, y puede ver la verdad del universo como también la verdad de diferentes dimensiones del universo. Todos los poderes divinos surgen. El despertarse a la sabiduría y a la iluminación se llama también *KaiGong*.

Cuando Sakyamuni fundó su vía de cultivación, había ocho religiones que prevalecían en la India en aquel tiempo. Había una religión profundamente arraigada, conocida con el nombre de Brahmanismo. Durante toda su vida, Sakyamuni siempre luchó ideológicamente contra las otras religiones. Debido a que lo que Sakyamuni enseñaba era una Ley ortodoxa, el Dharma budista que él enseñaba se hizo más y más popular durante todo el curso de su enseñanza, mientras que las otras religiones iban cada vez más hacia la decadencia. Aun el Brahmanismo profundamente arraigado estaba al borde de la extinción. Sin embargo, después del Nirvana[3] de Sakyamuni, las otras religiones, especialmente el Brahmanismo, nuevamente recobraron popularidad. Entonces, ¿qué situación surgió en el Budismo? Algunos monjes se hicieron *KaiGong* y obtuvieron la

---

[2] *Benti*—El cuerpo físico de uno y sus cuerpos en otras dimensiones.
[3] Nirvana—(del sánscrito) Partir de este mundo humano sin este cuerpo físico; el método de completar la cultivación en la escuela de Buda Sakyamuni.

iluminación en diferentes niveles, pero sus niveles de iluminación fueron relativamente bajos. Sakyamuni llegó al nivel de Tathagata, pero muchos monjes no alcanzaron ese nivel.

La Ley Buda tiene diferentes manifestaciones en diferentes niveles. Sin embargo, cuanto más alto sea el nivel, tanto más cerca estará de la verdad; cuanto más bajo sea el nivel, tanto más lejos estará de la verdad. Esos monjes se hicieron *KaiGong* y obtuvieron la iluminación en niveles bajos. Para tratar de interpretar lo que Sakyamuni había dicho, usaron las manifestaciones del universo que habían visto en sus propios niveles respectivos y las situaciones y principios que habían comprendido. Es decir, algunos monjes interpretaron de esta o esa manera el Dharma que Sakyamuni había enseñado. En lugar de usar las palabras originales de Sakyamuni, algunos monjes predicaron lo que ellos mismos habían comprendido como las palabras de Sakyamuni. Como resultado, el Dharma se distorsionó tanto que quedó irreconocible y enteramente diferente del Dharma que Sakyamuni había enseñado. Al final, el Dharma del Budismo desapareció en la India. Esta es una grave lección histórica. Entonces más tarde, ya no hubo Budismo en la India. Antes de desaparecer, el Budismo pasó por muchas reformas. Finalmente, el Budismo incorporó algunas cosas del Brahmanismo y se convirtió en la religión actualmente llamada Hinduismo en la India. Esta ya no venera a ningún Buda, sino que venera algunas otras cosas y no cree en Sakyamuni. Esta es la situación.

Durante el curso de su desarrollo, el Budismo fue sometido a varias reformas relativamente grandes. Una de ellas ocurrió poco después del fallecimiento de Sakyamuni. Algunas personas fundaron el Mahayana[4] basado en los principios de alto nivel enseñados por Sakyamuni. Creían que el Dharma que Sakyamuni había enseñado públicamente estaba destinado para que la gente común obtuviera la autosalvación y la posición de Arhat. Este Dharma no ofrecía la

---

[4] Mahayana—"El Budismo del Gran Vehículo."

salvación a todos los seres vivientes, y por lo tanto fue llamado Hinayana.[5] Los monjes en el sudeste de Asia aún observan la manera original de cultivación enseñada en los días de Sakyamuni. En la región Han de China, nosotros la llamamos Budismo del Pequeño Vehículo. No obstante, ellos mismos no piensan así, y creen que han heredado las cosas originales de Sakyamuni. En realidad esto es cierto, ya que básicamente han heredado la vía de cultivación enseñada en los días de Sakyamuni.

Después de que este Mahayana reformado se introdujo en China, tomó raíz en nuestro país y se convirtió en el Budismo que actualmente se enseña en China. De hecho, el Mahayana es completamente diferente al Budismo en los días de Sakyamuni. Todas las cosas han cambiado, desde la vestimenta hasta el estado de iluminación y el proceso entero de la práctica de cultivación. En el Budismo original, sólo Sakyamuni era venerado como su fundador honorable. Sin embargo, en el Budismo actual han aparecido muchos Budas y grandes Bodhisattvas. Además, la creencia ahora está dedicada a muchos Budas. El Budismo se ha convertido en una religión que venera a muchos Budas, y han aparecido muchos Budas Tathagatas, tales como el Buda Amitabha, el Buda Maestro Médico, el Tathagata Gran Sol, etc. Muchas grandes Bodhisattvas también han sido veneradas. De esta manera, todo el Budismo se ha vuelto totalmente diferente al Budismo que Sakyamuni fundó en su tiempo.

Durante ese período, otra reforma se llevó a cabo cuando la Bodhisattva Nagarjuna enseñó una práctica esotérica de cultivación. Esta vino de la India y fue introducida a China a través de Afganistán, y luego a Xinjiang.[6] Ocurrió justamente en la Dinastía Tang,[7] por eso lo llamaron Tantrismo Tang. Debido a la profunda influencia de la Escuela Confuciana, los valores morales de China eran diferentes a

---

[5] Hinayana—"El Budismo del Pequeño Vehículo."

[6] Xinjiang—Una provincia en el nordeste de China.

[7] Dinastía Tang—Uno de los períodos más prósperos en la historia de China (618 d.C.-907 d.C.)

los de la gente en otras naciones en general. Esta práctica esotérica de cultivación contenía la cultivación doble de un hombre y una mujer, la cual no podía aceptar la sociedad de aquel entonces. Por eso, el Tantrismo Tang fue erradicado durante la supresión del Budismo en los años de Hui Chang en la Dinastía Tang, y así desapareció de la región Han en China. Ahora en el Japón hay una vía llamada Tantrismo del Este, que en realidad derivó de la China en aquel tiempo. Sin embargo, no experimentó el *Guanding*.[8] De acuerdo con el Tantrismo, si uno estudia el Tantrismo sin el *Guanding*, se le considera igual que a uno que se roba el Dharma, y no se le reconoce como discípulo que el maestro mismo enseñó. Otra vía de cultivación fue introducida de la India al Tíbet vía Nepal, y fue llamada Tantrismo Tibetano, que ha sido legada hasta la actualidad. Básicamente, ésta es la situación en el Budismo. He dado sólo un muy breve resumen de su curso de desarrollo y evolución. En el curso entero del desarrollo del Budismo aparecieron otras vías, tales como el Budismo Zen fundado por Boddhidarma, la Vía de la Tierra Pura, la Secta Huayan, etc. Todas estas vías fueron fundadas sobre un entendimiento de lo que Sakyamuni había enseñado en ese tiempo. Estas también forman parte del Budismo reformado. Hay más de diez tales vías de cultivación en el Budismo y todas han tomado la forma de religión. Por lo tanto, todas pertenecen al Budismo.

En cuanto a las religiones fundadas en este siglo, no sólo en este siglo, sino también las muchas nuevas religiones que fueron fundadas en diferentes partes del mundo en los últimos varios siglos, la mayor parte de ellas son falsas. Los grandes seres iluminados tienen su propio paraíso para salvar a los seres humanos. Estos Budas Tathagata tales como Sakyamuni, Buda Amitabha y el Tathagata Gran Sol, etc., todos tienen su propio paraíso donde presiden para salvar a los seres humanos. En nuestra Galaxia de la Vía Láctea, hay más de cien paraísos así. Nuestro Falun Dafa tiene también el Paraíso Falun.

---

[8] *Guanding*—Rito de iniciación; llenarse de energía por la coronilla.

En términos de salvación, ¿a dónde pueden esas vías falsas llevar a sus seguidores? Son incapaces de salvar a la gente, ya que lo que predican no es la Ley. Por supuesto, cuando algunas personas fundaron religiones, al comienzo no intentaron actuar como demonios para dañar las religiones ortodoxas. Cuando se hicieron *KaiGong*, obtuvieron la iluminación en diferentes niveles. Vieron algunos principios, pero estaban en niveles muy lejos de los seres iluminados que son capaces de salvar a la gente. Estaban en niveles muy bajos, y descubrieron algunos principios. Encontraron que algunas cosas entre la gente común eran erróneas, y también le dijeron a la gente cómo hacer cosas buenas. Al comienzo, no se opusieron a otras religiones. Al final, la gente creyó en ellas, pensando que lo que decían era razonable. Más tarde, la gente confió en ellas cada vez más. Como resultado, la gente las veneraba a ellas en vez de a las religiones. Después de que creció su deseo de fama y fortuna, le pidieron al público que les concedieran algunos títulos. Desde aquel entonces, se convirtieron en fundadoras de nuevas religiones. Les estoy diciendo que todas esas religiones son perversas. Aunque no le hagan daño a la gente, son aún religiones perversas, porque han interferido con la fe de la gente en las religiones ortodoxas. Las religiones ortodoxas pueden salvar a la gente, pero estas otras no pueden. Con el paso del tiempo, hacen cosas malas engañosamente. Recientemente, muchas de estas cosas han sido introducidas en China. La llamada secta *Guanyin*[9] es una de ellas. Por eso, tienen que ponerse en guardia. Se dice que hay más de dos mil de esas prácticas en un cierto país del este de Asia. Toda clase de creencias existen en el sudeste de Asia y en algunos países occidentales. En cierto país, se encuentran abiertamente prácticas de alabanza demoníaca. Todas estas cosas son demonios que han salido en el Período de Decadencia. El Período de Decadencia no sólo se refiere al Budismo, sino también a la corrupción de muchas dimensiones por debajo de una dimensión muy alta. El "Período de Decadencia" no sólo se refiere al Período de

---

[9] Secta Guanyin—Un culto al que le nombraron así por la Bodhisattva Avalokitesvara, la "Diosa de la Misericordia."

Decadencia en el Budismo; también significa que en la sociedad humana no hay Ley en los corazones de la gente para mantener la moralidad.

La Concentración en un Solo Sistema de Cultivación

Enseñamos que una persona debe concentrarse en un solo sistema de cultivación. No importa cómo se cultiven, no deben cultivarse a ciegas, mezclando otras cosas a lo que practican. Algunos budistas laicos cultivan las cosas que se enseñan en el Budismo y también cultivan lo que pertenece a nuestro Falun Dafa. Les digo que si se cultivan de esta manera, al final no obtendrán nada, porque nadie les dará cosa alguna. Aunque los dos sistemas de cultivación pertenecen a la Escuela Buda, existe el asunto de *Xinxing* y al mismo tiempo, el asunto de concentrarse en un solo sistema de cultivación. Tienen sólo un cuerpo. ¿De qué vía será la energía de cultivación que desarrollarán en su cuerpo? ¿Cómo podrá transformarse? ¿A dónde desean ir? La vía que hayan cultivado los llevará al lugar donde ésta pertenece. Si se cultivan de acuerdo con la Vía de la Tierra Pura, irán al Paraíso de la Felicidad Suprema, presidido por el Buda Amitabha. Si se cultivan de acuerdo con el Buda Maestro Médico, irán al Paraíso Cristalizado. Así dicen en la religión: "No hay segunda vía de cultivación."

La práctica de los ejercicios de que hablamos aquí se refiere en realidad al proceso entero de la transformación de energía, y sigue la escuela de cultivación de uno. Entonces, ¿adónde dirían que desean ir? Si pisan en dos botes a la misma vez, no obtendrán nada. No sólo la práctica de *Qigong* no puede mezclarse con las prácticas budistas en los templos, pero aun ni las cosas de diferentes vías de cultivación, prácticas de *Qigong*, ni de religiones deben incorporarse. En la cultivación, aun entre la misma religión, las diversas denominaciones no pueden mezclarse. Uno tiene que elegir una sola vía de cultivación. Si cultivan la Vía de la Tierra Pura, deben practicar solamente la Vía de la Tierra Pura. Si cultivan el Tantrismo, deben cultivar solamente el Tantrismo. Si cultivan el Budismo Zen, deben cultivar solamente el Budismo Zen. Si pisan en dos botes a la misma vez, cultivando esto y aquello al mismo tiempo, no obtendrán nada. Eso quiere decir que aun en el Budismo, se enseña únicamente una vía, y no se les permite cultivar diferentes vías al mismo tiempo. Un budista también está practicando *Gong* y cultivándose a sí mismo. El proceso del desarrollo de su *Gong* sigue el proceso de la cultivación y transformación en la vía que él cultiva. También hay en otras dimensiones un proceso de evolución del *Gong*, el cual es también un proceso sumamente complejo y sutil que no puede mezclarse a la ligera con otras cosas en la cultivación.

Al oír que practicamos el *Qigong* perteneciente a la Escuela Buda, algunos budistas laicos tratan de llevar a nuestros practicantes al templo para convertirlos al Budismo. Déjenme decirles que ninguno de los aquí presentes debe hacer tal cosa. De otro modo, estarían dañando no sólo nuestra Gran Ley, sino también los mandamientos del Budismo. Al mismo tiempo, estarían interfiriendo con nuestros practicantes, haciendo que sean incapaces de obtener algo. Eso no está permitido. La práctica de cultivación es un asunto serio, que se debe realizar concentrándose en un solo sistema. Aunque esta porción que enseñamos a la gente común no es una religión, su meta en la cultivación es la misma. Las dos intentan alcanzar *KaiGong*, obtener la iluminación y llegar a la consumación en la cultivación.

Sakyamuni afirmó que en el Período de Decadencia aun a los monjes en los templos les sería difícil salvarse a sí mismos, ni mencionar a los budistas laicos que no están siendo cuidados por nadie en realidad. Aunque se hayan postrado ante un maestro, ese supuesto maestro es también cultivador. Si el maestro no se cultiva genuinamente, tampoco podrá conseguir nada. Sin cultivar el corazón, nadie puede lograrlo. La conversión es una formalidad para la gente común. ¿Serán un miembro de la Escuela Buda después de la conversión? ¿Les cuidará entonces el Buda? No existe tal cosa. Aunque se postren todos los días dando con la frente en el suelo hasta sangrar, o aunque quemen incienso puñado tras puñado, todo esto también les será inútil. Tienen que cultivar el corazón de una manera real y sincera para que funcione. Al llegar el Período de Decadencia, ya han tenido lugar grandes cambios en el universo. Ya ni los lugares donde el público practica sus creencias religiosas son buenos. Los que poseen capacidades sobrenaturales (inclusive los monjes) han descubierto esta situación. Actualmente, yo soy la única persona en todo el mundo que está enseñando una Ley ortodoxa al público. He hecho algo sin precedente. Además, he abierto esta puerta muy ampliamente en el Período de Decadencia. De hecho, ésta es una oportunidad que ni siquiera ocurre una vez en 1.000 años o aun en 10.000 años. Sin embargo, en cuanto a si uno puede salvarse o no, es decir, si uno puede cultivarse o no, todavía depende completamente de uno mismo. Lo que les estoy diciendo es una gran verdad cósmica.

No estoy diciéndoles que tienen que aprender sólo mi Falun Dafa. Lo que he dicho es un principio. Si desean cultivarse, tienen que escoger una sola vía de cultivación. De otro modo, nunca tendrán buen resultado en su cultivación. Naturalmente, si no quieren practicar la cultivación, no los cuidaremos. Esta Ley se enseña sólo a aquellos cultivadores genuinos. Por eso, deben concentrarse en un solo sistema de cultivación, y aun las ideas de otros sistemas de cultivación no deben ser intermezcladas. Aquí no estoy enseñando actividades mentales; no se requiere ninguna actividad mental en nuestro Falun Dafa. Por eso, ninguno de ustedes debe añadir ningún pensamiento a su cultivación. Tienen que prestar atención a esto: Básicamente no hay actividades mentales en nuestro sistema. La Escuela Buda enseña el vacío y la Escuela Tao, la nada.

En una ocasión, conecté mi mente con la de cuatro o cinco grandes seres iluminados y grandes taoístas de dimensiones sumamente altas. Hablando sobre niveles altos, sus niveles eran tan altos que la gente común pensaría que es simplemente inconcebible. Ellos deseaban saber lo que yo estaba pensando. He practicado la cultivación por muchos años. Es absolutamente imposible que otros entiendan mi mente, porque las capacidades sobrenaturales de otros no pueden penetrarme en absoluto. Nadie es capaz de entenderme o saber lo que estoy pensando. Deseaban saber lo que yo estaba pensando. Por eso, con mi consentimiento, conectaron su mente con la mía por un período de tiempo. Después de la conexión, me sentí un poco incómodo, porque por más alto o más bajo que sea mi nivel, me encuentro aún entre la gente común y estoy haciendo algo con intención, es decir, salvando al público, y mi corazón está dedicado a salvar al público. Pero, ¿qué tan tranquila tenían la mente? Su tranquilidad llegó a un grado escalofriante. Sí, es posible para una persona llegar a ese grado de tranquilidad. Pero, cuando hay cuatro o cinco personas sentadas allí con tal grado de tranquilidad, parece una laguna de agua inmóvil, sin nada en ella. Traté en vano de percibir sus pensamientos. En esos días, me sentí mentalmente muy incómodo y experimenté una sensación única. Era algo más allá de lo que la gente común pudiera imaginarse. Tenían la mente vacía y en un estado completamente libre de apegos.

En niveles muy altos no hay actividad mental en absoluto para la cultivación. Eso es porque mientras ustedes estaban entre las personas comunes al nivel de erigir una fundación, las bases del sistema ya se habían cimentado. Después de llegar a la cultivación de muy alto nivel, nuestro sistema de cultivación en particular funciona automáticamente y la práctica de cultivación es completamente automática. Siempre y cuando eleven el *Xinxing*, su *Gong* continuará creciendo. Ni siquiera tienen que hacer ningún ejercicio. Los ejercicios en nuestra vía de cultivación se hacen para reforzar el mecanismo automático. ¿Por qué siempre se mantiene uno inmóvil cuando se sienta en meditación? Uno está completamente en el estado de *wuwei*. Podrán encontrar que la Escuela Tao enseña esta o esa habilidad de manos, las llamadas actividades mentales o la guía por la intención mental. Déjenme decirles que cuando los cultivadores taoístas hayan salido del nivel de *Qi*, no tendrán nada, ni prestarán atención en absoluto a esta o esa actividad mental. Por lo tanto, algunos practicantes que han practicado otros *Qigong* no pueden dejar cosas tales como métodos de respiración, actividades mentales, etc. Les estoy enseñando algo de la universidad, pero ellos siempre me preguntan cosas de alumnos de la escuela primaria, tales como cómo dirigir y usar las actividades mentales. Ya se han acostumbrado a hacerlo de esa manera y piensan que el *Qigong* es así, pero en realidad, no lo es.

Las Capacidades Sobrenaturales y la Potencia de Energía

Muchos de ustedes no comprenden bien la terminología en el *Qigong* y a algunas personas siempre las confunde. Toman las capacidades sobrenaturales por la Potencia de Energía, o viceversa. El *Gong* que desarrollamos a través de la cultivación del *Xinxing* y de la asimilación con las características del universo se transforma de nuestra virtud. El *Gong* es crucial porque determina la altura del nivel de uno, la fuerza de su Potencia de Energía y la altura de la posición adquirida en la cultivación. ¿Qué desarrollará uno en el curso de su cultivación? Puede desarrollar algunas capacidades supranormales, que llamamos capacidades sobrenaturales. El *Gong* arriba mencionado, el cual eleva el nivel de uno, se llama la Potencia de Energía. Cuanto más alto sea el nivel de uno, tanto más poderosa será su Potencia de Energía y tanto más fuertes serán sus capacidades sobrenaturales.

Las capacidades sobrenaturales son sólo subproductos del proceso de la cultivación de uno; no representan el nivel ni la altura del nivel, ni la fuerza de la Potencia de Energía de uno. Algunos pueden desarrollar más de ellas, mientras que otros pueden desarrollar menos. Además, las capacidades sobrenaturales no son algo que se pueda perseguir como la meta principal de cultivación. Sólo cuando un practicante está decidido a cultivarse verdaderamente, podrá desarrollarlas. Sin embargo, no pueden tomarse como la meta principal de la cultivación. ¿Para qué quieren cultivar esas cosas? ¿Desean usarlas entre la gente común? Les está absolutamente prohibido usarlas a su gusto entre la gente común. Por eso, cuanto más desean tenerias, tanto menos los lograrán. Esto es porque andan buscando algo. El afán de búsqueda es en sí un apego. Por medio de la práctica de cultivación, son justamente los apegos lo que hay que eliminar.

Muchas personas han alcanzado, sin tener capacidades sobrenaturales, un alto y profundo reino de consciencia en la cultivación. Sus maestros les han bloqueado las capacidades sobrenaturales por si acaso no pueden controlarse bien y pudieran cometer hechos malos. Por lo tanto, no se les permite nunca mostrar sus capacidades sobrenaturales. Hay un gran número de esas personas. Las capacidades sobrenaturales las controla la mente de uno. Un practicante pudiera fracasar en controlarse en un sueño. Con un solo sueño uno quizás podría voltear el cielo y la tierra boca abajo la mañana siguiente. Nunca se permitirá que eso ocurra. Debido a que la práctica de cultivación tiene lugar entre la gente común, a aquéllos con grandes capacidades sobrenaturales usualmente no se les permite usarlas. La mayoría están bajo llave, pero eso no es absoluto. También ocurren excepciones. Hay muchas personas que se han cultivado muy bien y pueden comportarse muy bien. A ellas se les permite tener algunas capacidades sobrenaturales. En referencia a esas personas, aunque les pidas que hagan una simple demostración de sus capacidades sobrenaturales, absolutamente no lo harán, porque son capaces de controlarse.

La Cultivación Inversa y el Préstamo de *Gong*

Algunas personas nunca han practicado *Qigong* o quizás han aprendido sólo unos pocos movimientos en una clase de introducción al *Qigong*. Pero lo que ellos han aprendido no es la práctica de cultivación, sino algo para curar enfermedades y mejorar la salud. Es decir, estas personas nunca han recibido enseñanzas verdaderas, pero una noche de repente se dieron cuenta que tenían *Gong*. Ahora vamos a hablar de cómo han obtenido el *Gong,* y cuántas formas de *Gong* hay.

Una de ellas pertenece a la cultivación inversa. ¿Qué es la cultivación inversa? Hay algunas personas que son bastante mayores, pero aún desean cultivarse. Ya es demasiado tarde para que se cultiven desde el principio. Cuando el *Qigong* estaba en su auge, también deseaban practicar la cultivación. Sabían que con la práctica de *Qigong* podían hacer cosas buenas para otros, y que al mismo tiempo podían mejorarse a sí mismas. Tenían tal deseo de mejorarse y cultivarse. Sin embargo, durante el auge del *Qigong* en los años anteriores, lo que todos aquellos maestros hacían era popularizar el *Qigong* y no había nadie que enseñara cosas a nivel superior. Aun hoy día, nadie más está enseñando en público realmente el *Qigong* de un alto nivel, y yo soy la única persona que lo está haciendo. Todas las personas de la cultivación inversa eran mayores de cincuenta años y eran relativamente viejas. Como tenían muy buenas cualidades innatas y llevaban cosas muy buenas en el cuerpo, casi todos estos cultivadores eran lo suficientemente buenos para ser seleccionados como discípulos o sucesores de aquellos maestros. Sin embargo, estas personas tenían una edad avanzada. Si deseaban practicar la cultivación, de ningún modo sería algo fácil. ¿Dónde podían encontrar a un maestro? Pero tan pronto como ellos quisieran cultivarse y con este pensamiento en el corazón, brillaría como oro, estremeciendo el Mundo en las Diez Direcciones. A menudo, la gente menciona la naturaleza-Buda, y ésta sería la naturaleza-Buda que entonces había surgido.

Desde la perspectiva del nivel superior, la vida de uno no es para ser un ser humano. Debido a que la vida de uno nace en el espacio del universo, se asimila a *Zhen-Shan-Ren*, el carácter del universo, y su naturaleza es benevolente y bondadosa. Sin embargo, después de incrementarse el número de seres, se forma una relación social. Como resultado, algunas personas se vuelven egoístas o malas y ya no pueden quedarse en los niveles más altos; por eso, caen a un nivel más bajo. Cuando se han vuelto malas de nuevo en este nivel, deben caer aún más abajo hasta el próximo nivel. Esto continúa hasta que al final caen a este nivel de la gente común. Al caer a esta dimensión, deberían haber sido aniquiladas completamente. Sin embargo, por benevolencia y compasión, aquellos grandes seres iluminados decidieron darles a los seres humanos otra oportunidad, poniéndolos en el ambiente más doloroso; por eso crearon esta dimensión.

En otras dimensiones, la gente no tiene cuerpo como éste. Pueden flotar en el aire y hacerse más grandes o más pequeños. Sin embargo, en esta dimensión, se provee a los seres humanos de este tipo de cuerpo, nuestro cuerpo físico. Con este cuerpo, uno no puede aguantar si tiene frío, calor, fatiga o hambre. En cualquiera de los casos, están padeciendo sufrimientos. Cuando están enfermos, sufren dolor. Uno tiene que pasar por el nacimiento, el envejecimiento, las enfermedades y la muerte para poder pagar sus deudas kármicas a través del sufrimiento. Les dan otra oportunidad para ver si pueden regresar al origen. Por eso, los humanos han caído en un laberinto. Después de haber caído aquí, se les provee de este par de ojos para que no sean capaces de ver otras dimensiones, ni la verdad de la materia. Si pueden regresar al origen, los sufrimientos más grandes serán también los más valiosos. En este laberinto, habrá muchas tribulaciones cuando practican la cultivación para regresar al origen, y según su habilidad de entendimiento, volverán rápidamente. Si se vuelven aun peor, su vida será aniquilada. Por lo tanto, a juicio de los seres iluminados, la vida de uno no es para vivirla como ser humano. Su propósito es para que uno regrese a su ser original y verdadero. La persona común no puede darse cuenta de eso. Una persona común en la sociedad humana no es más que una persona común. Lo que ella piensa es cómo progresar y cómo vivir cómodamente. Cuanto mejor vive, tanto más egoísta y codiciosa se vuelve, y tanto más lejos se distancia de las características del universo. Así, se dirigirá hacia la destrucción.

Visto desde un nivel superior, aunque puedan pensar que están marchando hacia adelante, en realidad están retrocediendo. Los seres humanos piensan que están desarrollando la ciencia y progresando, pero en realidad, están simplemente siguiendo la Ley del universo.

Zhang Guolao, uno de los Ocho Inmortales,[10] montó en burro con la espalda hacia el frente. Poca gente sabe por qué se montó en el burro de esa manera. Se dio cuenta que al marchar hacia adelante, uno en realidad está retrocediendo, así que montó en burro con la espalda al frente. Por eso, tan pronto algunos deseen cultivarse, los grandes seres iluminados considerarán tales corazones como los más valiosos y extenderán ayuda sin condición alguna. Es justamente como los practicantes sentados aquí. Si quieren practicar la cultivación, puedo ayudarles incondicionalmente. Sin embargo, esto no se puede hacer si quieren curarse de sus enfermedades y desean lograr esto o aquello como una persona común; no podré ayudarles. ¿Por qué? Porque quieren ser personas comunes, y una persona común debe pasar por el nacimiento, envejecimiento, enfermedades y muerte; tiene que ser de esta manera. Todas las cosas tienen sus relaciones kármicas, con las cuales no se puede interferir. La vida de ustedes originalmente no incluía la práctica de cultivación, pero ahora desean cultivarse. Por consiguiente, su vida futura tendrá que ser planeada de nuevo, y así está permitido ajustarles el cuerpo físico.

Cuando una persona quiere practicar la cultivación y le nace este deseo, los grandes seres iluminados lo verán y lo considerarán altamente valioso. Pero, ¿cómo pueden ayudarle? ¿Dónde puede esa persona encontrar un maestro en este mundo? Además, es mayor de cincuenta años. Los grandes seres iluminados no pueden enseñarla. Esto es porque si ellos mismos se manifestaran para enseñarle la Ley e impartirle los ejercicios de práctica, estarían revelando los secretos del cielo. Ellos mismos tendrían que caer hacia abajo. Los seres humanos han caído en el laberinto a causa de sus malos actos, y por eso tienen que practicar la cultivación para iluminarse dentro del laberinto. Por lo tanto, los seres iluminados no pueden enseñarlos. Si un Buda real aparece ante los ojos de la gente y enseña la Ley y la práctica de ejercicios, aun aquellos culpables de pecados imperdonables vendrían a aprender. Todos lo creerían. Entonces,

---

[10] Los Ocho Inmortales—Taoístas bien conocidos en la historia China.

¿cómo nacería la iluminación? Ya no existiría el asunto de iluminarse. Los seres humanos debían haber sido aniquilados porque son ellos mismos quienes han caído en el laberinto. Ahora en este laberinto se les da otra oportunidad para regresar del laberinto a su origen. Si son capaces de regresar al origen, lo lograrán. Si no pueden lograrlo, continuarán viviendo en el ciclo de *samsara* o serán aniquilados.

Uno hace su propio camino. ¿Qué pasa si uno desea practicar la cultivación? Han encontrado una manera. En aquel período, el *Qigong* era muy popular, y eso fue también un cambio en el fenómeno celestial. Con el fin de cooperar con este cambio del fenómeno celestial, los seres iluminados le suministraron *Gong* a esta persona basados en los méritos de su *Xinxing*, por un tubo suave conectado con su cuerpo. Funcionaba como un grifo de agua, y si se abría, salía el *Gong*. Si la persona deseaba emitir *Gong*, el *Gong* salía. Ella misma no podía emitir *Gong*, porque el *Gong* que poseía no era suya. Era justamente así. Esto se llama "cultivación inversa," por la cual uno llega a la consumación, cultivando desde el nivel alto y retrocediendo al nivel bajo.

Generalmente nos cultivamos del nivel bajo al nivel alto hasta obtener *KaiGong* o la consumación. La mencionada cultivación inversa era para la gente mayor que no tenía suficiente tiempo para cultivarse del nivel bajo al nivel alto. Por consiguiente, les era más rápido cultivarse del nivel alto al nivel bajo, lo que fue también un fenómeno creado en aquel tiempo. Esa persona tenía que tener un *Xinxing* muy alto, y se le daba la energía en base a los méritos de su *Xinxing*. ¿Cuáles eran los propósitos? Uno de los propósitos era cooperar con el fenómeno celestial de aquel tiempo. Cuando esta persona estaba haciendo obras buenas, podía soportar penalidades al mismo tiempo. Esto es porque al estar entre la gente común, toda clase de deseos mundanos podían interferir con ella. Cuando le curaba la enfermedad a un paciente, el paciente quizás no demostraba agradecimiento. Al darle tratamiento a un paciente, le podría haber quitado muchas cosas malas del cuerpo. Aunque curó a este paciente hasta tal grado, quizás no había ningún cambio obvio en ese momento.

No obstante, el paciente quedaba mentalmente descontento. En lugar de expresar gratitud, él tal vez la acusaba de estafadora. Con estos problemas, su corazón pasaba por tribulaciones psicológicas en tales circunstancias. El propósito de suministrarle energía era para permitirle que practicara la cultivación y se mejorara a sí misma. Al hacer obras buenas, ella podía desarrollar sus propias capacidades sobrenaturales e incrementar su propia energía de cultivación; sin embargo, algunas personas no sabían de este principio. ¿Acaso no mencioné que nadie podía enseñarle la Ley? Si ella era capaz de despertarse, podría entenderlo. Este es un asunto de entendimiento. Si la persona no podía entenderlo, no había nada que se pudiera hacer.

Cuando algunos recibían el *Gong*, una noche repentinamente sentían mucho calor durante el sueño, y casi no podían soportar las sábanas. Después de levantarse a la mañana siguiente, sentían un choque eléctrico con cualquier cosa que tocaban. Sabían que habían obtenido energía. Si alguien estaba sufriendo dolor en el cuerpo, solucionaban el problema pasándole la manos sobre la parte afectada sin darle mayor importancia, y funcionaba bastante bien. De ahí en adelante, sabían que poseían energía. Así se convertían en maestros de *Qigong* y colgaban sus letreros. Se proclamaban a sí mismos maestros de *Qigong* y empezaban su práctica. Al comienzo, esta persona era muy buena. Cuando les curaba las enfermedades a otros, le daban dinero o algunos regalos, todos los cuales rechazaba. Sin embargo, esta persona no podía escapar de contaminarse en la gran tina de tinta de la gente común. Debido a que estas personas de la vía inversa nunca habían pasado por la cultivación real de su *Xinxing*, les era muy difícil mantener un buen *Xinxing*. Gradualmente, esta persona aceptaba pequeños regalos. Más tarde, también aceptaba regalos grandes. Al final, se ofendía cuando los regalos eran pocos. Finalmente, decía: "¿Por qué me dan tantas cosas? ¡Denme dinero!" No hacía la curación si le daban una cantidad inadecuada de dinero. Además, al llenarse sus oídos de los halagos de otros sobre su habilidad, tampoco respetaba a los maestros de *Qigong* de las escuelas ortodoxas. Quedaba descontenta cuando alguien decía algo malo acerca de ella. Sus deseos de fama y fortuna se habían desarrollado. Se consideraba más lista que otros y realmente extraordinaria. Pensaba erróneamente que le habían dado el *Gong* para que pudiera actuar como maestra de *Qigong* y hacer gran fortuna, cuando en realidad, el *Gong* era para que practicara la cultivación. Una vez que sus apegos de fama y fortuna se desarrollaban, el *Xinxing* de esta persona caía de verdad.

He dicho que la altura del *Xinxing* de uno determina la altura del *Gong*. Cuando el nivel de *Xinxing* de uno ha bajado, ya no pueden suministrarle tanto *Gong* porque tienen que darle el *Gong* de acuerdo con su nivel de *Xinxing*. El nivel de *Xinxing* de uno determina la altura de su *Gong*. Cuanto más fuerte sea el deseo de uno por fama y fortuna, tanto más bajo de nivel caerá entre la gente común. Consecuentemente, su *Gong* también disminuirá. Al final, cuando uno ha caído hasta el fondo, ya no le dan *Gong*. Esta persona no poseerá *Gong* en lo absoluto. Hace unos años, surgieron bastantes personas así y la mayor parte eran mujeres mayores de cincuenta años. Aunque pudieran ustedes haber visto a una mujer mayor practicando *Qigong*, ella nunca había recibido enseñanzas verdaderas. Ella pudo haber aprendido algunos movimientos en una clase de introducción de *Qigong* para curar sus enfermedades y fortalecer la salud. Un día, de repente, obtuvo el *Gong*. Sin embargo, cuando su *Xinxing* se empeoró, o si sus apegos por la fama y fortuna se desarrollaron, su nivel cayó. Ahora ella es un don nadie y su *Gong* ha desaparecido también. Un gran número de estas personas de cultivación inversa han caído de nivel. Sólo quedan unas pocas hoy en día. ¿Por qué? Porque no sabían que esto era para que se cultivaran a sí mismas. Equivocadamente pensaban que era para que hiciesen fortuna, ganaran fama y se volvieran maestros de *Qigong* entre la gente común. En realidad, era para que se cultivaran a sí mismas.

¿Qué significa "pedir prestado el *Gong*?" Esto no tiene límite de edad. Pero hay un requisito: la persona tiene que tener un *Xinxing* sumamente bueno. Sabe que uno puede cultivarse a través de la práctica de *Qigong*, y también desea cultivarse. Tiene el corazón para cultivarse, pero ¿dónde puede encontrar maestro? Es verdad que hace unos años, había realmente algunos maestros genuinos de *Qigong* que enseñaban algunos sistemas de cultivación. Sin embargo, lo que ellos enseñaban era sólo algunas cosas para curar enfermedades y fortalecer la salud, y nadie enseñaba el *Qigong* de alto nivel. Nadie hacía eso.

Hablando de pedir prestado el *Gong*, tengo otro asunto de que hablar. Además del *Zhu Yuanshen* [11] (Espíritu Primordial Principal) (Consciencia Principal), una persona tiene también el *Fu Yuanshen* (Espíritu Primordial Asistente)[12] (Consciencia Asistente). Algunas personas tienen uno, dos, tres, cuatro o cinco *Fu Yuanshen*. El *Fu Yuanshen* y la persona no son necesariamente de un mismo sexo. Este puede ser masculino o femenino, y es diferente de individuo a individuo. En realidad, el sexo del *Zhu Yuanshen* y su cuerpo físico tampoco son necesariamente el mismo, debido a que hemos encontrado que ahora hay un gran número de hombres que tienen *Zhu Yuanshen* femeninos, y un gran número de mujeres que tienen *Zhu Yuanshen* masculinos. Esto concuerda justamente con el clima cósmico que expone la Escuela Tao, porque el *Yin* y *Yang*[13] están invertidos, con el *Yin* en prosperidad y el *Yang* en decadencia.

El *Fu Yuanshen* de uno frecuentemente viene de un nivel más alto que el *Zhu Yuanshen*. Especialmente para algunas personas, sus *Fu Yuanshen* vienen de una dimensión muy alta. Un *Fu Yuanshen* no es *futi*, ya que el *Fu Yuanshen* nació contigo simultáneamente de la matriz de tu madre. Comparte el mismo nombre contigo, porque es parte de tu cuerpo. Usualmente, es el *Zhu Yuanshen* el que tiene la última palabra en decidir lo que uno piensa o hace. La tarea principal

---

[11] *Zhu Yuanshen* (Espíritu Primordial Principal)—El Alma Principal de uno; Consciencia Principal (*Zhu Yishi*).
[12] *Fu Yuanshen* (Espíritu Primordial Asistente)— El Alma Asistente(s) de uno; Consciencia Asistente (*Fu Yishi*).
[13] *Ying* y *Yang*—Para la Escuela Tao, todas las cosas contienen las fuerzas opuestas de *Yin* y *Yang*, que son mutuamente exclusivas, pero a la vez interdependientes, v.g., femenina (*Ying*) y masculina (*Yang*).

de un *Fu Yuanshen* es esforzarse lo más posible en prevenir que el *Zhu Yuanshen* cometa hechos malos. Sin embargo, cuando el *Zhu Yuanshen* es muy obstinado, el *Fu Yuanshen* no puede hacer nada para ayudarle. El *Fu Yuanshen* no es engañado por la sociedad de la gente común, mientras que el *Zhu Yuanshen* es fácilmente engañado.

Algunos *Fu Yuanshen* vienen de dimensiones muy altas y tal vez estén a punto de completar el Fruto Verdadero en la cultivación. El *Fu Yuanshen* desea cultivarse, pero el deseo resulta inútil si el *Zhu Yuanshen* no quiere hacerlo. Un día, durante el auge de *Qigong*, el *Zhu Yuanshen* también deseaba aprender un sistema de ejercicios para alcanzar un nivel más alto de cultivación. Por supuesto, esta idea era bastante simple, sin ningún deseo de cosas como la fama y fortuna. El *Fu Yuanshen* estuvo muy contento con esto: "Yo deseo cultivarme, pero no tengo la última palabra. Ahora tú deseas cultivarte, esto es justamente lo que yo deseo." Pero, ¿dónde podría la persona encontrar un maestro? El *Fu Yuanshen* era bastante capaz y saldría del cuerpo a buscar al gran ser iluminado que había conocido en su vida anterior. Debido a que algunos *Fu Yuanshen* vienen de niveles muy altos, son capaces de salir del cuerpo. Después de llegar allá arriba, el *Fu Yuanshen* expresó su deseo de cultivarse y de pedir prestado algo de *Gong*. Viendo que era bastante bueno, el ser iluminado naturalmente le proporcionaría ayuda en su cultivación. Por consiguiente, el *Fu Yuanshen* tenía prestado algo de *Gong*. Usualmente, este *Gong* era energía radiante que era transportada por una tubería. Algunas energías prestadas pueden también venir en formas acabadas y generalmente poseen capacidades sobrenaturales.

De este modo, esta persona podía poseer al mismo tiempo capacidades sobrenaturales. Como acabo de mencionar, una noche la persona sintió mucho calor durante su sueño. Por la mañana, al despertar, encontró que tenía energía. Cualquier cosa que tocaba le daba un choque eléctrico, y era capaz de curarles las enfermedades a otros. También se dio cuenta que había obtenido energía. Pero, ¿de dónde había venido la energía? No tenía esto claro. Sólo tenía una idea general de que la energía había venido del espacio cósmico, pero no era capaz de saber exactamente cómo había venido. El *Fu Yuanshen* no le decía nada, porque era el *Fu Yuanshen* el que se cultivaba. Por eso, esa persona sólo sabía que había obtenido energía.

Usualmente no había ningún límite de edad para la gente que pedía prestado el *Gong*. Sin embargo la mayor parte era joven. Por eso, en los años anteriores, salieron al público algunas personas que eran mayores de veinte o treinta, o sobre los cuarenta años de edad. También hubo algunas de edad avanzada. Era más difícil para una persona joven controlarse bien a sí misma. Quizás ustedes se hayan dado cuenta que esta persona era usualmente bastante buena cuando no tenía muchas habilidades en la sociedad de la gente común, mostrando poco interés en la fama y fortuna personal. Sin embargo, una vez que se hacía conocida, se obsesionaba fácilmente por la fama y la fortuna. Pensaba que tenía todavía largo camino por recorrer en la vida y aún deseaba realizar grandes cosas y competir por alcanzar algunas metas de la gente común. Por eso, una vez que desarrollaba capacidades sobrenaturales y algunas habilidades, era propensa a usar las capacidades como medios para obtener sus objetivos personales en la sociedad de la gente común. Entonces no funcionarían, porque no se le permite a uno usar sus capacidades de esta manera. Cuanto más las usaba, tanto menos *Gong* poseía. Al final, no poseía nada. Muchas personas más como ésta han caído. He encontrado que no queda ninguna de ellas ahora.

Los dos casos que acabo de mencionar incluyen *Gong* que fue obtenido por aquellas personas con un *Xinxing* relativamente bueno. Esta clase de *Gong* no fue desarrollado mediante su propia práctica de cultivación, sino que fue prestado por un ser iluminado. Por lo tanto, el *Gong* en sí es bueno.

La Posesión de Espíritu o Animal (*Futi*)

Probablemente, en la comunidad de cultivadores, muchos de ustedes habrán oído algo sobre el ser poseído por animales, tales como zorros, comadrejas, fantasmas, serpientes, etc. En fin, ¿de qué trata todo esto? Algunos dicen que uno puede desarrollar capacidades sobrenaturales por medio de la práctica de *Qigong*. En realidad, no es que uno desarrolle capacidades sobrenaturales, sino que éstas no son más que capacidades innatas humanas. Sin embargo, con el desarrollo de la sociedad, la gente presta cada vez más atención a las cosas tangibles en nuestro espacio físico y depende cada vez más de los medios modernizados. Consecuentemente, nuestras capacidades innatas humanas han estado degenerándose, y al final han desaparecido por completo.

Para poder poseer capacidades sobrenaturales, uno debe desarrollarlas por medio de la cultivación y del refinamiento en el camino de retornar a su ser original y verdadero. Debido a que un animal no tiene una mente muy compleja, puede comunicarse con el carácter del universo a través de su instinto primordial. Algunas personas afirman que un animal puede cultivarse. Dicen que el zorro es capaz de cultivar *Dan* y que la serpiente o algunos otros animales son capaces de cultivarse a sí mismos. Esto no significa que aquellos animales sepan practicar la cultivación. Al comienzo, ellos no saben nada sobre la cultivación, simplemente poseen ese instinto primordial. Entonces, bajo condiciones y circunstancias especiales, y después de un largo tiempo, los instintos pueden tener algunos efectos. De esta forma el animal puede adquirir energía de cultivación e incluso puede desarrollar algunas capacidades sobrenaturales.

De esta manera, un animal tendrá algunas habilidades. En el pasado, decían que el animal se había hecho muy sagaz y poseía algunas habilidades. A juicio de la gente común, los animales son tan formidables que pueden controlar fácilmente a los seres humanos. En realidad, yo digo que no son formidables y que no son nada ante un cultivador genuino. Aunque se haya cultivado cerca de mil años, un dedo pequeño será más que suficiente para aplastarlo. Hemos dicho que los animales poseen tal instinto primordial, y pueden tener algunas habilidades. Sin embargo, hay un principio en este universo:

No se le permite a los animales tener éxito en la cultivación. Por eso, pueden ver que en los libros antiguos está escrito que cada varios centenares de años los animales serán eliminados en una gran calamidad o en un pequeño desastre. Después de un período de tiempo, los animales desarrollarán su *Gong* y entonces tienen que ser aniquilados por un trueno, etc. A ellos no les está permitido cultivarse porque los animales no poseen la naturaleza innata humana. No pueden cultivarse a sí mismos como un ser humano porque no tienen las cualidades humanas. Si tuvieran éxito en la cultivación, seguramente se convertirían en un demonio. Por eso, no se les permite cultivarse con éxito. De otro modo, serán aniquilados por el cielo. Los mismos animales también saben esto. Pero como he dicho, la sociedad humana ahora sufre una gran decadencia moral y algunas personas no se detienen ante ninguna maldad. ¿No está en peligro la sociedad humana cuando ha llegado a tal estado?

Sin embargo, ¡las cosas se convierten en lo opuesto después de llegar al límite! Hemos descubierto que en el período prehistórico, cada vez que la sociedad humana experimentaba destrucción en diferentes ciclos, siempre tenía lugar cuando los seres humanos estaban moralmente corruptos hasta el punto extremo. Ahora, la dimensión en donde los seres humanos existimos, así como muchas otras dimensiones, se encuentran en un estado sumamente peligroso. Los otros espacios en esta dimensión también están en este mismo estado. Por eso, los animales están deseosos de escapar y desean ascender hacia niveles más altos. Ellos piensan que podrán escapar del peligro si ascienden hacia niveles más altos. Sin embargo, ¿cómo podría ser eso tan fácil? Para cultivarse, el animal tiene que conseguir un cuerpo humano. Por consiguiente, esta es una de las razones por la cual los practicantes de *Qigong* han sido poseídos por espíritus o animales.

Algunos pueden pensar: "Dado que hay tantos grandes seres iluminados o maestros de alto logro, ¿por qué no se preocupan por esto?" Hay otro principio en nuestro universo: Si piden o desean algo, nadie quiere intervenir. Aquí les enseñamos a todos a cómo seguir el camino recto, y al mismo tiempo hacemos una completa exposición de la Ley para dejar que se iluminen por su propia cuenta. En cuanto a si desean aprender o no, eso es un asunto personal. El maestro los conduce a la entrada de la puerta, mientras que la cultivación depende de uno mismo. Nadie va a forzarlos u obligarlos a practicar la cultivación. Es su propio asunto si desean cultivarse o no. Es decir, nadie interferirá con ustedes en términos de qué camino seguir, qué desean, o cualquier cosa que intenten obtener. Sólo podemos aconsejarles que sean bondadosos.

Aunque puedan encontrar que algunas personas practican *Qigong*, la energía que han logrado realmente ha sido obtenida por espíritus o animales (*futi*). ¿Cómo es que han atraído *futi*? Por todas partes del país, ¿cuántos practicantes de *Qigong* tienen *futi* detrás del cuerpo? Si yo les revelara el número, mucha gente no se atrevería a practicar *Qigong*. ¡El número es espantosamente grande! Entonces, ¿por qué ha aparecido esta situación? Esas cosas están causando problemas desastrosos a la sociedad de la gente común. ¿Cómo ha podido aparecer este fenómeno tan grave? Son los mismos seres humanos quienes los han atraído, porque la humanidad se ha degenerado y los demonios están presentes por todas partes. Especialmente, todos aquellos falsos maestros de *Qigong* están poseídos por espíritus o animales, y estas son las cosas que imparten cuando enseñan *Qigong*. A través de la historia de la humanidad, a los animales les ha estado prohibido poseer un cuerpo humano. Serían aniquilados si trataran de hacerlo; quien sea que lo viese no lo permitiría. Sin embargo, en la sociedad de hoy, hay algunos que suplican al animal que les ayude, los desean y los adoran. Alguien puede argüir: no tenía la intención específica de suplicarle. Aunque no le suplicaban, buscaban capacidades sobrenaturales. ¿Cómo podría un ser iluminado de una práctica de cultivación ortodoxa proveerles de esas capacidades? La búsqueda de éstas constituye un apego de la gente común que debe abandonarse. Entonces, ¿quién les dará esas capacidades? Sólo los demonios de otras dimensiones y los diversos animales se las darán. ¿No significa eso que están buscando *futi*? Por eso, éste vendrá.

¿Cuántas personas practican el *Qigong* con pensamientos rectos? Un practicante debe prestar atención a las virtudes, hacer cosas buenas y ser bondadoso hacia otros. Uno debe exigirse a sí mismo comportarse de esta manera dondequiera que esté o bajo cualquier circunstancia. Ya sea que estén practicando *Qigong* en un parque o en casa, ¿cuántos practicantes piensan de esta manera? Nadie sabe qué clase de *Qigong* algunas personas practican. Mientras practican haciendo algunos movimientos y tambaleando el cuerpo, dicen: "Ah, mi nuera nunca me ha mostrado respeto." "¿Por qué es tan mala mi suegra?" Algunos incluso charlan de todo, de su lugar de trabajo hasta los asuntos estatales, y no hay nada de lo que no cotorreen. Cuando están hablando sobre cosas que no encajan con su modo de pensar, están llenas de rabia. ¿A esto le llamas práctica de *Qigong*? Más aún, esa persona practica el ejercicio de mantener una postura estaca con las piernas temblando de fatiga. Pero su mente está ocupada: "Ahora todas las cosas están muy caras y los precios han subido. Nuestra organización aún no puede pagar salarios. ¿Por qué no soy capaz de desarrollar algunas capacidades sobrenaturales por medio de la práctica? Si poseyera algunas de éstas, sería un maestro de *Qigong* y podría hacer una fortuna ganando dinero curando enfermedades." Al ver que otros han desarrollado capacidades sobrenaturales, siente aún más ansiedad. Así persistirá en perseguir capacidades sobrenaturales, la apertura del Tercer Ojo, y la habilidad de curar enfermedades. Pensemos sobre esto: ¡qué lejos está de *Zhen-Shan-Ren*, el carácter de nuestro universo! Esto es totalmente contrario a ese carácter. Hablando seriamente, esta persona está practicando una vía perversa. Sin embargo, lo hace inconscientemente. Cuanto más piensa de esta manera, tanto peor es la intención mental que emite. Debido a que no había obtenido la Ley, no sabía nada sobre la importancia de las virtudes. Piensa que puede desarrollar el *Gong* sólo por medio de la perfección de algunos ejercicios, y cree que puede obtener lo que desea persiguiéndolo. Eso es lo que esta persona piensa.

Es precisamente a causa de la incorrecta intención mental de uno que ha atraído hacia sí mismo algunas cosas malas. Sin embargo, un animal puede ver esto claramente: "Esta persona desea hacer fortuna por medio de la práctica de *Qigong*; la otra desea ganar fama y capacidades sobrenaturales. ¡Qué bien! Su cuerpo no está mal y lo que posee es bastante bueno. Pero su pensamiento es realmente malo. ¡Está buscando capacidades sobrenaturales! Es posible que tenga maestro, pero aunque lo tenga, no tengo miedo." El animal sabe que un maestro de una vía de cultivación ortodoxa nunca le dará capacidades sobrenaturales al ver que las busca con tanto afán. Cuanto más obstinadamente las busque, tanto menos se las dará su maestro, porque éste es precisamente el apego del que se debe despojar. Cuanto más frecuentemente tenga ese pensamiento, tantas menos capacidades le dará el maestro, y tanto más incapaz será de iluminarse a ello. Cuanto más las desee, tanto peor se vuelve su mente. Al final, viendo que esta persona ya está acabada, el maestro lanzará un suspiro y ya no cuidará de ella. Algunas personas no tienen maestro, pero es probable que un maestro pasajero las cuide, ya que hay muchos grandes seres iluminados en diferentes dimensiones. Al avistar a la persona, el gran ser iluminado la observará y la seguirá por un día. Al encontrar que esta persona no es digna de su ayuda, el gran ser iluminado se irá. Al día siguiente, otro gran ser iluminado podrá venir, y también se irá al encontrar que esta persona no es digna de ser ayudada.

El animal sabe que, ya sea que el hombre tenga maestro o un maestro pasajero, su maestro no le dará lo que él persigue. Debido a que los animales son incapaces de ver las dimensiones donde se encuentran los grandes seres iluminados, no tienen miedo, y se han aprovechado de una escapatoria. Hay un principio en nuestro universo: Normalmente, otras personas no pueden interferir con lo que uno persigue y quiere para sí mismo. El animal se ha aprovechado de esta escapatoria: "Como él desea algo, se lo daré. ¿Es incorrecto que le ayude?" Así el animal se lo dará. Al principio, el animal no se atreve a subírsele al cuerpo, y primero le dará un poco de *Gong* para hacer una prueba. Un día, esta persona encuentra que de repente posee el *Gong* que ha estado buscando, y también es capaz de curar enfermedades. Al ver que el asunto marcha muy bien, el animal lo usa como preludio de una pieza musical: "Como él lo quiere, voy a subírmele al cuerpo. De esta forma puedo darle más y directamente. ¿No deseas obtener el Tercer Ojo? Ahora voy a darte todo." Así el animal vendrá a poseerlo.

Mientras la mente de esta persona está buscando estas cosas, su Tercer Ojo se abre y también puede emitir algo de *Gong* y usar algunas capacidades mínimas. Se entusiasma y piensa que ha obtenido por fin lo que perseguía mediante la práctica. En realidad, no ha logrado nada a través de aquella práctica. Cree equivocadamente que puede ver el interior de un cuerpo humano y detectar dónde reside la enfermedad en el cuerpo de uno. De hecho, su Tercer Ojo no está abierto para nada. Es el animal el que le controla el cerebro. El animal transporta lo que ve con sus propios ojos al cerebro de la persona; por eso la persona cree que su Tercer Ojo está abierto. Puede emitir *Gong* a su gusto. Cuando extiende la mano para emitir *Gong*, el animal extiende también su garra detrás del cuerpo de esta persona. Tan pronto como emita *Gong*, la pequeña cabeza de serpiente sacará la lengua bifurcada y lamerá la parte afectada o el lugar donde uno tiene la hinchazón. Han ocurrido bastantes casos semejantes y todas estas personas atrajeron espíritus o animales por medio de su propia búsqueda.

Debido a que esta persona persigue algo—desea fama y fortuna—ha adquirido así capacidades sobrenaturales. Es capaz de curar enfermedades; también puede ver con el Tercer Ojo. Esto la pone muy contenta. Viendo esto, el animal piensa: "¿Deseas hacer fortuna? Bien, dejaré que hagas fortuna." Es una tarea realmente fácil controlarle la mente a una persona común. El animal puede hacer que muchas personas vengan a pedirle que les dé tratamiento. ¡Vaya! Mientras que está tratando la enfermedad aquí, el animal allá incita a los periodistas a que le den publicidad en los periódicos. El animal manipula a las personas comunes y las hace efectuar estas cosas. Si un paciente viene a buscar tratamiento y no paga suficiente dinero, el animal le hará sufrir un dolor de cabeza para que dé más dinero. Así, esa persona ha ganado las dos cosas, fama y fortuna. Ha hecho fortuna, ha logrado fama, y actúa ahora como un maestro de *Qigong*. Una persona así usualmente no presta atención a su *Xinxing* y se atreve a decir cualquier cosa. El cielo es primero y ella se considera la segunda. Se atreve a decir que ella es la Señora Madre Reina[14] o el Gran Emperador de Jade,[15] que ha descendido al mundo. Hasta se atreve a decir que es un Buda. Ya que no ha pasado realmente por la cultivación de *Xinxing*, persigue las capacidades sobrenaturales durante la práctica. Como consecuencia, ha atraído a sí espíritus o animales.

Algunos pueden pensar: "¿Qué mal hay en eso? De todas maneras, es bueno para mí con tal de poder ganar dinero y hacer fortuna. Además, puedo ser famoso." Muchas personas piensan de esta manera. Déjenme decirles a todos, que en realidad, el animal alberga una intención, y no les dará cosa alguna sin razón. Hay un principio en este universo: Sin pérdida, no hay ganancia. ¿Qué obtiene el animal? ¿No he acabado de mencionar este asunto? El animal desea lograr esa poca esencia de su cuerpo para poder cultivarse en forma humana y, así toma la esencia humana del cuerpo de una persona. El cuerpo humano sólo tiene esta única fracción de esencia. Si uno quiere cultivarse, tiene que contar con esta única fracción. Si dejan que el animal la obtenga, ya no existe ninguna esperanza de que puedan practicar la cultivación. ¿Cómo podrían cultivarse de esta manera? No teniendo nada, ya no pueden cultivarse para nada. Alguna gente puede afirmar: "No quiero cultivarme. Sólo deseo hacer fortuna. Con tal de tener dinero, eso me basta. ¡Qué importa!" Déjenme decirles que podrán desear hacer fortuna, pero no pensarán así después de que les diga la razón. ¿Por qué? Si el animal sale temprano de su cuerpo, sentirán debilidad en los cuatro extremidades. Desde ese entonces, estarán siempre en tal estado

---

[14] Señora Madre Reina—En la mitología china, la deidad femenina de más alto nivel dentro de los Tres Reinos.
[15] Gran Emperador de Jade—En la mitología china, la deidad que supervisa los Tres Reinos.

durante el resto de su vida, porque les ha sacado demasiada de su esencia. Si él sale tarde de su cuerpo, serán un vegetal y estarán en cama con un solo aliento restante por el resto de su vida. Aunque tengan riqueza, ¿podrán gastar su dinero? Aunque sean famosos, ¿podrán gozar de su fama? ¿No es esto algo terrible?

Frecuentemente ocurren casos como éste y son particularmente notables entre los practicantes de hoy. Un animal no sólo puede poseer el cuerpo de una persona, sino que también puede matar su *Yuanshen*. Este entra en el Palacio *Niwan*[16] de la persona y se acuclilla allí. Aunque la persona parezca un ser humano, en realidad, no lo es. Aun hoy en día ocurren casos como éstos. Se debe a que los valores morales humanos han cambiado. Cuando alguien hace algo malo, esta persona no les creerá si le dicen que ha hecho algo incorrecto. Lo que ella considera totalmente correcto y apropiado es sólo ganar dinero, buscar dinero y hacer fortuna. Por lo tanto, dañará y perjudicará a otros. A fin de ganar dinero, cometerá toda clase de maldades y se atreverá a hacer cualquier cosa. Sin perder algo, el animal no ganará nada. ¿Cómo puede el animal darles algo por nada? Desea obtener cosas del cuerpo de ustedes. Por supuesto, como hemos dicho, uno ha atraído problemas hacia sí porque sus valores no son correctos y su corazón no es virtuoso.

Estamos enseñando Falun Dafa. Si se cultivan en nuestra escuela, no se meterán en ningún problema siempre que tengan un buen control de su *Xinxing*, ya que una mente correcta puede reprimir cien perversidades. Si no pueden controlar bien el *Xinxing*, persiguiendo esto o aquello, con seguridad a sí mismos atraerán problemas. Algunos simplemente no pueden dejar lo que practicaban en el pasado. Enseñamos que la gente debe practicar un solo sistema de cultivación, porque la cultivación verdadera debe ser constante en una sola vía. Aunque algunos maestros de *Qigong* han escrito algunos libros, les digo que aquellos libros contienen cosas tales como

---

[16] Palacio *Niwan*—Término taoísta para el cuerpo pineal.

serpientes, zorros y comadrejas, que son iguales a lo que ellos han practicado. Cuando lean aquellos libros, aquellas cosas saltarán de las palabras. Yo he dicho que el número de los falsos maestros de *Qigong* supera muchas veces al de los verdaderos, y ustedes no son capaces de distinguirlos. Por lo tanto, todos los presentes deben comportarse bien. No estoy diciendo aquí que tienen que cultivar Falun Dafa; pueden cultivarse en cualquier escuela que deseen. Pero había un dicho en el pasado: "Sería preferible no haber obtenido una Ley ortodoxa en mil años, que cultivar una práctica heterodoxa por un solo día." Por eso, uno debe comportarse bien y cultivarse realmente en una Ley ortodoxa. No mezclen ninguna otra cosa en su cultivación, ni traten siquiera de añadir su intención mental a ésta. Los Falun de algunas personas se han deformado. ¿Por qué se han deformado? Ellas afirman que no han practicado otro *Qigong*. Sin embargo, cada vez que están practicando, añadirán a su cultivación lo que practicaban en el pasado a través de la intención. ¿Acaso no han traído otras cosas a lo que cultivan? Esto es todo lo que vamos a exponer acerca del asunto de la posesión de espíritus o animales.

El Lenguaje Cósmico

¿Qué es el lenguaje cósmico? Esto se refiere a cuando una persona puede hablar repentinamente un lenguaje inexplicable. Pero murmura algo que ni ella misma puede entender. Una persona que posee la capacidad de telepatía puede tener una idea general, pero es incapaz de entender exactamente de lo que está hablando esa persona. También, algunas personas pueden hablar muchos de esos lenguajes. Algunos hasta lo consideran bastante impresionante y lo toman como una habilidad o una capacidad sobrenatural. En realidad, no es una capacidad sobrenatural ni una habilidad de un cultivador, ni tampoco puede representar el nivel alcanzado por uno. Entonces, ¿de qué se trata? Es que su mente está dominada por un ser sutil de otra dimensión. Pero ustedes aun piensan que esto es bastante bueno y lo aceptan con gusto. Cuanto más contentos estén, tanto más firmemente los controlará el ser sutil. Como cultivadores verdaderos, ¿cómo pueden dejar que los domine? Además, viene de una dimensión muy baja. Por eso, como cultivadores verdaderos, no debemos atraer estos problemas.

El ser humano es lo más valioso, ya que es el alma de toda materia. ¿Cómo pueden permitir que tales cosas los dominen? ¡Qué triste es que quieran desadueñarse de su cuerpo! Algunas de estas cosas se adhieren a los cuerpos humanos. Algunas no entran en un cuerpo humano, pero se mantienen a distancia. Sin embargo, pueden manipular y dominar a la persona. Si desean hablar ese lenguaje, les dejarán hablar y mascullar. El lenguaje también puede transmitirse a otra persona si es que esa persona también desea aprenderlo. Cuando esa persona sea lo suficientemente audaz para abrir la boca e intentarlo, también podrá hablarlo. En realidad, esas cosas se presentan en grupos. Si desean hablar, una de ellas vendrá a hacerlos hablar.

¿Por qué puede ocurrir esta situación? Como he dicho, esos seres quieren elevar su propio nivel. Sin embargo, no hay sufrimientos que ellos puedan padecer en aquellos lugares, entonces no pueden cultivarse o mejorarse a sí mismos. Por eso, se les ha ocurrido una idea. Tratan de mejorarse por medio de hacer cosas buenas para los seres humanos, pero no saben cómo hacerlo. Sin embargo, saben que la energía que emiten puede reprimir la enfermedad de un paciente y aliviar sus sufrimientos por el momento, aunque sea incapaz de curar la enfermedad. También saben que pueden lograr este efecto emitiendo la energía por la boca de una persona. Este es el caso. Algunos lo llaman lenguaje celestial y hay otros que lo llaman lenguaje de Buda. Eso es una calumnia contra Buda. ¡Yo digo que es puro disparate!

Es bien sabido que un Buda rara vez abre la boca para hablar. Si abriera la boca y hablara en nuestra dimensión, podría causar un terremoto a la humanidad. Con un sonido tan estrepitoso, ¿cómo podría permitirse eso? Algunos dicen: "Mi Tercer Ojo ha visto a un Buda hablando conmigo." El no les estaba hablando. Algunas personas han visto mi *Fashen* hablándoles también. En realidad, él tampoco habla con ustedes. El mensaje que emite está en sonido estereofónico. Cuando oigan el sonido, les parecerá que está hablando. Usualmente, habla en su propia dimensión. Sin embargo, cuando sus palabras se transmiten a nuestro mundo, no pueden entender claramente lo que dice porque hay una diferencia en el concepto de tiempo-espacio entre las dos dimensiones. Un *Shichen*,[17] es decir, una duración de dos horas en nuestro mundo, es igual a un año en esa gran dimensión. Eso quiere decir que el tiempo de nuestro mundo pasa más lentamente que en su dimensión.

En el pasado, había un dicho que decía: "Un día en el cielo es igual a mil años en la Tierra." Esto se refiere a los paraísos unitarios que no tienen los conceptos de tiempo y espacio. Es decir, se refiere a los paraísos donde se encuentran los grandes seres iluminados, tales como el Paraíso de la Felicidad Suprema, el Paraíso Cristalizado, el Paraíso Falun, el Paraíso de Lotos, etc. Sin embargo, en esa gran dimensión, el tiempo transcurre más rápidamente que en el nuestro. Algunos tienen abiertos los oídos celestiales y poseen la capacidad de audición celestial. Si son capaces de recibir u oír las palabras de uno de ellos, descubrirán que no pueden entenderlas claramente. Cualquier sonido que oigan les parecerá igual, justamente como el trinar de un pájaro o como un tocadiscos a alta velocidad. No logran entender ni una sola palabra. No obstante, algunas personas pueden oír música o el habla. Pero las diferencias de tiempo tienen que eliminarse a través de una capacidad sobrenatural, la cual sirve como un transportador; entonces el sonido puede ser transmitido a sus oídos y pueden oír las palabras claramente. Así es como ocurre. Algunos dicen que ése es el lenguaje de Buda, pero simplemente no lo es.

Cuando dos seres iluminados se encuentran, una sonrisa es

---

[17] *Shichen*—Una unidad de tiempo en China de dos horas.

suficiente para que se entiendan mutuamente. Esto es porque usan la telepatía silenciosa y lo que reciben está en sonido estereofónico. En el momento cuando sonríen, han intercambiado ya sus ideas. Este no es el único método que usan. A veces, usan también otro método. Es bien sabido que en el Tantrismo, los lamas del Tíbet prestan mucha atención a las Señales de mano. Pero si le preguntan a un lama qué son las Señales de mano, les dirá que son el Yoga Supremo. ¿Para qué son específicamente? Tampoco lo sabe. De hecho, las Señales de mano son el lenguaje de los grandes seres iluminados. Cuando hay mucha gente, usan las grandes Señales de mano, que son muy bellas y compuestas de diversas grandes Señales de mano. Cuando hay sólo poca gente, usan las pequeñas Señales de mano, que son también muy bellas. La pequeña Señal de mano está compuesta de diferentes gestos de manos, que son muy complejos y variados, porque son un lenguaje. En el pasado, todo esto era un secreto del cielo, pero ahora lo hemos revelado. Lo que se ha adoptado en el Tíbet son sólo algunos movimientos que se usan exclusivamente para la práctica de los ejercicios. Aunque los movimientos han sido clasificados y sistematizados, no son más que un lenguaje exclusivamente para la práctica de los ejercicios y son sólo unas cuantas formas de la práctica de los ejercicios. Las Señales de mano genuinas son muy perfeccionadas.

Lo que el Maestro Ha Dado a Sus Alumnos

Al verme, algunos me estrechan la mano y no quieren soltarla. Cuando otros ven a esta gente estrechándome la mano, ellos también hacen lo mismo. Yo sé lo que están pensando. Algunos se sienten muy contentos de estrechar la mano del Maestro. Algunos desean obtener algunos mensajes y no me sueltan la mano. Les hemos dicho a todos que la cultivación real es asunto suyo. No estamos aquí para curar enfermedades o fortalecer la salud, ni para darles algunos mensajes o sanar sus enfermedades. No hacemos tales cosas. Su enfermedad será eliminada directamente por mí. Aquellos que practican en los sitios de práctica también tendrán mis *Fashen* para curar sus enfermedades. Aquellos que estudian Falun Dafa individualmente, leyendo el libro, también tendrán mis *Fashen* para curar sus enfermedades. ¿Piensan que podrán incrementar su *Gong* con sólo tocar mi mano? ¿No es eso ridículo?

El *Gong* depende de la cultivación del propio *Xinxing* de uno. Si no están practicando genuinamente la cultivación, su *Gong* no crecerá, porque hay una norma de *Xinxing* para medirlo. Cuando su *Gong* haya crecido, una persona en el nivel alto puede ver que una medida les crece por encima de la cabeza cuando su apego, una substancia, se elimina. Además, esta medida existe en la forma del Pilar de *Gong*. La altura de la medida es siempre igual a la de su Pilar de *Gong*. Esto representa el *Gong* que ustedes mismos han cultivado y también representa la altura del nivel de su *Xinxing*. No importa cuánta energía otras personas les añada, no funcionará. No se puede añadir ni siquiera un poquito, ya que no podrá quedarse allí y se caerá. Yo puedo hacerlos alcanzar instantáneamente el estado de "las tres flores reunidas encima de la cabeza (*Sanhua Juding*)." Sin embargo, una vez que salgan por esa puerta, el *Gong* se caerá porque no es suyo, ni viene de su cultivación. Debido a que el nivel de su *Xinxing* no ha alcanzado ese punto, no puede quedarse allí. Quienquiera que desee añadírselo será incapaz de hacerlo, porque viene completamente de su propia cultivación y de la cultivación de su corazón. Podrán subir sólo si desarrollan *Gong* firmemente, mejorándose incesantemente a sí mismos y asimilándose a la característica del universo. Algunas personas piden que les dé mi autógrafo, pero no estoy dispuesto a hacerlo. Les presumirán a otros que tienen el autógrafo del Maestro. Desean mostrarlo o desean recibir la protección del mensaje del Maestro. ¿No es eso un nuevo apego? La práctica de cultivación depende de uno mismo. ¿Por qué hablan de los mensajes? ¿Deben pedir esto en su cultivación de alto nivel? ¿Para qué puede servirles? Eso es sólo algo para curar enfermedades y fortalecer la salud.

En un estado muy microscópico, el *Gong* que desarrollan o cada partícula microscópica de ese *Gong*, tiene exactamente la misma imagen que tú. Después de llegar más allá de *Shi-Jian-Fa*, entrarán en la cultivación de un cuerpo-Buda. Ese *Gong* tomará la apariencia de un cuerpo-Buda, que se sienta sobre la flor de loto y es muy bello. Cada partícula microscópica es así. Sin embargo, el *Gong* de un animal está compuesto de pequeños zorros o pequeñas serpientes. Incluso en el estado microscópico, las partículas son las imágenes de esas cosas. También hay algo que se llama mensaje. Algunas personas revuelven el té y les piden que se lo tomen porque se supone que es *Gong*. Una persona común sólo desea librarse del dolor por un tiempo por medio de posponer y reprimir sus enfermedades. De todas maneras, una persona común es una persona común. No nos importa cómo dañe su cuerpo. Pero ustedes son practicantes, por eso les digo estas cosas. De hoy en adelante, no deben hacer esas cosas. Nunca busquen cosas tales como el supuesto mensaje u otras cosas semejantes. Algunos maestros de *Qigong* afirman: "Les daré mensajes y pueden recibirlos en todas partes del país." ¿Qué es lo que reciben? Les digo que estas cosas no pueden servirles de nada. Suponiendo que puedan hacer algo bueno, sólo es para curar enfermedades y fortalecer la salud. Sin embargo, como practicantes, nuestro *Gong* depende de nuestra propia cultivación. El *Gong* de mensajes emitido por otras personas no puede elevar el nivel de uno, sino sólo tratarle las enfermedades a una persona común. Uno debe mantener un corazón virtuoso; nadie puede practicar la cultivación por uno. Sólo cuando practiquen verdaderamente la cultivación por sí mismos, podrán elevar su nivel.

Entonces, ¿qué les he dado? Todos saben que muchos de nuestros practicantes nunca han practicado *Qigong* y tienen enfermedades. Hay también un gran número de gente que ha practicado *Qigong* por muchos años, pero se mantienen aún en el estado de *Qi* sin haber obtenido nada de *Gong*. No obstante, algunos han tratado las enfermedades de otros, pero sin saber cómo lo han hecho. Cuando hablé sobre el asunto de *futi*, ya había eliminado los *futi*—sin importar lo que fueran—de los cuerpos de practicantes genuinos de la Gran Ley. Les he quitado todas esas cosas malas del interior y exterior del cuerpo. Cuando quienes realmente se cultivan por sí mismos lean esta Gran Ley, les limpiaré el cuerpo también. Además, el ambiente de su hogar también tiene que limpiarse. Tan pronto les sea posible, deben tirar la tabla de los espíritu[18] del zorro o la comadreja amarilla a los que presentaron ofrendas en el pasado. Todos esos espíritus han sido limpiados y ya no existen. Dado que desean ustedes cultivarse, podemos abrirles la puerta más conveniente, y por eso podemos hacer estas cosas para ustedes. Sin embargo, sólo se hacen para los cultivadores genuinos. Por supuesto, hay quienes no tienen intención de cultivarse y hasta este momento no comprenden de lo que estoy hablando. Por consiguiente, tampoco podemos cuidar de ellos. Nosotros sólo cuidamos de los practicantes genuinos.

También hay otra clase de persona a quien le dijeron en el pasado que estaba poseído por *futi*. Ella misma también lo sentía así. Sin embargo, después de que el *futi* se ha eliminado, su mente aún se preocupa por esto. Siempre siente que este estado existe todavía. Aún piensa que está allí, y esto ya es una clase de apego, que se llama corazón de sospecha. Si actúa así por mucho tiempo, podrá atraer a sí misma de nuevo aquel espíritu. Deben dejar esa obsesión porque ahora ya no existe ese *futi* para nada en su cuerpo. Algunas personas ya se limpiaron de esas cosas en mis cursos anteriores. Ya resolví esas cosas para ellas y les saqué todos los *futi*.

La Escuela Tao requiere asentar una base en el nivel bajo de práctica. El Circuito Celestial, *Dantian*,[19] y algunas otras cosas, también deben desarrollarse. Aquí vamos a implantarles el Falun, *Qiji*[20] y una gran cantidad de otros mecanismos para la cultivación. Hay más de diez mil mecanismos; todos ellos se implantarán en su cuerpo como semillas. Después de haber eliminado sus enfermedades, haré todo lo que debo hacer y les daré todo lo que debo darles.

---

[18] Tabla de los espíritus—Un relicario de madera en el hogar para venerar a los antepasados o a otros espíritus.
[19] *Dantian*—"Campo elíxir"; el área del abdomen inferior.
[20] *Qiji*—"Mecanismo de Energía."

Entonces podrán realmente continuar la práctica de cultivación en nuestra escuela hasta el final. De otro modo, si no les diera nada, no podrían hacer nada más que curarse de enfermedades y fortalecer la salud. Hablando francamente, algunas personas no prestan atención al *Xinxing*, y les convendría más hacer ejercicio.

Si están verdaderamente practicando la cultivación, nosotros tenemos que responsabilizarnos de ustedes. Esos que se cultivan individualmente también pueden obtener esas cosas, pero deben ser cultivadores genuinos. Damos todas esas cosas a los cultivadores verdaderos. Les he dicho que debo tomarlos como mis discípulos y guiarlos verdaderamente. Además, deben tener una completa comprensión de la Ley de alto nivel para saber cultivarse. Se les enseñarán los cinco series de ejercicios de práctica y los aprenderán todos bien. En el futuro, podrán alcanzar un nivel muy alto, tan alto que está más allá de su imaginación. Siempre que practiquen la cultivación, no les planteará problemas lograr el Fruto Verdadero en la cultivación. Al enseñar esta Ley, yo integro diferentes niveles. Siempre que se cultiven a sí mismos, encontrarán de hoy en adelante que ésta hará de guía en los diferentes niveles de su cultivación.

Como cultivadores, el curso de su vida será cambiado de hoy en adelante. Mi *Fashen* lo plancará de nuevo. ¿Cómo se planeará de nuevo? ¿Cuántos años quedan en el curso de vida de una persona? Uno mismo no lo sabe. Algunas personas podrán contraer una enfermedad grave después de un año o medio año y su enfermedad podrá durar muchos años. Algunos podrán sufrir de una trombosis cerebral o de otras enfermedades, y no podrán moverse en lo absoluto. ¿Cómo podrán cultivarse durante el resto de su vida? Tenemos que limpiarles el cuerpo de todas esas enfermedades para evitar que ocurra tales cosas. Sin embargo, debemos aclarar de antemano que sólo podemos hacer esto para los practicantes genuinos. Si yo hiciera esto libremente para la gente común, eso sería igual que cometer una maldad. Para la gente común, cosas como el nacimiento, envejecimiento, enfermedad y muerte, todas tienen sus relaciones kármicas, las cuales no pueden alterarse a voluntad.

Consideramos a los practicantes las personas más valiosas. Por eso, sólo podemos hacer esto para los practicantes. ¿Cómo lo hacemos? Si un maestro posee poderes y virtudes superiores, es decir, si el maestro posee una Potencia de Energía enorme, puede eliminarles el karma. Si el nivel de *Gong* de un maestro es alto, puede eliminarles una gran cantidad de karma. Si el nivel de *Gong* de un maestro es bajo, sólo puede eliminarles un poco de karma. Usemos un ejemplo para ilustrarlo. Nosotros juntaremos todo el diferente karma existente en el curso de su vida futura y eliminaremos una parte de éste, es decir, una mitad. La mitad restante es aún más alta que una montaña y son incapaces de superarla. ¿Qué se deberá hacer? Cuando logren el Tao en el futuro, un gran número de personas se beneficiarán por su logro. Así, cargarán una porción por ustedes, lo cual, por supuesto, a ellas no les importará. Por medio de la práctica, ustedes también desarrollarán muchas entidades vivientes en el cuerpo. Además de su *Zhu Yuanshen* y su *Fu Yuanshen*, tienen muchos otros "tú," todos los cuales cargarán una porción por ustedes. Por eso, no les quedará casi nada de karma cuando pasen por tribulaciones. Aunque no quede casi nada, es todavía considerablemente grande y todavía son incapaces de superarlo. Entonces, ¿qué pasará? Será dividido en un gran número de porciones, que se colocarán en diferentes etapas de su cultivación y se usarán para mejorar su *Xinxing*, transformar su karma, e incrementar su *Gong*.

Además, no es en absoluto un asunto fácil si uno desea practicar la cultivación. He dicho que la cultivación es un asunto muy serio. Es algo que va más allá de la gente común, y es más difícil de hacer que cualquier cosa de la gente común. ¿No es sobrenatural? Por eso, les plantea un requisito más alto que cualquier asunto de la gente común. Como seres humanos, tenemos *Yuanshen*, y el *Yuanshen* es inmortal. Si el *Yuanshen* es inmortal, pensemos en esto: ¿No es probable que su *Yuanshen* haya cometido cosas malas en sus interacciones sociales en vidas anteriores? Es muy probable. Pudieran haber matado, deber algo a alguien, haber humillado a alguien o hecho daño a alguien. Pudieran haber hecho esas cosas. Si eso es verdad, ellos pueden verlos muy claramente allá cuando se cultivan aquí. A ellos no les importa si ustedes están tratando de curarse las enfermedades y fortalecer la salud, ya que saben que entonces sólo están posponiendo la deuda. Si no la pagan ahora, la pagarán en el futuro, y entonces deberán pagar más pesadamente. Por eso, a ellos no les importa si no la pagan al momento.

Cuando decidan cultivarse, ellos no les permitirán hacerlo: "Deseas cultivarte y deseas irte. Cuando hayas incrementado tu *Gong*, no seremos capaces de alcanzarte ni tocarte." Por eso, no permitirán que ocurra eso y harán todo lo posible por impedir que practiquen la cultivación. Por consiguiente, usarán toda clase de métodos para interferir con ustedes, e incluso vendrán de veras a matarlos. Por supuesto, no se les tajará la cabeza mientras estén sentados haciendo la meditación. Eso es imposible, porque algo así tiene que estar conforme con el estado de la sociedad humana común. Quizás los atropelle un coche cuando salgan fuera, o se caigan de un piso alto o encuentren otros peligros. Estas cosas pueden ocurrir y ser muy peligrosas. La cultivación verdadera no es tan fácil como se imaginan. ¿Creen que podrán subir a través de la cultivación una vez que se dediquen a ello? Una vez que deseen realmente cultivarse, su vida se pondrá pronto en peligro y este asunto les será de importancia inmediatamente. Hay un gran número de maestros de *Qigong* que no se atreven a guiar a la gente al alto nivel de cultivación, enseñándoles sus sistemas de cultivación. ¿Por qué? Porque son incapaces de cuidar de este asunto. Son incapaces de protegerlos.

En el pasado, hubo muchos maestros que enseñaban el Tao. Cada uno de ellos sólo podía enseñar a un discípulo y sólo era capaz de proteger a un discípulo. Sin embargo, para proteger a tantos discípulos a una escala tan grande, los maestros comunes no se atreverían a hacerlo. No obstante, aquí hemos dicho que yo puedo hacerlo, porque tengo incontables *Fashen* que poseen mis grandes poderes divinos. Ellos pueden demostrar grandes poderes sobrenaturales, grandes poderes de la Ley. Además, lo que hacemos hoy no es tan simple como parece en la superficie, y tampoco fui impulsivo cuando salí al público. Puedo decirles que muchos grandes seres iluminados están mirando con suma atención este evento. Para nosotros, esta es la última vez que enseñamos la Ley ortodoxa en el Período de Decadencia. Al hacer esto, no nos está permitido desviarnos. Si realmente pueden cultivarse en la vía correcta, nadie se atreverá a tocarlos imprudentemente. Además, están bajo la protección de mi *Fashen*; por lo tanto, no correrán ningún peligro.

Lo que se debe tiene que pagarse. Por eso, algunas cosas peligrosas les pueden ocurrir en el curso de la cultivación. Sin embargo, cuando estas cosas ocurran, no tendrán miedo ni será permitido que estén en verdadero peligro. Puedo darles algunos ejemplos. Cuando yo enseñaba un curso en Pekín, una estudiante mía cruzó la calle en bicicleta. Llegando a una curva en la calle, esta estudiante, de más de 50 años, fue atropellada por un coche de lujo. Sufrió un fuerte golpe. Con un ruido "¡Zas!," le dio con la cabeza al techo del coche. En ese momento, ella aún estaba montada en la bicicleta con los pies en los pedales. Aunque se golpeó en la cabeza, no sintió dolor. No sólo no sintió dolor, sino que la cabeza tampoco le sangró ni se le hinchó. El conductor se asustó terriblemente. De un salto, bajó del coche y le preguntó si estaba herida y le sugirió que fuera al hospital. Ella contestó que estaba bien. Por supuesto, esta practicante tenía un *Xinxing* muy alto y no le causó ningún problema al chofer. Dijo que todo estaba bien, pero la colisión dejó una gran abolladura en el coche.

Todas las cosas como esa vienen para quitarle la vida a uno. Pero uno no estará en peligro. Durante el último curso que dimos en la Universidad de Jilin, una vez un practicante salió por la puerta principal de la universidad, empujando su bicicleta. Tan pronto caminó hasta el medio de la calle, se encontró repentinamente entre dos coches. Estos por poco lo atropellan, pero él no sintió ningún miedo. Usualmente no sentimos miedo cuando nos ocurren tales cosas. En ese preciso instante los coches se detuvieron y no pasó nada.

Un suceso semejante también tuvo lugar en Pekín. En el invierno se oscurece bastante temprano y la gente también se va a dormir temprano. Nadie estaba en la calle, donde reinaba el silencio. Un alumno mío regresaba en bicicleta apresuradamente a casa. Delante de él, sólo iba un jeep. De repente, el jeep paró. Sin darse cuenta, el alumno todavía iba en la bicicleta con la cabeza agachada. Pero de súbito, el jeep retrocedió muy rápidamente. Retrocedió tan rápidamente que si las dos fuerzas se hubieran encontrado, le habrían quitado la vida. Justo antes de chocar, de repente llegó una fuerza que haló la bicicleta hacia atrás por más de medio metro y el jeep dio un frenazo, parándose, con el parachoques tocando la rueda de la bicicleta. El conductor probablemente se dio cuenta que había alguien detrás. El practicante no tuvo miedo en aquel momento. Todos los que han enfrentado estas situaciones no han tenido miedo, aunque podrían haber sentido miedo después de lo que sucedió. Lo primero en que pensó fue: "¡Ah! ¿Quién me ha halado hacia atrás? Debo agradecérselo." Volvió la cabeza y estuvo a punto de expresar su gratitud, pero no vio a nadie en el camino. Reinaba el silencio. Entendió instantáneamente: "¡Fue el Maestro quien me ha protegido!"

Otro caso tuvo lugar en Changchun.[21] Un edificio estaba bajo construcción cerca de la casa de un practicante. Hoy en día, los edificios se construyen muy altos y el andamio está compuesto de barras de hierro de cinco centímetros de diámetro y cuatro metros de largo. Después que este practicante caminó una corta distancia de su casa, una barra de hierro le cayó verticalmente desde ese edificio derecho a la cabeza. La gente en la calle se quedó asombrada. El dijo: "¿Quién me dio una palmadita?" Pensó que alguien le había dado una

---

[21] Changchun—Ciudad capital de la Provincia de Jilin.

131

palmadita en la cabeza. En el momento en que volvió la cabeza, vio un gran Falun girando sobre su cabeza. Esa barra de hierro se le resbaló por la cabeza y se clavó y quedó recta. Si la barra hubiera realmente entrado en el cuerpo de una persona, pensemos sobre esto, una barra tan pesada le habría penetrado el cuerpo entero, como al ensartar un palillo de bambú en acerolas azucaradas. Sería una penetración total. Eso fue muy peligroso.

Han ocurrido innumerables casos así, pero nadie se ha encontrado en peligro. No todos los practicantes se encontrarán con tales cosas, pero algunos pocos individuos las encontrarán. Ya sea que las encuentren o no, les aseguro que no estarán en ningún peligro. Puedo asegurárselo. Algunos practicantes no actúan de acuerdo con los requisitos de *Xinxing* y sólo practican los movimientos sin cultivar su *Xinxing*. A ellos no puede considerárseles practicantes.

Hablando sobre lo que el Maestro les ha dado, estas son las cosas que les he dado. Mi *Fashen* los protegerá hasta que puedan protegerse a sí mismos. Para entonces, ya habrán llegado más allá de la cultivación de *Shi-Jian-Fa* y habrán obtenido el Tao. Pero deben actuar como cultivadores genuinos; de otro modo, no lo podrán lograr. Había alguien que iba andando por la calle gritando, con mi libro en las manos: "Tengo la protección del Maestro Li y no tengo miedo de que me atropelle un coche." Esto es dañar la Gran Ley. Esta clase de gente no será protegida. En realidad, un practicante genuino no hará tal cosa.

Campo de Energía

Cuando estamos practicando, aparecerá un campo alrededor de nosotros. ¿Qué clase de campo es? Algunos dicen que es un campo de *Qi*, un campo magnético o un campo eléctrico. De hecho, no importa cómo lo llamen, es incorrecto, porque la materia que contiene esta clase de campo es sumamente abundante. Casi toda la materia que constituye todos los espacios de nuestro universo puede encontrarse en este *Gong*. Es más apropiado para nosotros llamarlo campo de energía, y por eso, normalmente lo llamamos campo de energía.

Entonces, ¿qué efecto produce este campo? Como todos saben, nuestros cultivadores de esta Ley ortodoxa tienen este sentimiento: Debido a que proviene de la cultivación de una Ley ortodoxa, es benevolente y se asimila a la característica del universo *Zhen-Shan-Ren*. Por lo tanto, todos los practicantes que están sentados en este campo pueden sentirlo y tienen la mente libre de malos pensamientos. Además, mientras están sentados aquí, muchos de nuestros practicantes ni siquiera piensan en fumar. Sienten una atmósfera de serenidad y paz, la cual es muy cómoda. Esta es la energía que llevan los cultivadores de una Ley ortodoxa, y ése es el efecto que produce dentro de la esfera de este campo. Más tarde, después del curso, la mayoría de ustedes poseerán *Gong*, la verdadera energía desarrollada. Debido a que lo que les enseño es algo de la cultivación de una Ley ortodoxa, ustedes mismos también deberán actuar según los requisitos de *Xinxing* en la cultivación. A medida que continúen la práctica y se cultiven de acuerdo con nuestros requisitos de *Xinxing*, su energía se hará gradualmente más y más poderosa.

Nosotros enseñamos la salvación de uno mismo y de otros, al igual que de todos los seres. Por eso, el Falun puede salvar a uno mismo girando hacia el interior y salvar a otros cuando gira hacia el exterior. Girando hacia el exterior, el Falun emite energía para beneficiar a otros. Así, aquellos que estén dentro del área de su campo de energía se beneficiarán y podrán sentirse muy cómodos. Ya sea que ustedes anden por la calle, estén trabajando en su oficina o estén en casa, podrán tener este efecto en otros. Pueden sanar accidentalmente el cuerpo de una persona que esté dentro del área de su campo, porque esta clase de campo puede corregir todos los estados anormales. Un cuerpo humano no debería enfermarse, y cuando sufre enfermedades está en un estado anormal. Su campo puede corregir tal estado anormal. Cuando una persona de mentalidad perversa está pensando en algo malo, podría cambiar de parecer debido al poderoso efecto de su campo; quizás ya no quiera cometer la maldad. Tal vez una persona quiera maldecir a otra. De repente, podrá cambiar de opinión y no querrá hacerlo. Sólo el campo de energía de la cultivación de una Ley ortodoxa puede producir tal efecto. Por eso, en el pasado, había un dicho en el Budismo: "La luz de Buda ilumina todo el mundo y rectifica todas las anormalidades." Esto es precisamente lo que significa.

¿Cómo Deben los Practicantes de Falun Dafa Difundir el Sistema de Cultivación?

Después del curso, muchos alumnos creen que el sistema de cultivación es muy bueno y desean enseñarlo a sus parientes y buenos amigos. Pueden hacer eso. Pueden divulgarlo y enseñarlo a quienquiera. Sin embargo, quiero aclararles un punto. Les hemos dado tantas cosas que no pueden ser medidas ni valorizadas con dinero. ¿Por qué les hemos dado estas cosas? Son para su cultivación. Sólo si practican la cultivación se les pueden dar estas cosas. Eso quiere decir que cuando difundan el sistema de cultivación en el futuro, no deben usar estas cosas para perseguir fama ni fortuna. Por eso, no les está permitido dar clases ni colectar pagos como hago yo. Debido a que necesitamos imprimir libros y materiales y viajar por todas partes para enseñar el sistema de cultivación, tenemos que cubrir los gastos. Nuestro precio ya es el más bajo en todo el país, pero las cosas que hemos impartido son las más numerosas. Estamos guiando a la gente realmente hacia los altos niveles, y todos se han dado cuenta de ello. Como practicantes de Falun Dafa, cuando salgan a difundir el sistema de cultivación en el futuro, deben cumplir con dos requisitos.

Primero, se les requiere que no cobren. Les hemos dado muchas cosas, pero no son para que hagan fortuna o persigan fama. Más bien, son para salvarlos y ayudarles a practicar la cultivación. Si cobran, mi *Fashen* recobrará todo lo que les ha dado. Entonces, no serán cultivadores de Falun Dafa y lo que enseñen no será nuestro Falun Dafa. Cuando difundan el sistema de cultivación, no deben perseguir fama ni fortuna personal y deben prestar sus servicios voluntariamente a otros. Los practicantes en todos los lugares del país lo difunden de esta manera y los asistentes de todas partes del país también sirven de buen ejemplo con su propia conducta. Si desean aprender nuestro sistema de cultivación, pueden venir, con tal de que quieran aprenderlo. Nos responsabilizaremos de ustedes y no les cobraremos nada.

Segundo, se les requiere que no añadan ninguna opinión personal a la Gran Ley. Es decir, ya sea que se les haya abierto el Tercer Ojo, que hayan visto algo o que hayan desarrollado algunas capacidades sobrenaturales, no deberán explicar nuestro Falun Dafa de acuerdo con lo que hayan visto cuando difundan el sistema de cultivación. Lo que han visto en su nivel no es nada y está demasiado lejos del verdadero sentido de la Ley que hemos enseñado. Por eso, cuando difundan el sistema de cultivación en el futuro, deberán tener mucho cuidado con este asunto. Sólo haciéndolo así podremos asegurarnos que las cosas originales de nuestro Falun Dafa se mantendrán sin cambio.

Además, a nadie le está permitido difundir el sistema de cultivación de la manera que lo hago yo. Tampoco se le permite a nadie enseñar la Ley adoptando la forma de conferencias a gran escala como yo lo he hecho. Ustedes son incapaces de enseñar la Ley. Esto se debe a que lo que estoy enseñando tiene un significado muy profundo e incorpora cosas de los altos niveles. Ahora cultivan en diferentes niveles. En el futuro, después de que hayan hecho avances, continuarán mejorándose cuando vuelvan a escuchar la grabación de mis conferencias. Si las escuchan constantemente, tendrán siempre un nuevo entendimiento y un nuevo logro. Obtendrán un resultado aún mejor leyendo este libro. Estas enseñanzas mías incorporan cosas muy profundas y a altos niveles. Por eso, ustedes son incapaces de enseñar esta Ley. No les está permitido tomar mis palabras originales como las suyas; de lo contrario, su acto será un robo de la Ley. Sólo pueden usar mis palabras originales para decirlo, añadiendo a los oyentes que así lo ha dicho el Maestro o que así está escrito en el libro. Sólo pueden hablar de esta manera. ¿Por qué? Porque cuando lo dicen de esta manera, llevará el poder de la Gran Ley. No deben difundir lo que conocen como Falun Dafa. De otro modo, lo que difunden no es de Falun Dafa y lo que hacen sería lo mismo que dañar nuestro Falun Dafa. Si hablan de acuerdo con sus ideas y pensamiento, lo que dicen no es la Ley y no es capaz de salvar a la gente; tampoco tendrá ningún efecto. Por eso, nadie más es capaz de enseñar esta Ley.

El método por el cual transmiten el sistema de cultivación es poniéndoles las cintas de audio o enseñándoles las cintas de vídeo a los alumnos en los sitios de práctica de *Qigong* o en los sitios de instrucción. Luego los asistentes pueden enseñarles a practicar los ejercicios. Pueden adoptar la forma de un foro donde todos pueden aprender mutuamente por medio de discusiones e interpretaciones, intercambiando experiencias y puntos de vista. Les requerimos que lo hagan de esta manera. Además, no. se permite llamar al alumno (discípulo) que difunde Falun Dafa, "maestro" o "gran maestro." Sólo hay un Maestro de la Gran Ley. No importa cuándo hayan empezado la práctica, todos son discípulos.

Al difundir el sistema de cultivación, algunos podrán pensar: El Maestro puede implantar Falun y ajustar el cuerpo de uno, pero nosotros somos incapaces de hacer eso. No importa. Ya he dicho que detrás de cada alumno hay un *Fashen*, y más de uno. Mis *Fashen* harán estas cosas. Cuando le enseñen la práctica a alguien, podrá obtener Falun en el acto si tiene la suerte predestinada. Si no tiene una buena relación predestinada, lo obtendrá gradualmente después de un período de práctica y a través del ajustamiento del cuerpo. Mi *Fashen* ayudará a ajustarle el cuerpo. Además de estas cosas, les digo que si se consideran realmente practicantes y aprenden la Ley y la práctica de ejercicios mediante la lectura de mi libro, viendo mis cintas de vídeo o escuchando mis grabaciones, podrán obtener las cosas que se merecen tener.

No permitimos a los practicantes que vean pacientes, ya que a los practicantes de Falun Dafa les está absolutamente prohibido curarles las enfermedades a otros. Les enseñamos a ascender por la cultivación y no los dejamos desarrollar ningún apego, ni los dejamos arruinar su propia salud. Nuestros sitios de práctica de *Qigong* son mejores que los de cualquier otra vía de cultivación. Con tal de que vayan a nuestros sitios de práctica, obtendrán mucho mejor resultado que tratándose sus propias enfermedades. Mis *Fashen* se sientan formando un círculo, y arriba del campo de práctica hay un escudo sobre el que hay un Falun grande. Un *Fashen* gigante protege el sitio sobre el escudo. Ese sitio no es un sitio común, ni es un sitio común para la práctica de *Qigong*. Es un sitio para practicar la cultivación. Muchos de nuestros practicantes que poseen capacidades sobrenaturales han encontrado que a este sitio de nuestro Falun Dafa lo cubre una vasta extensión de luz roja.

Mi *Fashen* también puede implantar el Falun directamente. Sin embargo, no estimulamos el apego de ustedes. Cuando le enseñan a alguien a hacer los movimientos, podrá decir, "Ah, he obtenido un Falun." Equivocadamente piensan que son ustedes los que lo han instalado, cuando no es así. Les digo esto para que no desarrollen ese apego. Mis *Fashen* hacen todo eso. Esta es la manera por la cual los discípulos de nuestro Falun Dafa deben divulgar el sistema de cultivación.

Quienquiera que altere los ejercicios de Falun Dafa está arruinando la Gran Ley y está dañando nuestra escuela de práctica. Alguien ha convertido las instrucciones para la práctica de ejercicios en poemas. No podemos permitir que ocurra de ninguna manera tal cosa. Cada vía de cultivación verdadera ha sido heredada del período prehistórico. Se ha preservado desde un tiempo bastante remoto y ha formado con éxito incontables grandes seres iluminados. Nadie se atreve a alterar nada de ella. Tal cosa sólo puede aparecer en este Período de Decadencia y nunca ha ocurrido en la historia. Deben tener mucho cuidado con este asunto.

Lectura Cuarta

Pérdida y Ganancia

En la comunidad de cultivadores y entre la gente común, se habla frecuentemente sobre la relación entre la pérdida y la ganancia. ¿Qué actitud deben adoptar nuestros practicantes ante la pérdida y ganancia? Esta actitud difiere de aquélla de la gente común. Lo que la gente común desea son intereses personales y vivir una vida buena y cómoda. Nosotros los practicantes no somos así, sino exactamente lo opuesto. No queremos buscar lo que la gente común desea. En su lugar, lo que obtenemos es algo que la gente común no puede obtener, aun si lo desea, a menos que practique la cultivación.

La pérdida a la que generalmente nos referimos no es una pérdida en un sentido limitado. Cuando uno habla sobre la pérdida, alguien considera que eso significa dar algún dinero, ayudar a otros que tienen necesidad y ofrecer un poco de comida a mendigos en la calle. Eso es también una forma de dar y una forma de perder. Pero sólo indica que uno le da menos importancia al asunto del dinero o las posesiones materiales. Por supuesto, la oferta de dinero es un aspecto de la pérdida y es también un aspecto relativamente mayor. Sin embargo, la pérdida de la que estamos hablando no está limitada a un sentido tan estrecho. Durante el curso de nuestra cultivación, hay demasiados apegos que uno como cultivador debe dejar, tales como el deseo de lucirse, la envidia, la mentalidad competitiva y el fanatismo. Un gran número de apegos deben ser desechados, porque la pérdida de la que estamos hablando tiene un sentido amplio. Es decir, durante el curso entero de la cultivación, uno debe dejar todos los apegos y deseos que pertenecen a la gente común.

Probablemente alguien podrá pensar: Estamos cultivándonos entre la gente común; si nos apartamos de todas las cosas, ¿no seríamos iguales a los monjes y monjas? Parece imposible dejar todas esas cosas. En nuestra escuela de cultivación, a aquellos que se cultivan entre la gente común se les requiere que se cultiven precisamente en esta sociedad común y que se adapten al máximo posible con la gente común. Esto significa que no se les requiere perder realmente ningún interés material. No importa qué tan alto rango oficial tengan o cuánta fortuna posean; el punto clave se encuentra en si pueden abandonar ese apego o no.

Nuestra escuela de práctica se dirige directamente al corazón humano. El punto clave reside en si pueden tomar ligeramente y darle menos importancia a los asuntos de intereses personales y conflictos entre la gente. La cultivación en los templos, en lo remoto de las montañas o en lo intransitable de las selvas, es para cortarles completamente el acceso con la sociedad humana, forzándolos a dejar los apegos de la gente común y negándoles los beneficios materiales, para que así puedan deshacerse de ellos. Un cultivador entre la gente común no sigue ese camino, pero se le requiere que los tome ligeramente, precisamente en este ambiente de la gente común. Por supuesto, esto es muy difícil, pero también es el aspecto más crítico de nuestra escuela de práctica. Por eso, la pérdida a la que nos referimos es una pérdida en un sentido amplio en vez de un sentido estrecho. Hablemos sobre hacer cosas buenas y donar algún dinero o bienes. Hoy en día algunos de los mendigos que ven en la calle son profesionales y quizás tengan más dinero que ustedes. Debemos enfocar nuestra atención en las cosas grandes y no en las pequeñas. La práctica de cultivación debe enfocarse con una perspectiva amplia y con dignidad y solemnidad. En el curso de nuestras pérdidas, lo que realmente perdemos son las cosas malas.

Los seres humanos suelen creer que todas las cosas que persiguen son buenas. Pero en realidad, desde la perspectiva del nivel alto, todo es para satisfacer sus intereses logrados entre la gente común. Como se afirma en las religiones, no importa cuánto dinero tengan o qué tan alta sea su posición, esto sólo será por unas décadas. De nacimiento no trajeron nada y nada se llevarán después de que mueran. ¿Por qué es tan valioso el *Gong*? Es precisamente porque crece directamente en el cuerpo de su *Yuanshen*. Así, puede traerse de nacimiento y llevarse después de la muerte. Además, determina directamente su Estado de Fruto en la cultivación; por lo tanto, no es fácil de cultivar. En otras palabras, lo que pierden son cosas malas. Por eso, ustedes pueden retornar a su ser original y verdadero. Entonces, ¿qué lograrán? Obtendrán el mejoramiento de su nivel; al final completarán el Fruto Verdadero y realizarán la consumación. Eso resolverá el problema esencial. Por supuesto, no les será fácil dejar inmediatamente toda clase de deseos pertenecientes a la gente común y alcanzar el nivel de un cultivador verdadero; se llevará a cabo gradualmente. Al oírme decir que se llevará a cabo gradualmente, podrán decir: "El Maestro me ha dicho que lo haga gradualmente y así lo haré." ¡Eso no está permitido! Aunque permitimos que se mejoren gradualmente, deben exigirse requisitos estrictos a sí mismos. Si pudieran realizarlo hoy todo de una sola vez, serían hoy un Buda. Pues, eso no es ser realista. Serán capaces de lograrlo gradualmente.

Lo que perdemos en esencia es algo malo. ¿Qué es? Es karma, lo cual va mano a mano con los diferentes apegos de los seres humanos. Por ejemplo, la gente común tiene toda clase de malos pensamientos. Por intereses personales, comete varias maldades y adquieren el crecimiento de esa substancia negra—karma. Esto está directamente relacionado con nuestra mente. Para poder eliminar esta substancia negativa, deben primero cambiar su mente.

La Transformación del Karma

Hay un proceso de transformación entre la substancia blanca y la substancia negra. Después de un conflicto entre dos, ocurre este proceso de transformación. Al hacer algo bueno, uno obtiene substancia blanca—virtud (*De*); al hacer algo malo, obtiene la substancia negra—karma. Además, hay un proceso de heredar continuamente las dos substancias. Alguien podrá preguntar: "¿Es esto debido a que uno hizo cosas malas en la primera mitad de su vida?" No ocurre necesariamente todo así, porque este karma no es acumulado sólo durante una sola vida. La comunidad de cultivadores mantiene que el *Yuanshen* de uno es inmortal. Si el *Yuanshen* no muere, uno probablemente tuvo interacciones sociales en sus vidas anteriores. Entonces, uno pudo haber debido algo a alguien, humillado a alguien o haber hecho algunas otras cosas malas, tales como matar, etc., lo que produce la creación de tal karma. Estas substancias se acumulan en otras dimensiones y uno siempre las lleva consigo; lo mismo también es verdad con la substancia blanca. No vienen sólo de esta fuente, porque hay también otra situación. A través de las generaciones en la familia, los antepasados también pueden acumular karma para las generaciones próximas. En el pasado, los ancianos decían: "Uno debe acumular virtud, y los ancestros de uno han acumulado virtud. Esta persona está perdiendo su virtud y disminuyendo su virtud." Esas palabras son muy correctas. Hoy en día, la gente común ya no escucha estas palabras. Si les hablan a los jóvenes sobre la pérdida de virtudes y la escasez de virtudes, ellos no les dan importancia en su corazón. En realidad, estas palabras tienen muy profundo significado. No sólo son los criterios espiritual y mental de la gente moderna, sino también una existencia material real. El cuerpo humano tiene ambas clases de substancias.

Algunos preguntan: "Si uno lleva demasiada substancia negra, ¿sería incapaz de cultivarse hacia el alto nivel?" Uno podría decir que sí, porque con mucha substancia negra, la cualidad de entendimiento de uno se afecta. Debido a que esa substancia negra forma un campo alrededor del cuerpo y envuelve a la persona justamente por dentro, uno está apartado de *Zhen-Shan-Ren*, la característica del universo. Por eso, esa persona puede tener una pobre cualidad de entendimiento. Cuando otros hablan sobre la práctica de cultivación o el *Qigong*, ella lo considerará todo como superstición y no lo creerá en lo absoluto. Aquello le parecerá ridículo. Ocurre así frecuentemente, pero no siempre necesariamente es así. ¿Quiere decir eso que a tal persona le es difícil cultivarse y es incapaz de obtener un alto *Gong*? No lo es.

Hemos dicho que la Gran Ley no tiene límites y depende completamente de la cultivación de su corazón. El maestro los conduce hasta la entrada de la puerta, mientras que depende de ustedes mismos practicar la cultivación. Todo depende de cómo ustedes, ustedes mismos, practiquen la cultivación. El que puedan practicar la cultivación o no, depende todo de si pueden aguantar sufrimientos, sacrificarse y sufrir. Si se comprometen definitivamente a superar toda clase de dificultades, les digo que no habrá problema.

Una persona que tiene mucha cantidad de substancia negra usualmente tendrá que sacrificar más que una persona que tiene mucha cantidad de substancia blanca. Debido a que la substancia blanca se asimila directamente a la característica del universo, *Zhen-Shan-Ren*, con tal de que una persona eleve su *Xinxing* y se mejore entre conflictos, su *Gong* se incrementará. Es así de sencillo. Alguien con mucha virtud tiene una buena cualidad de entendimiento y también puede soportar penalidades, fatigar con faena sus músculos y huesos, así como afinar su corazón y mente. Aunque esta persona sufra más dolores físicos que penas mentales, su *Gong* todavía se incrementará. Sin embargo, eso es imposible de realizar para uno que tiene gran cantidad de substancia negra, quien tiene que pasar primero por un proceso: Tiene que transformar la substancia negra en substancia blanca. Ese proceso es sumamente doloroso. Por lo tanto, una persona de pobre cualidad de entendimiento necesita usualmente sufrir más tribulaciones. A causa de su enorme karma y mala cualidad de entendimiento, le es más difícil a esta persona practicar la cultivación.

Tomando un caso específico como ejemplo, veamos cómo esta persona practica la cultivación. Para cultivarse y adquirir una concentración profunda de *Ding*, uno debe sentarse con las piernas cruzadas por un largo período de tiempo. Después de un largo tiempo, sentirá dolor y entumecimiento de las piernas, lo que le hará sentirse mentalmente muy inquieto. Sufrir penas físicas y mentales puede hacer que uno se sienta muy incómodo tanto en el cuerpo físico como también en la mente. Algunas personas, al sentarse con las piernas cruzadas, temen el dolor, no quieren persistir y dejan de cruzar las piernas. Algunas personas no pueden aguantar más el dolor después de sentarse un poco más con las piernas cruzadas. Una vez que se deja de cruzar las piernas, la práctica será en vano. Si uno deja de cruzar las piernas una vez que siente el dolor y reanuda la práctica después de aliviar el dolor con algunos movimientos, lo consideramos inútil. La razón es que mientras las piernas sienten dolor, podemos ver que la substancia negra está bajando hacia las piernas. La substancia negra es el karma, el cual puede eliminarse y transformarse en virtud por medio de sufrir el dolor. Una vez que se sienta dolor, el karma se está eliminando. Cuanto más karma viene, tanto más dolor sentirán en las piernas. Por eso, el dolor de las piernas no viene sin razón. Usualmente, al sentarse de piernas cruzadas, uno sufre dolores pasajeros con un rato de gran dolor seguido por otro de relativa tranquilidad. Luego, otro dolor empieza de nuevo. Ocurre frecuentemente de esta manera.

Debido a que el karma se elimina pedazo por pedazo, después de que un pedazo se elimina, las piernas se sentirán un poco mejor. Cuando venga el próximo pedazo, las piernas sentirán dolor nuevamente. Después que se elimina la substancia negra, no desaparece, porque esta substancia es inextinguible. Después de su eliminación, se transforma directamente en substancia blanca, la cual es la virtud. ¿Por qué puede transformarse de esta manera? Es porque uno ha sufrido, sacrificado y soportado dolores. Hemos dicho que la virtud se consigue por medio de soportar y sufrir penas, o por hacer cosas buenas. Por lo tanto, esta situación puede ocurrir mientras uno está haciendo la meditación sentada. Algunas personas bajan las piernas una vez que comienzan a sentir dolor y se calman con algunos movimientos antes de reanudar la práctica sentada. Eso resultará totalmente en vano. Al hacer la práctica de la estaca parada, algunos sienten cansancio sosteniendo los brazos, no pueden aguantar más y bajan las manos. Así no tendrán éxito para nada. ¿Para qué servirá ese pequeño dolor? Yo diría que sería simplemente demasiado fácil si uno pudiera tener éxito en la cultivación sólo por medio de sostener los brazos arriba de esa forma. Esta es la situación que ocurre cuando la gente practica la meditación sentada.

Nuestra escuela de práctica no procede principalmente de esta manera, aunque hay también una porción que desempeña un papel en este aspecto. En la mayoría de los casos, transformamos el karma por medio de los conflictos entre una y otra persona. Frecuentemente se manifiesta de esta manera. Mientras estamos entre contradicciones, el conflicto entre uno y otro aun sobrepasa ese dolor físico. Yo diría que los dolores físicos son los más fáciles de soportar y puede uno vencerlos apretando los dientes fuertemente. Cuando ocurre un conflicto entre uno y otro, la mente es lo más difícil de controlar.

Por ejemplo, al llegar a su oficina, una persona se enfurecerá al oír a dos personas denigrándolo en un lenguaje terrible. Sin embargo, hemos mencionado que un practicante debe exigirse a sí mismo un criterio superior y no debe devolver golpes ni insultos. El recuerda: "El Maestro ha dicho que siendo practicantes, no debemos comportarnos igual que otros y debemos comportarnos de un modo mejor." El no disputará con esas dos personas. No obstante, cuando los problemas normalmente surgen, si éstos no le alteran a uno psicológicamente, no importarán o no serán útiles, y no podrán hacer que se mejore uno mismo. Por consiguiente, él no puede olvidarse de ello y continúa preocupándose. Puede ser que su mente esté aferrada a ello. El siempre querrá darse la vuelta y mirarles la cara a esas dos personas. Volviendo la vista hacia atrás, ve las dos caras rencorosas en una acalorada discusión. No puede soportarlo más y se pone muy encolerizado. Es posible que enseguida busque pleito con ellos. Durante un conflicto entre persona y persona, la mente es muy difícil de controlar. Yo digo que sería fácil si se pudiera resolver todo por medio de la meditación sentada. Sin embargo, no siempre será así.

Por consiguiente, en su futura práctica de cultivación, encontrarán toda clase de tribulaciones. ¿Cómo podrían cultivarse sin estas dificultades? Si cada uno tratara bien a los demás sin conflictos de intereses ni interferencia de la mente humana, ¿cómo podrían elevar su *Xinxing* sólo por medio de sentarse allí? Es imposible. Uno tiene que templarse verdaderamente y mejorarse a sí mismo a través de la práctica. Algunos han preguntado: ¿Por qué encontramos siempre tribulaciones mientras nos cultivamos y éstas son más o menos iguales a los problemas de los no practicantes? Es debido a que se cultivan entre la gente común. Sería imposible que de repente se dieran vuelta en el aire y quedaran con la cabeza hacia el suelo, volando allá arriba y sufriendo en el aire—no ocurrirá así. Todo toma la forma de situaciones comunes tales como si alguien les hubiera irritado hoy, o hecho enojar y tratado mal, o si alguien de repente les echa insultos. Eso se usa para ver cómo reaccionan ante estos problemas.

¿Por qué encuentran estos problemas? Todos los causa su propio karma. Ya les hemos eliminado muchas, numerosas porciones del karma, dejando sólo ese poco que se divide en tribulaciones a diferentes niveles para elevar su *Xinxing*, templar su mente y desechar sus diferentes apegos. Todas estas son sus propias tribulaciones y las utilizamos para elevar su *Xinxing*, y ustedes serán capaces de superarlas. Una vez que eleven su *Xinxing*, podrán superarlas. A menos que ustedes mismos no deseen superarlas, sí podrán hacerlo, siempre y cuando quieran superarlas. Por lo tanto, cuando surja algún conflicto de ahora en adelante, no deben considerarlo accidental. Porque cuando ocurra un conflicto, aparecerá inesperadamente. Sin embargo, no es una coincidencia. Eso es para mejorar su *Xinxing*. Siempre que se comporten como practicantes, serán capaces de manejarlo apropiadamente.

Por supuesto, no se les informará antes de que suceda el conflicto o la tribulación. ¿Cómo podrían cultivarse si se les dijera todo con anticipación? Eso no sería de utilidad. Frecuentemente, los conflictos ocurren de repente para poder probar el *Xinxing* de uno y hacerlo mejorar genuinamente su *Xinxing*. Esta es la única manera para juzgar si puede uno mantener bien su *Xinxing*. Por lo tanto, cuando aparece un conflicto, no ocurre accidentalmente. Durante todo el curso de la práctica de cultivación y de la transformación del karma, este problema ocurrirá. A diferencia de lo que se imagina la gente común, esto es mucho más difícil que el sufrimiento de dolores físicos. ¿Cómo podrían incrementar su *Gong* simplemente por medio de practicar los ejercicios un poco más con los brazos doloridos por tenerlos levantados y las piernas fatigadas por estar de pie? ¿Cómo pueden incrementar su *Gong* con sólo unas horas más de ejercicio? Esos sólo funcionan para transformar el *Benti* de uno, el cual todavía tiene que ser reforzado con energía. Eso no puede ayudarle a uno a elevar su nivel. Superar tribulaciones mentales y del corazón es la clave para elevar realmente el nivel de uno. Si uno pudiera progresar sólo por medio del sufrimiento físico, yo diría que los campesinos chinos son los que más sufren. Entonces, ¿no deberían todos ellos ser grandes maestros de *Qigong*? No importa cuánto dolor físico sufran ustedes, no podrán sufrir tanto como un campesino, que trabaja dura y fatigosamente todos los días en el campo bajo un sol ardiente. No es un asunto tan simple. Por lo tanto, hemos mencionado que para mejorarse genuinamente, uno debe mejorar genuinamente su corazón. Sólo así podrá mejorarse verdaderamente.

Durante el proceso de transformación del karma, para poderse mantener uno mismo bajo control—a diferencia de una persona común que hace cosas malas—debemos siempre mantener un corazón de benevolencia y una mente bondadosa. Cuando encuentren de repente algunos problemas, serán capaces de tratarlos apropiadamente. Si mantienen siempre un corazón compasivo y benevolente, tendrán tiempo y ocasión para detenerse y pensar cuando se encuentren de repente ante un problema. Si piensan siempre en competir por cualquier cosa con otros, quiero decirles que seguramente pelearán contra otros cada vez que encuentren algún problema. Por lo tanto, cuando se encuentren con un conflicto, yo diría que es para transformar su substancia negra en la substancia blanca, virtud.

Cuando nuestra humanidad se ha desarrollado hasta alcanzar la etapa de hoy, casi todos nacen con karma acumulado sobre karma, y cada uno lleva gran cantidad de karma. Por lo tanto, en la transformación de karma, ocurre frecuentemente esta situación: Al mismo tiempo que su *Gong* y su *Xinxing* están mejorando, su karma se va eliminando y transformado. Cuando se encuentran con un conflicto, probablemente se manifiesta en las fricciones de *Xinxing* entre una y otra persona. Si pueden resistirlo, su karma será eliminado, su *Xinxing* mejorará y su *Gong* se incrementará también. Esa es la manera por la cual todos éstos se integran a la vez. En el pasado, los seres humanos tenían mucha virtud y un alto *Xinxing* para empezar. Siempre y cuando sufriesen algunas penas, podían incrementar su *Gong*. Pero la gente de hoy no es así. Después de sufrir un poco, no desea seguir cultivándose. Además, cada vez se hace más incapaz de despertarse, haciendo que le sea más difícil practicar la cultivación.

Durante la práctica de cultivación, en lo relacionado a tratar conflictos específicos, o cuando otros los tratan mal, pueden existir dos casos: uno es que ustedes podrían haberle tratado mal a esa persona en su vida anterior. Sentirán en el corazón que eso es injusto: "¿Cómo puede esa persona tratarme así?" Entonces, ¿por qué la trataron de esa manera en el pasado? Pueden argüir que no lo sabían en aquel entonces y que esta vida no tiene nada que ver con aquélla del pasado. Eso no está permitido. El otro caso está relacionado con la transformación de karma durante un conflicto. Por eso, al tratar con conflictos específicos, debemos saber perdonar en vez de actuar como una persona común. Esto se debe aplicar en la oficina o en otros ambientes de trabajo. Lo mismo también es verdad con las personas que trabajan por cuenta propia, porque ellos también tienen interacciones sociales. Les es imposible no estar en contacto con la sociedad. Al menos, hay relaciones entre vecinos.

En los encuentros sociales uno podrá encontrar toda clase de conflictos y dilemas. En nuestra escuela de práctica, aquéllos que practican la cultivación entre la gente común, no importa cuánto dinero tengan, qué tan alto puesto oficial ocupen, ya sean empresarios privados, tengan una compañía o a qué negocio se dediquen, deben ser honestos e imparciales en compra y venta. Todas las profesiones de la sociedad humana deben existir. Es el corazón humano el que es indecente y no la ocupación de uno. Había un dicho en los días de antaño: "Nueve de cada diez comerciantes son tramposos." Esto es un dicho de la gente común. Yo diría que es una cuestión del corazón humano. Siempre que el corazón de uno sea virtuoso y haga uno negocios honradamente, es natural que uno se merezca ganar más dinero si hace más esfuerzos. Esto es porque se les recompensa por los esfuerzos que hacen entre la gente común. Sin pérdida, no hay ganancia. Han trabajado por ello. En cualquier posición social, puede uno ser una buena persona. Existen diferentes conflictos para la gente de diferentes clases sociales. La clase social alta tiene los conflictos de la clase social alta, todos los que pueden manejarse correctamente. En cualquier clase social, uno puede convertirse en una buena persona y le pueden importar poco sus diferentes deseos y apegos. Uno puede llegar a ser una persona buena en diferentes clases sociales y puede practicar la cultivación en su propio nivel social.

Hoy en día, los conflictos humanos se han vuelto muy singulares en el país, tanto en las compañías estatales como en otras empresas. Este fenómeno no ha ocurrido históricamente en otros países ni tampoco ha aparecido aquí. Por eso, los conflictos sobre intereses personales se muestran particularmente intensos. La gente usa trucos en sus peleas mutuas y compite por un pequeño beneficio personal. Los pensamientos que la gente tiene y los trucos que usa son muy viles. Hasta es difícil ser una buena persona. Por ejemplo, al llegar al sitio de trabajo, una persona siente algo anormal en la atmósfera de la oficina. Más tarde, alguien le dice: "Fulano de tal te ha denunciado muy desfavorablemente y te ha acusado ante el jefe para ponerte en una situación horrible." Otros la miran con una mirada extraña. ¿Cómo podría tolerar eso una persona común? ¿Cómo podría aguantar esa ofensa? "Si alguien me causa dificultades, le pagaré con lo mismo. Si tiene quien lo apoye, yo también. Pues, peleemos." Si lo hacen así entre la gente común, dirán que eres una persona poderosa. Sin embargo, como practicante, eso sería terrible. Si compiten y pelean como una persona común, serán también personas comunes.

Si han rebasado a una persona común en ese aspecto, serán aun peor que esa persona común.

¿Cómo debemos manejar este asunto? Al encontrar tal conflicto, ante todo, debemos mantener nuestra cabeza serena y no debemos comportarnos como lo hizo esa persona. Por supuesto, podemos explicarle amablemente el asunto y no será problemático exponérselo claramente. No obstante, no deben obsesionarse demasiado. Si encontramos tales problemas, no debemos competir ni pelear como los otros. Si hicieran lo mismo que hizo esa persona, ¿no serían una persona común? No sólo no deben competir ni pelear como ella, sino que tampoco deben odiarla en su corazón. Sinceramente, no deben odiar a esa persona. Si odian a esa persona, ¿no se sentirán enojados? De esta manera, no habrán ejercitado la tolerancia. Practicamos *Zhen-Shan-Ren*, y tendrían ustedes menos compasión, por así decirlo. Por lo tanto, no deben actuar como ella ni tampoco deben sentirse enfadados con ella, a pesar de que les haya puesto en una situación tan detestable donde no puedan ni levantar la cabeza para mirar a la gente. En vez de enojarse con ella, deben agradecerle en su corazón y agradecerle sinceramente. Una persona común puede pensar: ¿No es eso ser como Ah Q?[1] Les digo que no es así.

Piensen todos sobre esto: Ustedes son practicantes. ¿No se debería requerir que cumplan con una alta norma? ¿Deberían conducirse con los principios de la gente común? ¿No son de altos niveles las cosas que ustedes, como practicantes, han logrado? Por consiguiente, deben seguir los principios de alto nivel. Si hiciesen lo mismo que esa persona, ¿acaso no serían iguales que ella? Entonces, ¿por qué no deben agradecerle? Piensen sobre esto: ¿Qué obtendrán? En este universo, hay un principio que dice: Sin pérdida, no hay ganancia. Para ganar, uno tiene que perder. Como esa persona los ha puesto en una situación detestable entre la gente común, ella ha sido la parte ganadora y ha obtenido ventajas. Cuanto peor sea la situación

---

[1] Ah Q—Un personaje tonto en una novela china.

en la que los ponga y cuanto mayor su impacto, tanto más sufrimiento soportarán y tanta más virtud perderá ella. Esa virtud les será toda dada a ustedes. Mientras soportan todo eso, les importará muy poco y no lo tomarán seriamente dentro de su corazón.

En este universo, hay otro principio: Si han sufrido muchas penas, el karma en su propio cuerpo será transformado. Debido a que se han sacrificado, cuanto más sufrimiento hayan aguantado, tanto más será transformado, y todo se convertirá en igual cantidad de virtud. ¿No desea un practicante tal virtud? Así ganarán de dos maneras, ya que su karma también se eliminará. Si esa persona no hubiera creado esta situación para ustedes, ¿cómo podrían elevar el *Xinxing*? ¿Si tú y yo somos amables el uno al otro y nos sentamos allí en armonía, ¿cómo sería posible incrementar nuestro *Gong*? Es precisamente debido a que esa persona ha creado tal conflicto para ti que tienes esta oportunidad de mejorar tu *Xinxing*, y puedes hacer uso de ello para elevar tu propio *Xinxing*. ¿No se mejorará tu *Xinxing* de esta manera? Así ganarás de tres maneras. Ya que eres practicante, con el mejoramiento de tu *Xinxing*, ¿no se incrementará también tu *Gong*? De esa manera ganarás de una vez de cuatro maneras. ¿Por qué no deberías agradecerle? Debes agradecerle sinceramente y desde el fondo de tu corazón. Esto es ciertamente así.

Por supuesto, el pensamiento emitido por esa persona no es decente. De otro modo, no podría darte la virtud. No obstante, realmente ha creado una oportunidad para que eleves tu *Xinxing*. Eso quiere decir que debemos prestar atención a la cultivación del *Xinxing*. Al mismo tiempo que el *Xinxing* se cultiva, tu karma se eliminará y se transformará en virtud, y así podrás ascender a un nivel más alto. Se complementan mutuamente. Desde la perspectiva de un nivel superior, los principios han cambiado completamente. Sin embargo, una persona común no puede entenderlo. Si ustedes miran estos principios desde un nivel más alto, serán totalmente diferentes. Entre la gente común, podrán creer que estos principios son correctos, pero en realidad no son correctos. Sólo lo que se ve desde el alto nivel es verdaderamente correcto. Esto ocurre usualmente de esta manera.

Les he expuesto los principios profundamente y espero que en la cultivación futura, cada uno se considere a sí mismo practicante y se cultive genuinamente, porque los principios ya han sido expuestos aquí. Quizás algunas personas crean todavía que los intereses materiales son prácticos debido a que viven entre la gente común. En medio de la marea de la gente común, una persona tal todavía no puede comportarse de acuerdo con el criterio superior. En realidad, si desean ser una buena persona común, hay héroes que sirven como modelos, pero esos son ejemplos para la gente común. Si desean ser cultivadores, todo depende de la cultivación de su corazón y de su cualidad de entendimiento, porque no hay modelos a seguir. Afortunadamente, hoy hemos hecho pública la Gran Ley. Si deseaban cultivarse en el pasado, nadie los enseñaba. De esta manera, pueden actuar de acuerdo con la Gran Ley y podrán hacerlo bien. Ya sea que se puedan cultivar o no, si pueden lograrlo o no, y qué nivel podrán alcanzar, todo depende de ustedes mismos.

Desde luego, la forma en la cual el karma se transforma no es siempre igual a la que yo acabo de describir; puede manifestarse en otras áreas. Puede ocurrir en un ambiente social o en casa. Al ir caminando por la calle o en otras circunstancias sociales, uno puede encontrarse con algunas dificultades. Se les hará dejar todos esos apegos que no pueden desechar entre la gente común. Todos los apegos deberán eliminarse en sus diferentes ambientes. Siempre que los tengan, todos esos apegos deben eliminarse en diferentes ambientes. Se les hará caer para que así se iluminen al Tao. Esta es la forma por la cual uno va encaminándose en la cultivación.

Hay otra situación relativamente típica para muchos practicantes en el curso de la cultivación. Ocurre frecuentemente que cuando practicas *Qigong*, tu esposa se pone sumamente descontenta. Una vez que practicas, ella se peleará contigo. Si haces cualquier otra cosa, ella no prestará atención. No importa cuánto tiempo pierdas jugando al Mah Jong,[2] tu esposa podrá estar descontenta, pero no tanto como cuando practicas *Qigong*. Tu práctica de *Qigong* no incomoda a tu esposa, y qué cosa más buena es, ya que fortaleces la salud y no estás molestando a tu esposa. Sin embargo, una vez que empiezas a practicar *Qigong*, te tirará cosas y peleará contigo. A veces, algunas parejas casi se divorcian porque uno de ellos practica *Qigong*. Muchos no han pensado sobre el por qué de tal situación. Si tú le preguntas más tarde: "¿Por qué te enojas tanto conmigo si practico *Qigong*?" No podrá explicarlo y realmente no tendrá razones. "Efectivamente, no debería enojarme tanto, pero, ¡sentí tanta ira en aquel momento!" En realidad, ¿cuál es la razón? Mientras uno está practicando *Qigong*, su karma tiene que transformarse. Tú no ganarás sin perder algo y lo que pierdes son cosas malas. Tienes que sacrificarte.

Probablemente, una vez que entres por la puerta de tu casa, tu esposa hará un berrinche. Si puedes soportarlo, tu esfuerzo en la práctica de hoy no será en vano. Algunas personas saben también que en la práctica de *Qigong* uno debe apreciar la virtud. Por eso, esta persona normalmente se lleva muy bien con su esposa. Piensa: "Normalmente, yo tengo la última palabra, pero hoy ella me insulta." No puede controlar su ira y empezará una pelea con ella. Así, la práctica de ese día resulta en vano. Debido a que el karma estaba allí, ella le estaba ayudando a eliminarlo. Pero él no lo aceptó y empezó una pelea con ella. Por lo tanto, el karma no pudo eliminarse. Hay muchos de estos casos y muchos de nuestros practicantes los han experimentado, pero no han pensado por qué fue así. A tu esposa no le importaría si hicieras otra cosa. La práctica de *Qigong* debería realmente ser algo bueno, pero ella siempre encuentra faltas contigo. De hecho, tu esposa está ayudándote a eliminar tu karma. Sin embargo, ella misma no lo sabe. Ella no riñe contigo sólo superficialmente mientras que todavía es amable contigo de corazón. No es así. Es una rabia verdadera desde el fondo de su corazón,

---

[2] Mah Jong—Un juego tradicional chino parecido al dominó y que juegan cuatro personas.

porque quienquiera que reciba karma sentirá incomodidad. Esto ocurre así con toda seguridad.

La Elevación del *Xinxing*

En el pasado, muchas personas encontraron un gran número de problemas por no poder controlar bien su *Xinxing*. Después de que su práctica alcanzó cierto nivel, no podían subir más. Algunos para empezar tienen un *Xinxing* relativamente alto. Su Tercer Ojo se les ha abierto de una sola vez con la práctica y pueden alcanzar cierto reino. Debido a que esa persona tiene cualidades innatas relativamente buenas y un *Xinxing* muy alto, su *Gong* crece muy rápidamente. Cuando su *Gong* ha llegado al nivel de su *Xinxing*, el *Gong* también se habrá incrementado hasta ese nivel. Si esa persona desea continuar incrementando su *Gong*, los conflictos se volverán muy serios, ya que esto requiere que continúe elevando su *Xinxing*. Esto es cierto particularmente para una persona con buenas cualidades innatas. Puede creer que su *Gong* ha estado creciendo bien y que su práctica avanza también muy bien. ¿Por qué vienen repentinamente tantos problemas? Ahora todas las cosas se vuelven desfavorables. La gente la maltrata y el jefe empieza a sentir antipatía hacia ella. Incluso la situación en casa se pone muy tensa. ¿Por qué de repente surgen tantos problemas? No lo entiende. Debido a sus buenas cualidades innatas, ha llegado a cierto nivel, lo cual causa esta situación. Sin embargo, ¿cómo podría ser eso la norma para la consumación final de un practicante? ¡Eso está lejos del final de la cultivación! El debe continuar mejorándose a sí mismo. Debido a esas pocas cualidades innatas suyas, ha podido llegar a ese estado. A fin de ascender aún más, la norma también debe mejorar.

Alguien puede decir: Voy a ganar más dinero para mantener bien a mi familia y así no tendré que preocuparme por ella. Más tarde, cultivaré el Tao. Yo diría que están soñando. Ustedes no son capaces de intervenir en la vida de otros, ni pueden controlar el destino de ellos, inclusive el de su esposa, hijos, padres y hermanos. ¿Cómo podrían determinar esas cosas? Además, ¿qué cultivarían si no tuvieran preocupaciones ni dificultades? ¿Cómo podrían practicar el *Qigong* de una manera cómoda y relajada? ¿Cómo podría existir tal cosa? Eso es lo que piensan, desde el punto de vista de una persona común.

La práctica de cultivación debe tener lugar entre tribulaciones para ver si pueden abandonar y que les importen poco las Siete Pasiones y los Seis Deseos. Si están apegados a esas cosas, no tendrán éxito en la cultivación. Todas las cosas tienen sus relaciones causales. ¿Por qué pueden los seres humanos ser seres humanos? Es porque existe el sentimentalismo entre los seres humanos. Viven sólo por este sentimentalismo. El sentimentalismo entre parientes, el amor entre hombre y mujer, el sentimentalismo por los padres, sentimientos, amistad, hacer cosas por la amistad y todo lo demás, están relacionados con este sentimentalismo. Ya sea que a una persona le guste hacer algo o no, esté contenta o descontenta, ame u odie algo, e incluso todas las cosas de la sociedad humana entera vienen de este sentimentalismo. Si no se abandona este sentimentalismo, serán incapaces de practicar la cultivación. Si están libres de este sentimentalismo, nadie podrá afectarlos más. El corazón de una persona común no será capaz de hacerlos vacilar. Lo que reemplazará este sentimentalismo será la benevolencia, lo cual es algo más noble. Por supuesto, no es fácil de abandonar este sentimentalismo de una sola vez. La cultivación es un proceso largo y un proceso por el cual se dejan lentamente los apegos de uno. No obstante, deben mantener una pauta estricta para sí mismos.

Como practicantes, los conflictos podrán surgir de repente. ¿Qué debemos hacer? Deben mantener siempre un corazón de compasión y serenidad. Entonces, cuando encuentren un problema, podrán tratarlo bien porque esto les dará espacio para amortiguar la confrontación. Deben tratar a otros siempre con compasión y bondad, y pensar en otros antes de hacer cualquier cosa. Cada vez que se presenta un problema, deben considerar primero si otros pueden soportarlo o no y si aquello podrá hacerle daño a otros o no. Al hacerlo así, no les surgirá ningún problema. Por consiguiente, en la práctica de cultivación, deben seguir una pauta más y más alta para sí mismos.

Frecuentemente, algunas personas no pueden comprender estos asuntos. Cuando el Tercer Ojo de uno está abierto y ve un Buda, regresará a casa a venerarlo, rezando en su mente: ¿Por qué no me ayudas? Por favor, ¡ayúdame a resolver este problema! Por supuesto que ese Buda no le ayudará en eso, porque esa tribulación está planeada precisamente por el Buda, con la intención de mejorar el *Xinxing* de uno y para que pueda elevarse por medio de la tribulación. ¿Cómo podría el Buda ayudarles a resolverlo? El no les resolverá el problema para nada. ¿Cómo podrían incrementar el *Gong* y mejorar el *Xinxing* y nivel si él les resolviera los problemas? La clave es hacerles incrementar el *Gong*. Desde el punto de vista de los grandes seres iluminados, el propósito de una vida humana no es para ser un ser humano, sino para retornar a su origen. Los seres humanos sufren mucho. Los seres iluminados consideran que cuantas más penas padezca uno, tanto mejor será, porque uno podrá acelerar el pago de sus deudas. Así es como piensa un Buda. Algunas personas no pueden comprenderlo y empiezan a quejarse al Buda si su plegaria no funciona: "¿Por qué no me ayudas? Yo te quemo incienso y bajo la frente al suelo todos los días." Debido a esto, uno podría tirar la estatua de Buda contra el suelo y empezar a insultar al Buda desde ese momento. Debido a los insultos, el *Xinxing* de uno cae y su *Gong* también desaparece. La persona sabe que ha perdido todo y así se resentirá aún más con el Buda, pensando que el Buda lo está arruinando. La persona juzga el *Xinxing* de un Buda con el criterio de una persona común. ¿Cómo se podría hacer esa comparación? ¿Cómo podría funcionar si una persona juzga cosas de nivel superior con el criterio de una persona común? Por consiguiente, muchos de estos casos ocurren frecuentemente cuando la gente considera sus sufrimientos en la vida como algo injusto. Muchas personas han caído de esta manera.

En los últimos años, muchos grandes maestros de *Qigong*, incluso esos bien conocidos, también han caído hasta el fondo. Por supuesto, aquellos genuinos maestros de *Qigong* ya se han marchado después de cumplir su misión histórica. Sólo quedan algunos de ellos que se han perdido entre la gente común, estando activos aún con su nivel de *Xinxing* caído. Estas personas ya han perdido su *Gong*. Algunos maestros de *Qigong* que gozaban de una gran reputación en el pasado, siguen activos aún en la sociedad. Cuando sus maestros encontraron que se habían perdido entre la gente común y eran incapaces de liberarse de su obsesión por la fama y la fortuna personal, al ver que no tenían remedio, sus maestros se llevaron su *Fu Yuanshen*. Todo el *Gong* fue desarrollado en el cuerpo de su *Fu Yuanshen*. Hay un gran número de estos ejemplos típicos.

Tales ejemplos son relativamente pocos en nuestra escuela de práctica. Aunque sí haya algunos, no son tan notables en nuestra vía. Sin embargo, en términos del mejoramiento de *Xinxing*, hay un gran número de ejemplos sobresalientes. Había un practicante que trabajaba en una fábrica de textiles en la provincia de Shandong. Después de aprender Falun Dafa, le enseñó la práctica a otros compañeros. Como resultado, la fábrica ha adquirido una nueva fisonomía espiritual. Los empleados y obreros de la fábrica solían llevarse a casa piezas de toallas. Después de aprender Falun Dafa, él no sólo dejó de llevárselas a casa, sino que devolvió las que se había llevado anteriormente. Cuando los demás vieron lo que había hecho, ninguno de ellos siguió llevándoselas a casa. Algunos empleados hasta devolvieron a la fábrica lo que anteriormente se habían llevado a casa. Esta situación ocurrió en toda la fábrica.

Un director voluntario de un centro de asistencia de Falun Dafa en cierta ciudad fue a una fábrica para ver cómo les iba a los practicantes con su práctica. El director de la fábrica salió en persona a recibirlo y dijo: "Después de estudiar su Falun Dafa, estos empleados y obreros vienen temprano a trabajar y regresan tarde a casa. Trabajan muy diligentemente, hacen cualquier trabajo asignado por el jefe y tampoco compiten más por intereses personales. Una vez que comenzaron a hacerlo así, toda la fábrica ha adquirido una nueva fisonomía espiritual y el beneficio económico de la fábrica ha mejorado también. Su *Qigong* es tan poderoso que a mí también me gustaría asistir a las conferencias cuando venga su Maestro." El propósito principal de nuestra cultivación de Falun Dafa es guiar a la gente a niveles altos. Aunque no tenía la intención de hacer tal cosa, esto no obstante puede desempeñar un gran papel constructivo de promover la civilización espiritual en la sociedad. Si cada uno busca dentro de su corazón y piensa sobre cómo él mismo puede comportarse bien, yo diría que entonces la sociedad se estabilizará y el valor moral de la humanidad subirá de nuevo.

Durante mis enseñanzas de la Ley y la práctica en Taiyuan,[3] había una alumna de más de 50 años. Ella y su marido vinieron a asistir a mis conferencias. Cuando cruzaban la carretera y al llegar al centro de ésta, un coche pasó muy rápidamente. El espejo retrovisor del coche enganchó de golpe el vestido de la anciana y la arrastró por una distancia de más de 10 metros y la echó fuertemente al suelo. El coche no paró hasta que había recorrido más de 20 metros. El conductor estaba muy enojado después de salir de su coche: "Oye, ¿por qué no miraste por dónde andabas?" Hoy en día, muchas personas se comportan así y primero evaden la responsabilidad cuando encuentran problemas, sin importarles si tienen la culpa. Un pasajero en el coche dijo: "Anda y mira a la señora para saber cómo se siente y si necesita ir al hospital." Entonces el conductor entendió y preguntó enseguida: "¿Cómo está, señora? ¿Se ha lastimado? ¿Vamos al hospital para que la vean?" La practicante se levantó lentamente del suelo y dijo: "No hay nada que me moleste, puedes irte." Luego, se sacudió el polvo del cuerpo y se fue cogida del brazo de su esposo.

Al llegar al curso, me contaron lo ocurrido y me sentí muy contento porque el *Xinxing* de nuestros practicantes se había

---

[3] Taiyuan—La ciudad capital de la provincia de Shangxi.

mejorado realmente. Ella me dijo: "Maestro, si yo no hubiera aprendido Falun Dafa, hoy me habría comportado de manera diferente con el accidente." Pensemos sobre este suceso: Para una persona jubilada, los precios actuales en el mercado son muy altos y no hay asistencia social. Ella tenía más de cincuenta años, y el coche la arrastró muy lejos y la tiró a la calle. Si tal cosa le hubiera ocurrido a una persona común, ella podría haber dicho que estaba seriamente herida, y no se levantaría del suelo. Si la hubieran llevado al hospital, podría haberse aprovechado de esta oportunidad para quedarse allí tan largo tiempo como quisiera. Sin embargo, la señora es practicante y no actuó de esa manera. Creemos que una idea de bondad o maldad determina la consecuencia de un acontecimiento, y que el pensamiento en ese momento puede traer diferentes consecuencias. ¿Sería posible que una persona común de edad avanzada no sufriera ningún daño en tal situación? Sin embargo, la señora no sufrió herida alguna, ni siquiera un rasguño. La bondad o la maldad proviene del pensamiento en ese instante. Si ella se hubiera quedado en el suelo reclamando: "Ah, me siento fatal. Me siento mal en ésta y esa parte del cuerpo." Entonces, sus tendones y huesos podrían haberse fracturado y ella pudiera haberse quedado paralizada. Sin importar cuánto dinero le hubieran pagado, ¿cómo podría estar cómoda estando hospitalizada por el resto de su vida? Hasta las personas que observaron el accidente se extrañaron del por qué la anciana no le hizo chantaje al conductor por dinero. Hoy en día, los valores morales humanos ya han sido distorsionados. El conductor tenía la culpa en conducir el coche tan velozmente, pero ¿cómo podría haberla atropellado intencionalmente? ¿Acaso no lo hizo sin intención? Sin embargo, la gente es así hoy día. Incluso los curiosos sintieron que era injusto porque ella no le hizo chantaje por dinero. He dicho que hoy muchas personas no saben distinguir lo bueno de lo malo. Si uno le dice a alguien que está haciendo una maldad, no lo creerá. Debido a que ha ocurrido un cambio en el valor moral de la humanidad, algunas personas piensan sólo en buscar ganancias y se atreven a hacer cualquier cosa por conseguir dinero. Para algunos, el dicho de que "El cielo y la tierra destruyen a aquéllos que no están en busca de intereses personales," se ha convertido ya en un lema.

Un practicante en Pekín una vez llevó a su niño a dar un paseo por Qianmen[4] después de la cena. Vieron un carro de radiodifusión promocionando boletos de la lotería. El niño quiso participar en esa diversión, deseando comprar un boleto de una rifa. El padre le dio un yuan al niño para comprar el boleto y el niño se ganó el segundo premio: una bicicleta de alta calidad y de un tipo especial para niños. El niño estaba contentísimo. Repentinamente le vino a la cabeza una idea: como practicante, ¿cómo puedo aceptar cosas de este tipo? ¿Cuánta virtud debo intercambiar por algo que no ha sido pagado? Con esta idea, le dijo al niño: "No aceptes la bicicleta; voy a comprarte una si quieres." El niño se sintió descontento: "Antes te pedí que me la compraras y no lo hiciste; ahora me he ganado una y no me dejas aceptarla." El niño lloró y gritó terriblemente; el padre se vio obligado a llevar la bicicleta a casa. Al regresar a casa, cuanto más pensaba sobre eso, tanto más incómodo se sentía. Pensó en enviar el dinero a la gente del sorteo. Luego volvió a pensar: El boleto de la rifa ya no existe. Si yo les enviara el dinero, ¿no podrían ellos dividirlo entre sí? En fin, voy a donar el dinero a mi entidad de trabajo.

Afortunadamente, en su lugar de trabajo había muchos practicantes de Falun Dafa que entendieron al padre, y el jefe lo comprendió también. Si esto ocurriera en un ambiente típico o en una entidad de trabajo común, donde dices que eres un practicante que no quiere la bicicleta ganada en un sorteo y que vas a donar el dinero a tu entidad de trabajo, el jefe podría pensar que estás mal de la cabeza. Otros también harían algunos comentarios: "¿Se ha desviado esta persona en la práctica de *Qigong*? ¿Se ha vuelto loco por haberse obsesionado demasiado por esa práctica?" He dicho que los valores morales humanos han sido distorsionados. Durante las décadas de los 50 y los 60, eso no sería gran cosa y era bastante común, y nadie lo encontraría raro o extraño.

---

[4] Qianmen—Uno de los mayores distritos de compras en Pekín.

Hemos dicho que no importa cuánto hayan cambiado los valores morales humanos; el carácter cósmico, *Zhen-Shan-Ren*, nunca cambiará. Si alguien dice que eres bueno, no eres necesariamente bueno en realidad; si alguien dice que eres malo, no eres necesariamente malo en realidad. Esto es porque el criterio para medir lo bueno y lo malo ha sido distorsionado. Sólo uno que actúa en conformidad con esta característica del universo puede ser una persona buena. Este es el único criterio para medir a la persona buena y a la mala, el cual lo reconoce el universo. Aunque grandes cambios han tomado lugar en la sociedad humana, los valores morales humanos han declinado gravemente. La moralidad humana está deteriorándose día a día y la búsqueda de ganancias se ha convertido en la única motivación. Sin embargo, los cambios en el universo no ocurren de acuerdo con los cambios de la humanidad. Como practicantes, no deben actuar según las normas de la gente común. No está permitido que hagan algo simplemente porque una persona común lo considera correcto. Lo que una persona común considera bueno no es necesariamente bueno. Lo que una persona común considera malo tampoco es necesariamente malo. En esta época cuando los valores morales han sido distorsionados, si le dicen a alguien que está haciendo algo malo, ¡él aún no lo creerá! Como practicantes, deben sopesar las cosas con la característica del universo. Sólo entonces puede uno distinguir lo que es genuinamente bueno y lo que es genuinamente malo.

El *Guanding* [5]

En la comunidad de cultivadores, existe una formalidad que se llama *Guanding*. El *Guanding* es una formalidad religiosa de la vía de cultivación del Tantrismo en la Escuela Buda. Su propósito es que, por medio del procedimiento del *Guanding*, una persona ya no entre

---

[5] *Guanding*—Llenarse de energía por la coronilla. Un rito de iniciación.

en otras vías de cultivación y sea aceptado como un discípulo formal en esa vía particular. Ahora, ¿qué tiene eso de extraño? Esta formalidad religiosa también está aplicándose a las prácticas de *Qigong*. No sólo se practica en el Tantrismo, sino que incluso en algunos sistemas de cultivación taoístas. He dicho que todos aquéllos que enseñan el Tantrismo en la sociedad bajo el título del Tantrismo son falsos. ¿Por qué lo digo así? Es debido a que hace más de mil años que el Tantrismo Tang desapareció en China y ya no existe en lo absoluto. Debido a la limitación del lenguaje, el Tantrismo Tibetano nunca ha sido transmitido íntegramente a la región Han[6] de China. Sobre todo, debido a que es una religión esotérica, su cultivación debe ejecutarse secretamente en monasterios. Los practicantes tienen que recibir las enseñanzas secretas de sus maestros, quienes los guían en la cultivación secreta. Si no se puede asegurar esta condición, esta vía de cultivación no podrá transmitirse en lo absoluto.

Muchas personas que van al Tíbet para estudiar el *Qigong* tienen este propósito: Buscan un maestro para estudiar el Tantrismo Tibetano para así convertirse un día en maestros de *Qigong* y hacerse ricos y famosos. Piensen sobre esto: Un verdadero lama[7] budista viviente que ha recibido enseñanzas genuinas y posee capacidades sobrenaturales puede captar lo que piensa una persona. Con una mirada, ya puede comprender para qué ha venido: Esa persona quiere aprender la práctica para convertirse en maestro de *Qigong*, ganar fama y fortuna y arruinar nuestra vía de cultivación-Buda. Una práctica tan seria de cultivación-Buda, ¿cómo puede arruinarse a la ligera por el deseo de convertirse en maestro de *Qigong* para ganar fama y fortuna? ¿Cuál es su motivo? Por eso, él no le transmitirá las verdaderas enseñanzas en lo absoluto, y esta persona tampoco obtendrá ninguna enseñanza verdadera. Sin embargo, probablemente podrá aprender algunas cosas superficiales porque allí hay muchos monasterios. Si la mente de uno no es recta, adquirirá la posesión de espíritus o animales cuando desee ser maestro de *Qigong*, y luego

---

[6] Han—El grupo étnico principal de la gente china.
[7] lama—Un título para un maestro en la tradición del Budismo tibetano.

cometerá maldades. Los animales poseedores también tienen *Gong*, pero no es del Tantrismo Tibetano. Aquéllos que van sinceramente al Tíbet para buscar el Dharma podrán arraigarse allí una vez que lleguen. Son cultivadores genuinos.

Es extraño que ahora muchos sistemas de cultivación taoístas también practiquen el *Guanding*. Puesto que la Escuela Tao hace ejercicios usando canales de energía, ¿por qué debería practicar el *Guanding*? Durante mi enseñanza del *Qigong* en el sur de China, según lo que yo vi, había más de 10 sistemas heterodoxos de cultivación que enseñaban el *Guanding*. Tales cosas aparecían muy comúnmente en la provincia de Guangdong. ¿Qué significa? Significa que después de que el maestro les haya hecho el *Guanding*, se habrán convertido en sus discípulos y no se les permitirá aprender ninguna otra práctica. De otro modo, serán castigados. Esto es lo que hacen. ¿Acaso no es ésta una práctica perversa? Lo que ellos enseñan es algo para curar enfermedades y mejorar la salud. La gente lo está aprendiendo simplemente para tener un cuerpo sano. ¿Por qué hacen eso? Alguien afirma que cualquiera que practique su *Qigong*, no puede practicar ningún otro *Qigong*. ¿Podría él conducir a la gente a la consumación? ¡Están guiando engañosamente a la gente! Muchas personas están haciéndolo así.

La Escuela Tao nunca enseña el *Guanding*, pero ahora ha aparecido en ella. Yo encontré que el Pilar de *Gong* de aquel maestro de *Qigong* que practicaba más activamente el *Guanding*, era sólo tan alto como un edificio de dos o tres pisos. Era un maestro de *Qigong* muy famoso. Noté que su *Gong* se le había disminuido muy lamentablemente. Centenares de personas se hacían cola esperando que les hiciera el *Guanding*. Pero su *Gong* estaba limitado sólo a esa altura. Se disminuyó rápidamente y al final se consumió completamente. Entonces, ¿qué podría él usar para hacerle *Guanding* a la gente? ¿No está engañando a la gente? Cuando se ve desde otra dimensión, el *Guanding* genuino puede hacer que los huesos de uno se pongan tan blancos como jade desde la cabeza hasta los pies. Es a través de llenarlo de *Gong*, la materia de alta energía, que el cuerpo de uno se purifica de pies a cabeza. ¿Podría hacerlo ese maestro de *Qigong*? No puede. ¿Qué es lo que hace? Por supuesto, él probablemente no intentará empezar una religión. Su propósito es que una vez que hayan aprendido su *Qigong*, le pertenecerán a él, y tendrán que asistir a sus clases para estudiar sus cosas. Su propósito real es ganar dinero. Si nadie aprendiera su *Qigong*, él no podría ganar dinero.

Al igual que los discípulos en otras vías de la Escuela Buda, los discípulos de Falun Dafa pasarán muchas veces por el *Guanding* efectuado por maestros de alto nivel en otras dimensiones. Sin embargo, no se les hará saber. Aquéllos que poseen capacidades sobrenaturales o los que son sensibles pueden sentirlo mientras duermen o en otra ocasión, cuando sienten repentinamente una corriente cálida que baja de la coronilla y penetra por todo el cuerpo. El propósito del *Guanding* no es para añadirles el alto *Gong*, ya que el *Gong* depende sólo de su cultivación personal. El *Guanding* es un método de refuerzo para purificar aún más su cuerpo. Una persona pasará muchas veces por el *Guanding*, lo que ocurrirá en cada nivel para purificarles el cuerpo. No practicamos la formalidad de *Guanding*, porque la cultivación depende de los esfuerzos de uno mismo, mientras que la transformación del *Gong* depende de su maestro.

Hay algunas personas que también practican la llamada formalidad de "tomar a alguien como maestro, venerándolo." Al hablar sobre esto, quiero mencionar de paso que mucha gente quiere tomarme como Maestro, postrándose ante mí. Este período histórico nuestro es diferente de la sociedad feudal de China. ¿Significaría tomar a alguien por maestro el postrarse y tocar el suelo con la frente ante él? No practicamos ese rito. Muchos de nuestros practicantes piensan: Si yo bajo la frente al suelo y quemo incienso, venerando al Buda con un corazón sincero, mi *Gong* va a crecer. Yo lo encuentro muy ridículo. La verdadera práctica depende de su propia cultivación. Ningún ruego puede ayudarles en la cultivación. No tienen que venerar a un Buda o quemar incienso. Siempre y cuando se cultiven genuinamente de acuerdo con el criterio de un cultivador, el Buda estará muy contento al verlos. Si siempre hacen maldades fuera de su casa, él sentirá disgusto al verlos, aunque quemen incienso y bajen la frente al suelo ante él. ¿No es esta la verdad? La cultivación genuina depende de uno mismo. Si hoy bajan la frente al suelo, postrándose ante el maestro, y hacen lo que quieren una vez que salgan por la puerta, ¿de qué les serviría la veneración? No practicamos esa formalidad para nada. ¡Posiblemente dañarían mi reputación!

Les hemos dado a cada uno tantas cosas. A todos ustedes, con tal de que se cultiven y se comporten estrictamente de acuerdo con la Gran Ley, los trataré como mis discípulos. Siempre y cuando practiquen Falun Dafa, los trataremos como discípulos para guiarlos. Si no desean cultivarse, no seremos capaces de hacer nada por ustedes. Si no desean cultivarse, ¿para qué llevan ese título? No importa que hayan sido alumnos del primer curso o del segundo. ¿Cómo podrían convertirse en nuestros discípulos sólo por medio de practicar los ejercicios? Para poder mantener un cuerpo sano y realmente progresar hacia los niveles altos, tienen que cultivarse genuinamente según nuestro criterio de *Xinxing*. Por eso, no practicamos estas formalidades. Siempre que se cultiven a sí mismos, se convertirán en practicantes de nuestra escuela. Mi *Fashen* sabe todo. Sabe todas las cosas en su mente y puede hacer cualquier cosa. No los cuidará si no se cultivan. Si practican la cultivación, los ayudará siempre hasta el final.

En algunas prácticas de *Qigong*, practicantes que nunca han visto a sus maestros afirman que si pagan unos centenares de yuanes y bajan la frente al suelo hacia cierta dirección, podrán convertirse en estudiantes del maestro. ¿Acaso esto no es engañarse a sí mismos y engañar a otros? Además, tales estudiantes son muy devotos desde ese momento y empiezan a proteger el sistema y al maestro. También les dicen a otros que no aprendan otros sistemas. A mi modo de ver, eso es muy ridículo. Incluso algunos practican algo llamado *Mo*

Ding.[8] Nadie sabe qué efectos habrá después de su toque.

No sólo son falsos aquellos que enseñan el *Qigong* bajo el estandarte del Tantrismo, sino que también son falsos todos aquellos que enseñan el *Qigong* en nombre del Budismo. Piensen sobre esto: Durante varios millares de años, los métodos de cultivación del Budismo se han mantenido sin cambiar. Si alguien hubiera hecho un cambio, ¿sería eso aún el Budismo? Los métodos de cultivación se dedican seriamente a cultivar Budas. Además, son sumamente místicos. Un cambio diminuto podría causar un desorden. Debido a que el proceso de transformación del *Gong* es particularmente complejo, las sensaciones humanas no significan nada. Uno no puede cultivarse basándose en cómo se siente. La formalidad religiosa para los monjes es un método de cultivación. Una vez que se cambie, ya no será algo de esa escuela. Hay un gran ser iluminado que preside cada escuela y cada escuela ha producido muchos grandes seres iluminados. Nadie se atreve a cambiar a la ligera el método de cultivación de esa escuela. ¿Qué tan poderosas virtudes tendría un insignificante maestro de *Qigong* para atreverse a ofender al gran maestro y cambiar la escuela de cultivación de Buda? Si realmente se cambiara, ¿sería aún de esa escuela? El *Qigong* falso puede distinguirse.

La Colocación del Paso Misterioso

"La Colocación del Paso Misterioso" (*Xuanguan Shewei*) se llama también "Una Apertura del Paso Misterioso" (*Xuanguan YiQiao*). Tales términos pueden encontrarse en los libros de Danjing, Tao Tsang y Xingming Guizhi.[9] Entonces, ¿de qué se trata esto? Muchos maestros de *Qigong* no pueden explicarlo claramente. Se debe a que

---

[8] *Mo Ding*—Como afirman algunos maestros de *Qigong*, tocar la coronilla para dar energía.

[9] Dan Jing, Tao Tsang, Xingming Guizhi—Textos clásicos chinos para la práctica de cultivación.

en el nivel de un maestro de *Qigong* común, uno no puede verlo, ni tampoco se le permite verlo. Si un cultivador desea verlo, tiene que llegar al nivel más alto del plano superior de la Visión del Ojo-Sabiduría, o más alto. Un maestro común de *Qigong* no puede alcanzar ese plano, por eso no puede verlo. Históricamente, la comunidad de cultivadores ha venido explorando qué es el Paso Misterioso, dónde está Una Apertura (*YiQiao*), y cómo se coloca el Paso Misterioso en posición. En los libros de <u>Danjing</u>, <u>Tao Tsang</u> y <u>Xingming Guizhi</u>, pueden encontrar que hablan sólo sobre las teorías, pero no les dicen la esencia en lo absoluto. La repetida explicación los confunde. No explican las cosas claramente porque no se le permite a una persona común saber la esencia del tema.

Además, les aviso que porque son discípulos de nuestro Falun Dafa, les diré estas palabras: No lean aquellos libros de *Qigong* heterodoxo. No me refiero a los libros clásicos susodichos, sino a aquellos libros de *Qigong* heterodoxo escritos por la gente contemporánea. Absolutamente no los abran. Incluso, si una idea les pasa instantáneamente por la cabeza: "Ah, esta frase tiene razón." Tan pronto como surja esta idea, el espíritu o animal poseedor en el libro se les subirá al cuerpo. Muchos libros fueron escritos bajo el control de espíritus o animales poseedores, que manipulan los deseos humanos de fama y fortuna. Hay un número grande y considerable de libros falsos de *Qigong*. Muchas personas no tienen sentido de responsabilidad y han escrito libros con espíritus o animales poseedores y cosas perversas. Usualmente, es mejor que ni siquiera lean los diversos libros antiguos susodichos u otros libros clásicos relacionados, ya que existe el asunto de concentrarse en una sola vía de cultivación.

Un director de la Sociedad de Investigación de *Qigong* de China una vez me dijo algo que me hizo reír bastante. Dijo que había una persona en Pekín que asistía frecuentemente a conferencias sobre *Qigong*. Después de haber escuchado muchos discursos durante mucho tiempo, esta persona pensaba que el *Qigong* no era más que aquello que había escuchado allí. Debido a que todos estaban en un mismo nivel, hablaban de cosas similares. Al igual que los falsos maestros de *Qigong*, esta persona creía que el contenido del *Qigong* no era más que eso. Más tarde, también quiso escribir un libro de *Qigong*. Piensen todos sobre esto: Alguien que no practicaba *Qigong* quería escribir un libro de *Qigong*. Actualmente, los libros de *Qigong* se copian uno a otro. A medida que escribía, al tocar el tema del Paso Misterioso, no pudo continuar su escritura. ¿Quién entiende qué es el Paso Misterioso? Aun entre los maestros genuinos de *Qigong*, sólo muy pocos lo entienden. El fue a preguntárselo a un maestro de *Qigong* falso. No sabía que este maestro de *Qigong* era falso, ya que él mismo no sabía nada sobre el *Qigong*. Pero el maestro falso de *Qigong* pensó que si él no podía contestar a esa pregunta, ¿acaso no se darían cuenta otros que era falso? Por eso, se atrevió a soltar disparates, diciendo que Una Apertura del Paso Misterioso está en la punta del pene. Eso parece muy ridículo. No se rían, pues este libro ya ha sido publicado en la sociedad. Eso quiere decir que los libros de *Qigong* de hoy han llegado a un punto demasiado ridículo. Díganme: ¿Qué utilidad obtendrán al leer esos libros? Ninguna. Sólo pueden hacerle daño a la gente.

¿Qué significa la Colocación del Paso Misterioso? Durante la cultivación en *Shi-Jian-Fa*, cuando uno haya llegado más arriba de la etapa media, es decir, en la etapa alta de *Shi-Jian-Fa*, el Infante Inmortal de la persona comienza a crecer. El Infante Inmortal (*Yuanying*) y el Infante Cultivado (*Yinghai*) a los que nos referimos son dos cosas diferentes. Los Infantes Cultivados son pequeños y juguetones, y suelen saltar y correr jubilosamente. El Infante Inmortal no puede moverse. Si el *Yuanshen* no toma control de él, el Infante Inmortal se sentará sin moverse sobre una flor de loto con las piernas cruzadas y las manos unidas en forma de *Jieyin*. El Infante Inmortal nace del *Dantian* y puede verse en un estado microscópico, aún cuando es más pequeño que la punta de una aguja.

Además, hay que aclarar otro asunto: Sólo existe un *Dantian* real, y éste es el *Tian*[10] en el área del abdomen inferior. Está arriba del

---

[10] *Tian*—"Campo."

punto *Huiyin*[11] y debajo del ombligo en el interior del cuerpo humano. Muchas formas de *Gong*, muchas capacidades sobrenaturales, muchas técnicas mágicas, el *Fashen*, el Infante Inmortal, los Infantes Cultivados, y muchas entidades vivientes nacen de este *Tian*.

En el pasado, algunos practicantes del Tao hablaban sobre el *Dantian* superior, el *Dantian* mediano y el *Dantian* inferior. Yo diría que están equivocados. Algunos han afirmado también que sus maestros han enseñado de esta manera por muchas generaciones y que esto también está escrito en libros. Déjenme decirles a todos que también en los tiempos antiguos hubo tal escoria. Aunque algunas cosas han sido heredadas y traspasadas a través de los años, no son necesariamente correctas. Algunas pequeñas vías de cultivación mundanas han circulado siempre entre la gente común. Sin embargo, no se puede cultivar por estas vías y no son buenas para nada. Cuando lo llaman el *Dantian* superior, el *Dantian* mediano y el *Dantian* inferior, es porque quieren decir que cualquier lugar donde pueda nacer el *Dan* es el *Dantian*. ¿No es esto ridículo? Cuando la intención de una persona se concentra en un punto, con el transcurso de mucho tiempo, puede desarrollar una masa de energía y el *Dan* nacerá allí. Si no lo creen, concentren la intención en su brazo y manténganse de esa manera, y a la larga, el *Dan* nacerá allí. Por lo tanto, al ver este caso, algunos han dicho que el *Dantian* existe en todo lugar. Eso parece aún más ridículo. Creen que el lugar donde nace el *Dan* es el *Dantian*. En realidad, allí se encuentra el *Dan*, pero no el *Tian*. Pueden decir que el *Dan* está en todos los lugares o que existe el *Dan* superior, el *Dan* mediano y el *Dan* inferior. Sin embargo, sólo hay un *Tian* genuino del que nacen innumerables Fa, y es el *Tian* del abdomen inferior. Por eso, es errónea la manera de hablar sobre el *Dantian* superior, el *Dantian* mediano y el *Dantian* inferior. El *Dan* nacerá donde concentren su intención por un largo tiempo.

El Infante Inmortal nace de este *Dantian* del área del abdomen

---

[11] *Huiyin*—Punto de acupuntura localizado en el centro del perineo (el área entre el ano y los órganos genitales).

inferior y crece lentamente, haciéndose cada día mayor. Cuando crezca más, haciéndose tan grande como una pelota de ping-pong, se podrá ver claramente la figura entera del cuerpo, con la nariz y los ojos formados. Al mismo tiempo cuando haya llegado a ser tan grande como una pelota de ping-pong, una burbuja redonda nace a su lado. Después del nacimiento, la burbuja crece junto con el Infante Inmortal. Cuando éste llegue a una altura de 10 centímetros, aparecerá un pétalo de loto. Cuando el Infante Inmortal crezca hasta 12-15 centímetros, los pétalos de la flor de loto estarán básicamente formados y aparecerá una capa de pétalos de loto. El dorado y espléndido Infante Inmortal está sentado en el plato dorado de loto, el cual es muy hermoso. Este es el cuerpo inmortal de Vajra, que se llama "el cuerpo-Buda" en la Escuela Buda, o "el Infante Inmortal" en la Escuela Tao.

Nuestra escuela de práctica cultiva y requiere las dos clases de cuerpo. El *Benti* también debe ser transformado. Como ustedes saben, no se permite a un cuerpo-Buda mostrarse entre la gente común. Con gran esfuerzo, puede revelar su figura y su imagen de luz, que pueden ser vistas con los ojos de una persona común. Sin embargo, después de la transformación, este cuerpo físico aún se parece al cuerpo de una persona común. Una persona común no puede ver la diferencia, aunque este cuerpo puede viajar a través de las dimensiones. Cuando el Infante Inmortal crece hasta 10-12 centímetros de altura, la burbuja ya tiene también la misma altura, la cual es transparente justamente como un globo. El Infante Inmortal aún está allí, sentado con las piernas cruzadas sin moverse. Al llegar a este tamaño, la burbuja saldrá del *Dantian*. Como ha crecido bien y está madurándose, ascenderá. El proceso de ascensión es muy lento, pero su movimiento se puede observar diariamente. Gradualmente, va subiendo arriba más y más. Prestando minuciosa atención, podemos sentir su existencia.

Al subir la burbuja al punto *Tanzhong*,[12] permanecerá allí por un

---

[12] Punto *Tanzhong*—Punto de acupuntura localizado en el centro del pecho.

lapso de tiempo porque allí se encuentra mucha esencia del cuerpo humano (inclusive el corazón). Un sistema de cosas se formará dentro de la burbuja. Esta esencia se suministrará dentro de la burbuja. Después de cierto tiempo, subirá de nuevo. Cuando pase por el cuello, uno se sentirá sofocado como si los vasos sanguíneos estuvieran obstruidos e hinchados, lo que hará a uno sentirse muy incómodo. Esta molestia durará sólo por un par de días. Luego, la burbuja subirá a la coronilla, lo que llamamos alcanzar al *Niwan*. Se dice que ha llegado al *Niwan*, mientras que en realidad es tan grande como tu cabeza entera. Tu cabeza se sentirá hinchada. Debido a que el *Niwan* es un lugar muy importante para un ser humano, su esencia también debe formarse dentro de la burbuja. Más tarde, saldrá a la fuerza por el canal del Tercer Ojo, lo que hará a uno sentirse muy incómodo. El Tercer Ojo se apretará hasta el punto de sentir mucho dolor, y las sienes se sentirán también hinchadas, mientras que los ojos se sentirán como si estuvieran cavando hacia dentro. Esta sensación durará hasta que la burbuja sale por el túnel del Tercer Ojo y se cuelga de una vez en la frente. Esto es lo que se llama la Colocación del Paso Misterioso (*Xuanguan Shewei*), y se colgará allí.

Para aquel tiempo, aquellos cuyo Tercer Ojo está abierto no pueden ver nada con él. Eso se debe a que en la cultivación de las dos escuelas, la de Buda y la de Tao, la puerta está cerrada para intentar acelerar lo más rápido posible la formación de las cosas dentro del Paso Misterioso. Hay dos grandes puertas en la parte delantera y dos en la parte posterior, y todas ellas están cerradas. Como en el caso de la puerta de Tiananmen de Pekín, hay dos grandes puertas respectivamente a ambos lados de ella. Con el fin de hacer que el Paso Misterioso se complete y se forme lo más rápido posible, las puertas no estarán abiertas excepto bajo circunstancias muy especiales. Aquél que tiene la capacidad de ver con el Tercer Ojo, al llegar a este punto, no podrá ver nada, o sea, no se le permite ver nada. ¿Con qué propósito se cuelga el Paso Misterioso de allí? Debido a que centenares de canales de energía de nuestro cuerpo se encuentran y se reúnen allí, en este punto todos ellos tienen que circular por el Paso Misterioso, pasando una vez dentro de él y luego saliendo. Todos pasarán por el Paso Misterioso con el fin de asentar una base y formar un sistema de cosas dentro del Paso Misterioso. Debido a que un cuerpo humano es un pequeño universo, el Paso Misterioso formará un pequeño mundo con todas las cosas esenciales del cuerpo humano formadas en él. Sin embargo, aún es sólo una fábrica que todavía no puede funcionar completamente.

En la vía de cultivación de la Escuela Qimen, el Paso Misterioso está abierto. Cuando el Paso Misterioso se empuja hacia afuera, es como un cilindro, pero gradualmente se hará redondo. Las puertas a sus dos lados por lo tanto están abiertas. Debido a que el sistema de cultivación de la Escuela Qimen no cultiva ni el Buda ni el Tao, sus cultivadores tienen que protegerse a sí mismos. En la Escuela Buda y en la Tao hay muchos maestros, todos los cuales pueden protegerlos. No necesitan ver cosas, ni les surgirá ningún problema. Sin embargo, el sistema de cultivación de la Escuela Qimen no puede proceder de esta manera. Sus practicantes tienen que protegerse a sí mismos; por eso deben mantener la capacidad de ver cosas. Pero en ese tiempo, uno ve con su Tercer Ojo como si viera por un telescopio. Después de la formación de este sistema de cosas, en poco más o menos de un mes, el Paso Misterioso empieza a retornar hacia adentro. Al volver adentro, esto se llama el Cambio de Posición del Paso Misterioso.

Cuando el Paso Misterioso vuelva adentro, la cabeza de uno se sentirá hinchada e incómoda. Luego, saldrá a la fuerza del punto *Yuzhen*.[13] Esta salida forzada también hace a uno sentirse muy incómodo, como si la cabeza estuviera partida. Cuando el Paso Misterioso haya salido fuera de una vez, se sentirán aliviados inmediatamente. Después de salir fuera, el Paso Misterioso se colgará en una dimensión muy profunda y existirá en la forma de un cuerpo en una dimensión muy profunda. Por eso, uno no se topará con él mientras duerme. Sin embargo, algo ocurre: Cuando la Colocación del Paso Misterioso ocurre por primera vez, uno puede sentir algo

---

[13] *Yuzhen*—Punto de acupuntura en la parte inferior trasera de la cabeza.

delante de los ojos. Aunque aquello está en otra dimensión, uno siente usualmente borrosidad ante los ojos como si algo los cubriera, lo cual hace a uno sentirse un tanto incómodo. Ya que el punto de acupuntura *Yuzhen* es un pase muy importante, el Paso Misterioso también tiene que formar un sistema de cosas allí y después, volverá otra vez dentro del cuerpo. Una Apertura del Paso Misterioso en realidad no se refiere a una sola posición del Paso Misterioso, porque cambiará de posición muchas veces. Después de regresar al punto *Niwan*, el Paso Misterioso comenzará a descender, dentro del cuerpo, hasta llegar al punto de acupuntura *Mingmen*.[14] En el punto *Mingmen*, saldrá nuevamente.

El punto de acupuntura *Mingmen* del cuerpo humano es un punto sumamente importante y mayor. La Escuela Tao lo llama "Apertura" (*Qiao*) y nosotros lo llamamos "Pase" (*Guan*). Es un gran pase principal que realmente se asemeja a una puerta de hierro y tiene incontables capas de puertas de hierro. Todos sabemos que el cuerpo humano está compuesto de capa sobre capa. Las células de nuestro cuerpo físico son de una capa y las moléculas en el interior son de otra capa. Hay una puerta localizada en cada plano de átomos, protones, electrones y desde las partículas infinitamente pequeñas hasta las partículas suma e infinitamente pequeñas. Por eso, hay numerosas capacidades sobrenaturales y muchas técnicas mágicas bajo llave dentro de las puertas de las respectivas capas. Otras vías de cultivación cultivan el *Dan*. Cuando el *Dan* está por explotar, el punto *Mingmen* primero tendrá que abrirse con una explosión. Si no se abre, las capacidades sobrenaturales no podrán liberarse. Después que el Paso Misterioso forme un sistema de cosas en el punto *Mingmen*, regresará entonces al interior del cuerpo. Luego, comenzará a volver al área del abdomen inferior, lo que se llama "El retorno a la posición del Paso Misterioso."

Al regresar, el Paso Misterioso no regresa a su lugar original.

---

[14] *Mingmen*—"Puerta de la Vida"; punto de acupuntura localizado en la parte central y baja de la espalda.

Para entonces, el Infante Inmortal ha crecido hasta ser bastante grande. La burbuja cubre al Infante Inmortal y lo envuelve. Mientras el Infante Inmortal crece, el Paso Misterioso crece también. Frecuentemente, en la Escuela Tao, cuando el Infante Inmortal haya crecido al tamaño de un niño de 6 a 7 años, se le permite salir del cuerpo humano, lo que se llama "el Infante Inmortal sale al mundo." Será controlado por el *Yuanshen* de uno. De esta manera, podrá salir fuera del cuerpo. El cuerpo físico de uno no se mueve y su *Yuanshen* saldrá fuera. Generalmente en la Escuela Buda, un Infante Inmortal no encontrará ningún peligro cuando se haya cultivado hasta ser tan grande como el mismo practicante. En ese tiempo, usualmente se le permite al Infante Inmortal salir fuera del cuerpo. Para entonces, el Infante Inmortal ha crecido hasta ser tan grande como el mismo practicante y la cubierta ya es grande también. La cubierta ya se ha expandido fuera del cuerpo de uno; este es el Paso Misterioso. Debido a que el Infante Inmortal se ha hecho tan grande, el Paso Misterioso naturalmente se expandirá fuera del cuerpo.

Quizás hayan visto las imágenes de Buda en los templos y hayan descubierto que los Budas siempre se sientan dentro de un círculo. En particular, el retrato de una imagen de Buda siempre tiene un círculo en el cual está sentado el Buda. Muchas imágenes de Buda son semejantes; especialmente todos aquellos retratos de Buda en los templos antiguos son así. Nadie puede explicar claramente por qué un Buda se sienta dentro de un círculo. Les digo que éste es el Paso Misterioso, pero ahora ya no se llama Paso Misterioso. Se llama "paraíso," aunque aún no pueda llamarse exactamente un paraíso, ya que sólo tiene esta facultad. Es semejante a una fábrica que sólo tiene maquinaria, pero no tiene capacidad de producción . Sólo después de contar con la fuente energética y la materia prima, podrá producir. Algunos años antes, muchos cultivadores decían: "Mi nivel de *Gong* es más alto que el de una Bodhisattva" o "Mi nivel de *Gong* es más alto que el de un Buda." Oyéndolo, otros pensaban que esto es inconcebible. De hecho, lo que tal persona decía no era inconcebible en lo absoluto, porque el *Gong* de uno debe cultivarse realmente hasta un nivel muy alto en este mundo humano.

Entonces, ¿cómo puede ocurrir esta situación que uno se ha cultivado hasta ser más alto que un Buda? Esto no se puede entender tan superficialmente. El *Gong* de esta persona está realmente en un nivel muy alto. Esto es porque cuando su cultivación ha llegado a un nivel muy alto y ha llegado al momento de su completa iluminación, su nivel de *Gong* será realmente muy alto. En el momento justo antes de abrir su *Gong* y de su iluminación, un 80% del *Gong* se rebajará junto con el nivel de su *Xinxing*, y esta energía servirá para establecer su paraíso, su propio paraíso. Todos saben que el nivel de *Xinxing* de un practicante al igual que su *Gong* han sido cultivados por medio de soportar muchos sufrimientos, penas y tribulaciones durante toda su vida y bajo duras circunstancias. Por lo tanto, es sumamente valioso. El 80% de tan valiosa cosa se usa para establecer su paraíso. Como resultado, cuando triunfe en su cultivación en el futuro, obtendrá lo que desee sólo extendiendo las manos y tendrá cualquier cosa que desee. Puede hacer cualquier cosa que quiera, porque habrá de todo en su paraíso. Estas son sus poderosas virtudes, que ha logrado en la cultivación por medio de sus propios sufrimientos. Esta energía suya puede transformarse en cualquier cosa a voluntad. Por eso, si un Buda desea tener algo, quiere comer alguna cosa o jugar con lo que sea, podrá hacerlo. Esto viene del logro de su propia cultivación, que es el Estado de Buda (*Fowei*) de uno. Sin él, un practicante no podrá tener éxito en la cultivación. Para entonces, el paraíso mencionado puede llamarse su propio paraíso, y llegará a la consumación y obtendrá el Tao con sólo el 20% restante de su *Gong*. Aunque sólo le queda el 20% de su *Gong*, su cuerpo no está bajo llave. Puede renunciar a su cuerpo o quedarse con él, pero su cuerpo ha sido transformado ya por la materia de alta energía. Para entonces, podrá ejercer sus grandes poderes divinos, los cuales tienen poder inigualable. Durante la cultivación entre la gente común, una persona frecuentemente está bajo llave y no tiene capacidades tan poderosas. Sin importar qué tan alto sea su nivel de *Gong,* aún está restringida. Ahora, esto es diferente.

Lectura Quinta

La Configuración del Falun

El símbolo de nuestro Falun Dafa es el Falun. Aquéllos con capacidades sobrenaturales pueden ver el Falun girando. Nuestro pequeño emblema del Falun también está girando del mismo modo. Nos cultivamos bajo la guía de las características cósmicas, *Zhen-Shan-Ren*, y estamos haciendo la práctica de acuerdo con los principios de la evolución del cosmos. Por lo tanto, el *Gong* que practicamos es realmente enorme. En cierto sentido, el emblema del Falun es el universo en miniatura. La Escuela Buda conceptúa al universo como un Mundo de Diez Direcciones con cuatro caras y ocho direcciones. Algunos pueden ver una columna de energía vertical arriba y abajo del Falun. Por eso, con la parte de arriba y la de abajo, se forman justamente las Diez Direcciones que constituyen el universo. Esto representa el resumen del universo de la Escuela Buda.

Por supuesto, este universo consiste en numerosas galaxias, inclusive la nuestra, la Vía Láctea. Todo el universo está en movimiento y así también todas las galaxias dentro de ella. Por eso, los símbolos del Taiji y los pequeños signos esvásticos 卍 en la configuración también están girando. El Falun entero está girando, y el signo esvástico[1] grande 卍 en el centro está también girando. En cierto sentido, simboliza nuestra Galaxia de la Vía Láctea. Al mismo tiempo, dado que somos de la Escuela Buda, se encuentra el signo de la Escuela Buda en el centro del Falun; su superficie se ve de esta forma. Todas las diferentes substancias tienen sus propias formas de existencia en otras dimensiones, donde tienen un proceso muy

---

[1] Esvástica—"Rueda de luz del sánscrito"; este símbolo data a más de 2.500 años y ha sido desenterrado en reliquias culturales de Grecia, Perú, India y China. Durante siglos este símbolo ha representado la buena fortuna, el sol, y se ha mantenido en alta estima.

esencial y complejo de evolución y formas de existencia. Este emblema del Falun es la miniatura del universo. También tiene su propia forma de existencia y proceso de evolución en todas las otras dimensiones. Por lo tanto, yo lo llamo un mundo.

Cuando el Falun gira en el sentido de las agujas del reloj, puede absorber automáticamente energía del universo; cuando el Falun gira en contra del sentido de las agujas del reloj, puede emitir energía. El giro interno (en el sentido de las agujas del reloj) ofrece salvación al mismo practicante, mientras que el giro externo (contra el sentido de las agujas del reloj) ofrece salvación a otros, lo cual es la característica de nuestra vía de cultivación. Algunos han preguntado: "Dado que pertenecemos a la Escuela Buda, ¿por qué hay signos de Taiji? ¿Acaso no pertenece el Taiji a la Escuela Tao?" Se debe a que nuestra práctica es tan inmensa que equivale a cultivar el universo entero. Pues, piensen sobre esto: Este universo consiste en dos grandes escuelas, la Escuela Buda y la Escuela Tao. Si se excluyera a cualquiera de las dos, no podría constituirse completamente el universo y no se podría llamar un universo completo. Por consiguiente, hemos incluido lo que pertenece a la Escuela Tao. También, algunos han dicho que además de la Escuela Tao, hay todavía otras religiones tales como el Cristianismo, Confucianismo, etc. Déjenme decirles, que después que su cultivación haya llegado a un nivel sumamente alto, el Confucianismo pertenece a la Escuela Tao; cuando muchas religiones occidentales de cultivación hayan llegado a niveles sumamente altos, se clasifican como pertenecientes al mismo sistema de la Escuela Buda. Sólo existen estas dos grandes escuelas.

Entonces, ¿por qué hay dos dibujos de Taiji con la mitad superior roja y la mitad inferior azule, y otros dos dibujos de Taiji con la mitad superior roja y la mitad inferior negra? Lo que nosotros generalmente comprendemos es que el Taiji está compuesto de dos substancias, blanca y negra respectivamente, los dos Qi del Yin y Yang. Esta percepción viene de un nivel muy bajo, ya que el Taiji tiene diferentes manifestaciones en diferentes dimensiones. En el máximo nivel, sus colores se manifiestan de esta forma. El Tao que comúnmente comprendemos tiene tales colores con la parte superior roja y la parte inferior negra. Por ejemplo, el Tercer Ojo de algunos de nuestros practicantes está abierto y han descubierto que el color rojo que ven con los ojos físicos es verde cuando lo ven en la dimensión adyacente. El color dorado se ve violeta en otra dimensión y tiene tal inversión. En otras palabras, los colores cambian de dimensión a dimensión. El Taiji con la parte superior roja y la parte inferior azul pertenece a la Escuela del Gran Pre-Taoísmo, que incluye la vía de cultivación de la Escuela Qimen. Los cuatro pequeños signos esvásticos 卐 en los cuatro lados pertenecen a la Escuela Buda, que son iguales al signo del centro. Todos ellos pertenecen a la Escuela Buda. En estos colores el Falun es relativamente llamativo, y lo usamos como el emblema de Falun Dafa.

El Falun que vemos a través de nuestro Tercer Ojo no es necesariamente de estos colores, ya que el color de fondo puede cambiar, aunque su diseño no cambia. Cuando el Falun que he implantado en el área de su abdomen inferior está girando, el Tercer Ojo puede ver que es rojo, violeta, verde o quizás incoloro. Su color de fondo se mantiene cambiando en el orden de los colores: rojo, anaranjado, amarillo, verde, azul cielo, azul y violeta. Como resultado, lo que ven puede ser de diferentes colores, pero las esvásticas 卐, como también los colores y dibujos de Taiji, se mantienen iguales. Creemos que este color de fondo se ve relativamente bien, por eso lo hemos adoptado. Aquellas personas con capacidades sobrenaturales pueden ver numerosas cosas más allá de esta dimensión.

Hay quienes dicen que esta esvástica 卐 se parece a la de Hitler. Déjenme decirles que este signo no da la connotación de ningún concepto de clases. Algunos dicen: "Si esta esquina se inclinara hacia este lado, sería igual al de Hitler." No es así, porque el signo gira tanto hacia ese lado como hacia el otro. Nuestra sociedad humana comenzó ampliamente a conocer este signo hace 2.500 años, en la época de Sakyamuni. Desde el tiempo de Hitler en la Segunda Guerra Mundial hasta hoy, sólo han pasado varias décadas. El usurpó este signo. Pero el color que usó era diferente del nuestro. Aquél era negro, apuntaba hacia arriba y se usaba en posición vertical. Sólo hablaré hasta este punto sobre el Falun, aunque sólo he mencionado su forma superficial.

Entonces, ¿qué simboliza este signo esvástico 卐 en nuestra Escuela Buda? Algunos dicen que significa buena fortuna, lo cual es una interpretación de la gente común. Quiero decirles que el signo esvástico 卐 es la señal del nivel de un Buda. Sólo después de llegar al nivel de Buda puede uno tenerlo. Una Bodhisattva y un Arhat no lo tienen. Pero las grandes Bodhisattvas y las cuatro grandes Bodhisattvas lo tienen. Hemos descubierto que estas grandes Bodhisattvas han sobrepasado muy lejos en nivel a los Budas comuness; inclusive son superiores a un Tathagata. Más allá del nivel de Tathagata hay innumerables Budas. Un Tathagata tiene sólo un signo esvástico 卐. Aquéllos que han alcanzado un nivel más alto que el de Tathagata tienen más signos esvásticos 卐. Un Buda con un nivel doble en altura al de un Tathagata tiene dos signos esvásticos 卐 Aquéllos que están en posiciones aún más altas tienen tres, cuatro o cinco signos esvásticos. Algunos tienen tantos signos esvásticos que pueden encontrárseles por todas partes del cuerpo, inclusive en la cabeza, hombros y rodillas. Cuando no caben tantos signos en estas partes, pueden aparecer en las palmas, dedos, en los arcos y los dedos de los pies, etc. Mientras el nivel de uno continúa incrementándose, uno tendrá más y más signos esvásticos 卐. Por lo tanto, el signo esvástico 卐 representa el Estado de Buda. Cuanto más alto sea el Estado de un Buda, tantos más signos esvásticos 卐 tendrá.

La Vía de Cultivación de la Escuela Qimen[2]

Además de las vías de cultivación de las dos Escuelas, Buda y Tao, también hay una Escuela Qimen. Esta se llama a sí misma la práctica de cultivación de la Escuela Qimen. En lo relacionado a las vías de cultivación, hay una creencia convencional entre la gente común: Desde la antigua China hasta hoy, la gente ha considerado a la Escuela Buda y a la Escuela Tao como vías de cultivación ortodoxas y también las llama las escuelas ortodoxas de prácticas de cultivación. Esta vía de cultivación de la Escuela Qimen nunca se ha hecho pública; por eso, muy poca gente sabe de su existencia. La gente la conoce sólo a través de obras literarias.

¿Existe una Escuela Qimen? Sí. En el curso de mi cultivación, particularmente en los últimos años, me encontré con tres maestros altamente consumados de la Escuela Qimen, quienes me impartieron la esencia de sus prácticas, las cuales son únicas y muy notables. Simplemente debido a que es única, lo que en ella se cultiva es muy raro y no puede ser entendido por la mayoría de la gente. Además, sus cultivadores no pertenecen ni a la Escuela Buda ni a la Escuela Tao. No cultivan al Buda ni al Tao. Al oír que no cultivan ni al Buda ni al Tao, la gente llama a su escuela "la Puerta Lateral y Vía Torpe" (*Pangmen Zuodao*). Se llaman a sí mismos vía de cultivación de la Escuela Qimen. El término de Puerta Lateral y Vía Torpe tiene una connotación despectiva, pero aquí no lleva sentido negativo, ya que no acusa a la Escuela Qimen de ser una vía perversa; esto es seguro. La definición de su término literario tampoco implica que sea una vía perversa. A lo largo de la historia, las Escuelas Buda y Tao han sido llamadas "escuelas ortodoxas" de práctica de cultivación. Cuando la gente no entendía esta vía, decía que era *Pangmen*, o sea, puerta lateral, y que era una escuela heterodoxa. ¿Qué es *Zuodao*? *Zuo* significa torpeza o una vía torpe. Debido a que la palabra *Zuo* en el antiguo vocablo chino se usaba frecuentemente como "torpe,"

---

[2] Escuela Qimen—"Escuela no convencional."

179

Pangmen Zuodao lleva tal connotación.

¿Por qué no es una práctica perversa? Porque también tiene requisitos estrictos de *Xinxing*. Su práctica de cultivación también sigue las características del universo. Esta vía no viola las características ni las leyes del universo, ni tampoco se involucra en cometer maldades. Por eso, no puede decirse que sea una práctica perversa. La Escuela Buda y la Escuela Tao son escuelas ortodoxas, no porque las características del universo se acoplen a sus prácticas, sino porque las prácticas de ambas escuelas, Buda y Tao, observan las características del universo. Si la práctica de cultivación de la Escuela Qimen también observa las características del universo, no es una práctica perversa, sino que igualmente es una escuela ortodoxa. Esto se debe a que el criterio para juzgar lo bueno o lo malo y lo benévolo o lo perverso es la característica del universo. Si la cultivación de la Escuela Qimen se efectúa de acuerdo con las características del universo, también es una vía de cultivación ortodoxa, a pesar de que sus requisitos difieren de las escuelas Buda y Tao. La Escuela Qimen tampoco cuida de enseñar a un gran número de discípulos, sino sólo a un número muy limitado. La Escuela Tao transmite su vía de cultivación a un gran número de discípulos, pero sólo uno de ellos recibe enseñanzas genuinas. La Escuela Buda cree en la salvación de todos los seres vivientes, así que a quienquiera que pueda cultivarse se le permite hacerlo.

La práctica de la Escuela Qimen no puede ser heredada por dos personas, ya que la sucesión de sus enseñanzas es legada a sólo una persona por un largo período de tiempo en la historia. Por lo tanto, a lo largo de la historia, no podía ser vista por la gente común. Por supuesto, cuando el *Qigong* era popular, encontré que unas cuantas personas de esta vía de cultivación también salieron para enseñar el *Qigong*. Sin embargo, después de alguna enseñanza pública, se dieron cuenta que no era posible porque el maestro prohibía que algunas cosas se impartieran al público. Si ustedes hubieran querido enseñar esta vía de cultivación al público, no habrían podido seleccionar estudiantes, porque los que venían, tenían diferentes niveles de

Xinxing y diferentes mentalidades, ya que eran gente de diferentes clases. Habrían sido incapaces de seleccionar discípulos a quienes enseñar. Por eso, la Escuela Qimen no puede enseñarse ampliamente al público. De hacerlo así, fácilmente podría causar peligro, porque lo que en ella se cultiva es único.

Algunos piensan que la Escuela Buda cultiva Budas y la Escuela Tao cultiva el Tao. Entonces, ¿en qué se convertirá un practicante de la Escuela Qimen después de completar la cultivación? Se convertirá en un inmortal errante sin un recinto fijo en el universo. Es bien sabido que el Tathagata Sakyamuni tiene el Paraíso Saha, el Buda Amitabha tiene el Paraíso de la Felicidad Suprema y el Buda Maestro Médico tiene el Paraíso Cristalizado. Cada Tathagata o Gran Buda tiene su propio paraíso. Cada gran scr iluminado tiene un paraíso de su propia construcción, en donde viven muchos discípulos suyos. Sin embargo, la vía de cultivación de la Escuela Qimen no tiene un recinto fijo en el universo y serán simplemente como dioses viajeros o inmortales crrantes.

Practicar la Vía Perversa

¿Qué es "practicar la vía perversa?" Tiene varias formas: Hay quienes se especializan en practicar la vía perversa, ya que han existido algunos que la han enseñado a lo largo de la historia. ¿Por qué la enseñan? Porque buscan fama, ganancia y fortuna entre la gente común. Esto es lo que les interesa. Por supuesto, tal persona no obtendrá *Gong* porque su nivel de *Xinxing* no es alto. Entonces, ¿qué podrá obtener? Karma. Cuando el karma de uno se acumula hasta cierta cantidad, se convierte también en una clase de energía. Sin embargo, esa persona no se encuentra en condición de poseer ningún nivel y no puede compararse con un cultivador. Sin embargo, en comparación con una persona común, tiene la habilidad de controlarlas porque el karma es también una forma de energía. Cuando su densidad se hace muy alta, puede fortalecer las capacidades sobrenaturales dentro del cuerpo de uno y producir tales efectos. Por eso, a lo largo de la historia, han existido algunos que la han enseñado. Tal persona afirma: "Yo incrementaré mi *Gong* haciendo cosas malas y maldiciendo a otros." No ha incrementado su *Gong*. En realidad, ha incrementado la densidad de la substancia negra, porque al hacer cosas malas, obtiene substancia negra, karma. Por lo tanto, también puede hacer que estas insignificantes capacidades sobrenaturales, innatas en su cuerpo, se refuercen por tal karma. También puede desarrollar algunas pequeñas capacidades sobrenaturales, aunque son incapaces de hacer algo significativo. Tales personas creen que por medio de hacer cosas malas, también pueden incrementar su *Gong*; eso es lo que ellos dicen.

Algunos dicen: "Cuando el Tao tiene la altura de un *chi*,[3] el demonio tendrá la altura de un *zhang*."[4] Esto es un dicho falso entre la gente común. El demonio nunca sobrepasará la altura de un Tao. Es un hecho que el universo que nuestra humanidad conoce, es sólo un pequeño universo de los incontables universos, y lo llamamos abreviadamente el universo. Cada vez que nuestro universo atraviesa por un período de un gran número de años, siempre experimenta una gran catástrofe que destruye todo dentro del universo, inclusive planetas y vidas dentro de él. El movimiento del universo es gobernado por una ley. En nuestro ciclo actual del universo, la raza humana no es la única especie que se ha vuelto corrupta. En lo concerniente al presente tiempo, muchas vidas ya han observado la situación de que hace mucho ocurrió una gran explosión en el espacio de este universo. Actualmente, los astrónomos no pueden observarlo, porque lo que se ve con el telescopio más poderoso son las escenas de hace 150.000 años luz. Para poder ver los cambios del presente cuerpo cósmico, tendríamos que esperar que pasen otros 150.000 años luz. Esto es un futuro muy remoto.

En la actualidad, el universo entero ya ha atravesado un gran

---

[3] *chi*—Una unidad china de longitud (=1/3 metro).
[4] *zhang*—Una unidad china de longitud (=3 1/3 metros).

cambio. Cada vez que tal cambio tiene lugar, todas las vidas del universo entero quedan aniquiladas. Cada vez que ocurre esta situación, las cualidades previamente existentes en el universo y la materia en su interior tienen que explotar totalmente. Usualmente, todas las vidas son destruidas en la explosión. Sin embargo, ninguna de las explosiones ha llegado a aniquilar completamente a todos. Después que un nuevo universo es reconstruido por los seres grandemente iluminados de sumamente alto nivel, quedan aún algunos que sobreviven a la explosión. Los grandes seres iluminados reconstruyen el universo de acuerdo con sus propias características y construyen el universo de acuerdo con su propio criterio. Por lo tanto, tiene características diferentes del universo anterior.

Los sobrevivientes de la explosión continúan sosteniendo las características y principios anteriores para actuar en el universo presente. Pero el universo recién construido actúa de acuerdo con las nuevas características cósmicas y con tales principios. Por eso, los sobrevivientes de la explosión se convierten en demonios que interfieren con los principios del universo. Sin embargo, no son tan malos, porque no hacen más que actuar según las características cósmicas del ciclo anterior. La gente se refiere a ellos como Demonios Celestiales. No obstante, no constituyen una amenaza para la gente común ni hacen daño a la gente. Sólo actúan de acuerdo con sus propios principios para hacer las cosas. En el pasado, no se le permitía a la gente común saber de esto. He dicho que hay numerosos Budas cuya posición sobrepasan el nivel de Tathagata. ¿Qué podrían ser esos demonios? En comparación, son muy mínimos. La vejez, enfermedad y muerte también son una clase de demonio. Sin embargo, nacen también para mantener las características del universo.

El Budismo cree en las seis vías de reencarnación (*samsara*), donde se habla sobre el asunto de "espíritus malignos" (*asura*).[5] En realidad, esto se refiere a seres vivientes en diferentes dimensiones,

---

[5] *asura*—"Espíritus malignos" (del sánscrito).

pero no llevan dentro de sí la naturaleza innata humana. Al juicio de un gran ser iluminado, están a un nivel muy bajo y son bastante impotentes. Sin embargo, ante los ojos de la gente común, son muy temibles porque poseen cierta cantidad de energía. Consideran a la gente común como una clase de bestia; por eso les gusta comer seres humanos. En años recientes, también han salido para enseñar el *Qigong*. Pero, ¿a qué especie de cosa pertenecen? ¿Cómo pueden parecerse a los seres humanos? Se ven espantosos. Una vez que uno aprenda sus cosas, tendrá que irse junto con ellos y convertirse en uno de su misma especie. Si algunas personas tienen ideas incorrectas durante su práctica de *Qigong* y ellos las identifican con las suyas, entonces vendrán a enseñar a estas personas. Una mente noble y recta puede reprimir cien perversidades. Si ustedes no persiguen nada, nadie se atreverá a molestarlos. Si albergan intenciones malignas persiguiendo cosas malas, ellos vendrán a ayudarles y ustedes estarán siguiendo una vía de cultivación demoníaca. Este problema puede surgir.

Hay otro caso que se llama práctica inconsciente de la vía perversa. ¿Qué es practicar inconscientemente una vía de cultivación perversa? Esto quiere decir que uno practica una vía perversa sin darse cuenta de ello. Estos casos son tan comunes que simplemente son innumerables. Como dije el otro día, muchos practican el *Qigong* con pensamientos incorrectos en la mente. Aunque ustedes los puedan ver puestos de pie, en postura pilar, con manos y piernas temblando de fatiga, su mente aún se mantiene ocupada pensando: "Los precios van a subir y tendré que ir de compras una vez que termine mi práctica; de no ser así, los precios subirán." Otros piensan: "En mi trabajo están ahora repartiendo viviendas. ¿Habrá una vivienda para mí? La persona encargada de repartir viviendas está en desacuerdo conmigo de muchas maneras." Cuanto más piensa sobre eso, tanto más furioso se pone. "Seguro que esa persona no me dará ninguna vivienda. ¿Cómo voy a luchar contra él...?" Albergan toda clase de ideas. Como les dije anteriormente, comentan sobre todo, desde los temas familiares hasta los asuntos estatales. Cuando hablan de temas desagradables, se ponen más furiosos.

La práctica de *Qigong* requiere que uno valore las virtudes. En la práctica de los ejercicios, si no piensan en cosas buenas, tampoco deben pensar en cosas malas. Lo mejor es que no piensen nada. Esto es porque durante la práctica de *Qigong* al nivel bajo, se necesita asentar un cimiento. Este cimiento hace un papel crítico porque la intención humana desempeña un papel significativo. Piensen todos sobre esto: ¿Qué están añadiendo a su *Gong*? ¿Cómo puede ser bueno lo que están practicando? ¿Cómo no va a ser negro? ¿Cuántas personas que practican el *Qigong* no tienen tales ideas? Aunque siempre practican el *Qigong*, ¿por qué no se han eliminado sus enfermedades? Aunque algunos no tienen estos malos pensamientos en los sitios de práctica, siempre albergan un fuerte deseo de tener capacidades sobrenaturales, persiguiendo esto o aquello, y tienen una variedad de apegos cuando hacen la práctica. En realidad, ya han practicado una vía perversa inconscientemente. Si le dicen a uno de ellos que está practicando una vía perversa, se sentirá muy descontento: "A mí me ha enseñado un maestro muy reconocido de *Qigong*." Pero ese maestro te ha pedido que valores las virtudes. ¿Acaso has llevado eso a cabo? Durante la práctica del *Qigong*, siempre añaden algunos pensamientos malos. Entonces, díganme: ¿Podrán obtener cosas buenas por medio de la práctica? Este es el problema que pertenece a la práctica inconsciente de la vía perversa; es algo muy común.

La Doble Cultivación de un Hombre y una Mujer

En la comunidad de cultivadores, hay una práctica de cultivación llamada doble cultivación de un hombre y una mujer. Quizás hayan visto en la vía de cultivación del Tantrismo Tibetano, que en las esculturas de Budas o en pinturas, un cuerpo masculino abraza a un cuerpo femenino haciendo la cultivación. A veces, el cuerpo masculino muestra la forma de un Buda, con una mujer desnuda en sus brazos; algunas pueden ser transformaciones de Budas con la imagen de un Vajra con cabeza de buey o cara de caballo, también con un cuerpo femenino desnudo en los brazos. ¿Por qué muestran esta forma? Primero les explicaremos esto a todos: En nuestro planeta, no sólo China ha sido influenciada por el Confucianismo. Hace varios centenares de años nuestra raza humana entera de los tiempos antiguos tenía valores morales similares. Por eso, en realidad, esta práctica de cultivación no proviene de esta Tierra nuestra. Ha sido transmitida de otro planeta, pero este método efectivamente propicia a que uno pueda hacer la cultivación. Cuando esta práctica de cultivación se introdujo en China, en aquel tiempo no pudo ser aceptada por los chinos, justamente porque tenía la cultivación doble de un hombre y una mujer y algunas prácticas secretas. Por eso, en los años de Hui Chang de la Dinastía Tang, esta práctica fue abolida por el emperador chino y no se permitió que circulara en el interior de China. En aquel entonces, se llamaba Tantrismo Tang. Pero en el Tíbet, cuyas circunstancias y región son particulares, se ha difundido. ¿Por qué cultivan de esta manera? El propósito de la cultivación doble de un hombre y una mujer es alcanzar un equilibrio entre el *Yin* y el *Yang*, recolectando el *Yin* para compensar el *Yang*, y viceversa, haciendo una compensación mutua y una cultivación mutua.

Es sabido que de acuerdo con la Escuela Buda y la Escuela Tao, particularmente de acuerdo con la teoría taoísta del *Yin* y *Yang*, un cuerpo humano tiene inherentemente el *Yin* y el *Yang*. Debido a que el cuerpo humano tiene *Yin* y *Yang*, uno puede desarrollar por medio de la cultivación una variedad de capacidades sobrenaturales y entidades vivientes, tales como el Infante Inmortal, los Infantes Cultivados, el *Fashen*, etc. Gracias a la existencia del *Yin* y el *Yang*, el cuerpo humano puede desarrollar numerosas entidades vivientes por medio de la cultivación. Estas pueden crecer igualmente en el *Dantian* tanto de un cuerpo masculino como de uno femenino. Esta teoría tiene mucha razón. La Escuela Tao considera frecuentemente la parte superior del cuerpo como el *Yang* y la parte inferior del cuerpo como el *Yin*. Algunas personas también consideran la espalda como el *Yang* y la parte delantera del cuerpo como el *Yin*; otras consideran el costado izquierdo del cuerpo como el *Yang* y el derecho como el *Yin*.

En China, tenemos un dicho que afirma que el costado izquierdo del cuerpo es masculino y el costado derecho femenino, lo cual también se ha derivado de esto y tiene mucha razón. Debido a que un cuerpo humano inherentemente tiene el *Yin* y el *Yang*, por medio de la interacción del *Yin* y el *Yang*, el mismo cuerpo puede llegar a un equilibrio entre el *Yin* y el *Yang*, y así puede desarrollar numerosas entidades vivientes.

Esto puede aclarar un asunto: Sin adoptar el método de la cultivación doble de un hombre y una mujer, aún podemos alcanzar un nivel muy alto en la cultivación. Al adoptar la vía de cultivación doble de un hombre y una mujer, si no se usa apropiadamente, los practicantes incurrirán en una interferencia demoníaca y la convertirán en una vía perversa. En el Tantrismo, si se desea aplicar la cultivación doble de un hombre y una mujer a un nivel muy alto, se requiere que el monje o el lama haya alcanzado un nivel muy alto de cultivación. En aquel tiempo, el maestro puede guiar a una persona en este tipo de práctica de cultivación. Debido a que el nivel de *Xinxing* de esta persona es muy alto, podrá conducirse bien sin hacerse perversa. Sin embargo, una persona con un *Xinxing* muy bajo no debe aplicar en absoluto este método de cultivación. De otro modo, entraría indudablemente en una vía perversa. Debido a un nivel de *Xinxing* limitado y dado que no ha renunciado a los deseos y lujuria de la gente común, allí se encuentra la medida de su nivel de *Xinxing*, y seguramente será una vía perversa si la practica. Por eso, decimos que enseñar a la ligera esta vía de cultivación en un nivel bajo significa enseñar una práctica perversa.

En años recientes, muchos maestros de *Qigong* han enseñado la cultivación doble de un hombre y una mujer. ¿Qué tiene esto de raro? La vía de cultivación doble de un hombre y una mujer ha aparecido también en la Escuela Tao. Además, esta misma vía no sólo ha aparecido hoy día, sino que empezó en la Dinastía Tang. ¿Cómo podría aparecer la cultivación doble de un hombre y una mujer en la Escuela Tao? De acuerdo con la teoría de Taiji de la Escuela Tao, el cuerpo humano es un pequeño universo que tiene inherentemente el *Yin* y el *Yang*. Todas las grandes y genuinas vías ortodoxas han sido transmitidas desde tiempos remotos. Cualquier alteración impensada o adición de cualquier cosa a la ligera podría arruinar lo que pertenece a cierta escuela y haría imposible que alcance la meta de consumación en la cultivación. Por lo tanto, si una vía de cultivación no tiene la cultivación doble de un hombre y una mujer, no deben cultivar eso para nada. De otro modo, se desviarán y se encontrarán con problemas. Particularmente en nuestra escuela de Falun Dafa, no existe la cultivación doble de un hombre y una mujer, ni tampoco enseñamos esto. Este es nuestro punto de vista sobre este tema.

Cultivación Integrada de Cuerpo y Mente

Este tema de la cultivación integrada de cuerpo y mente ya les ha sido explicado a todos ustedes. La cultivación integrada de cuerpo y mente se refiere a la cultivación del *Xinxing,* mientras que al mismo tiempo se cultiva el cuerpo. En otras palabras, el *Benti* se va transformando. En el proceso de esta transformación, las células humanas serán reemplazadas gradualmente por materia de alta energía; de esta forma la vejez disminuirá y se aplazará. El cuerpo gradualmente regresará a la juventud y experimentará una transformación gradual, hasta que al final, el cuerpo será reemplazado completamente por materia de alta energía. Para aquel entonces, este cuerpo humano se habrá convertido en un cuerpo de otro tipo de materia. Este cuerpo, como he dicho, habrá trascendido los Cinco Elementos. Como ya no está limitado por los Cinco Elementos, el cuerpo de esta persona será realmente un cuerpo inmortal.

La cultivación en los templos se dedica sólo a la cultivación de la mente, por eso, no enseña la práctica de ejercicios ni la cultivación del cuerpo. Requiere Nirvana, ya que el método que Sakyamuni enseñaba requería Nirvana. Pero en realidad, Sakyamuni mismo tenía su profunda gran Ley, que podía transformar su *Benti* completamente en materia de alta energía y llevárselo con él. Con el fin de dejar este método de cultivación al mundo, tomó el camino de Nirvana. ¿Por qué lo enseñó de esta manera? Lo hizo así justamente para que la gente abandonara al máximo todos los apegos y todas las cosas, inclusive, al final, hasta el cuerpo físico; todos los deseos tenían que ser abandonados. Para que la gente lograra esto al máximo posible, tomó el sendero de Nirvana. Por eso, a lo largo de la historia, todos los monjes budistas han tomado el sendero de Nirvana. Nirvana significa que al morir un monje abandona su cuerpo físico y su *Yuanshen* asciende con su *Gong*.

La Escuela Tao enfatiza la cultivación del cuerpo. Debido a que esta escuela selecciona discípulos y no ofrece la salvación a todos los seres conscientes, sus discípulos son personas excepcionalmente buenas. Por lo tanto, enseña técnicas y maneras de cómo cultivar la vida. Sin embargo, en esta práctica de cultivación de la Escuela Buda, y particularmente en el sistema de cultivación del Budismo, no se enseñan estas técnicas. No todas las prácticas en la Escuela Buda no enseñan la cultivación de la vida. Muchas prácticas profundas y de alto nivel de la Escuela Buda también la enseñan. Nuestra escuela de práctica la enseña. La escuela de nuestro Falun Dafa requiere tanto el *Benti* como el Infante Inmortal. Estos dos son diferentes el uno del otro. El Infante Inmortal también es un cuerpo compuesto de materia de alta energía, pero no puede revelarse a la ligera en esta dimensión nuestra. Sin embargo, si queremos mantener la misma apariencia de una persona común en esta dimensión por un largo período de tiempo, necesitamos tener nuestro *Benti*. Por lo tanto, después de la transformación de este *Benti*, el orden de colocación molecular permanece sin alteración aunque las células hayan sido reemplazadas por materia de alta energía. Por consiguiente, el cuerpo no parecerá diferente al de una persona común. Sin embargo, existe aún una diferencia, es decir, este cuerpo puede entrar en otras dimensiones.

Aquellos que practican la cultivación integrada de mente y cuerpo parecen muy jóvenes. Una persona así parece mucho más joven que su edad actual. Un día, alguien me preguntó: "Maestro, ¿cuántos años crees que tengo?" En realidad, ella andaba por los 70 años, pero sólo parecía tener 40 años. No tenía arrugas en la cara y tenía el cutis terso, blanco y rosado. No parecía en absoluto una persona cerca de los 70 años. Esto les pasará a nuestros practicantes de Falun Dafa. Para decir una broma, las chicas siempre están interesadas en aplicarse maquillaje, deseando mejorarse el cutis. Yo diría que si practican genuinamente la vía de cultivación integrada de mente y cuerpo, podrán alcanzar naturalmente esta meta. Está garantizado que no necesitarán cosméticos. No vamos a citar más ejemplos en este aspecto. Debido a que en el pasado había relativamente más camaradas mayores en todos los oficios y profesiones, ellos me consideraban un joven. Actualmente, las cosas van mejorando y hay relativamente más gente joven en todos los oficios y profesiones. En realidad, ya no soy joven. Ya voy para los 50 años, porque ya tengo 43.

El *Fashen* (Cuerpo de Ley)

¿Por qué hay un campo alrededor de una estatua de Buda? Muchas personas no pueden explicarlo. Hay quienes dicen que hay un campo alrededor de la estatua de Buda porque los monjes le han leído los Sutras. En otras palabras, los monjes se cultivan a sí mismos frente a la estatua y como resultado, ha aparecido un campo. Cuando un monje o cualquier persona está cultivándose, su energía se dispersa sin dirección determinada. En este caso, el suelo, el techo y las paredes del salón entero del templo deberían tener el mismo campo. Entonces, ¿por qué es tan fuerte el campo justamente alrededor de la estatua de Buda? Particularmente para la imagen esculpida de Buda en lo profundo de las montañas, o en una caverna de montaña o sobre una roca, generalmente existe un campo. ¿Por qué existe este campo? Algunos lo interpretan de ésta o esa manera, pero aún no pueden explicarlo claramente. En realidad, una estatua de Buda tiene un campo porque sobre ella hay un *Fashen* de un gran ser iluminado.

Debido a que el *Fashen* del ser iluminado está sobre ella, la estatua tiene energía.

Ya sea Sakyamuni o la Bodhisattva Guanyin, si realmente existieron en la historia, piensen sobre esto: ¿Acaso no fueron practicantes cuando se estaban cultivando? Cuando una persona practica la cultivación a un alto nivel, más allá de *Chu-Shi-Jian-Fa*, desarrollará *Fashen*. El *Fashen* nace en el área del *Dantian* de uno y está compuesto de Fa y *Gong* y se manifiesta en otras dimensiones. El *Fashen* tiene mucho del poder de la propia persona, pero su consciencia y pensamientos están bajo el control de esa persona. Sin embargo, el *Fashen* por sí mismo es una vida individual, completa, independiente y real. Por lo tanto, puede hacer cualquier cosa independientemente. Lo que el *Fashen* hace, es exactamente igual a lo que la Consciencia Principal de la propia persona desea hacer. Si una persona hace las cosas de cierta manera, su *Fashen* las hará igual. Este es el *Fashen* al que nos referimos. Lo que yo deseo hacer será hecho totalmente por mis *Fashen*, por ejemplo, reajustar los cuerpos de mis discípulos que se cultivan genuinamente. Debido a que el *Fashen* no lleva el cuerpo de una persona común, se manifiesta en otras dimensiones. El cuerpo de este ser inteligente no es uno fijo que no pueda cambiar, sino que puede hacerse grande o pequeño. A veces, el *Fashen* se hace tan grande que es imposible verle la cabeza entera. Algunas veces se hace pequeñísimo, más diminuto que una célula.

La Consagración[6]

Las estatuas de Buda hechas en fábricas no son más que trabajos de arte. "Consagración" significa invitar al *Fashen* de un Buda a la estatua de Buda, la cual se venerará después como un cuerpo-Buda

---

[6] Consagración *(Kaiguang)*—También es conocido en el Budismo como "apertura de luz." Es un rito de consagración para invitar a un ser iluminado a una estatua de Buda o a una imagen de Buda.

tangible entre la gente común. En la práctica de cultivación, cuando un practicante tiene tal corazón de reverencia, el *Fashen* en la estatua de Buda le salvaguardará la Ley, lo cuidará y lo protegerá durante su práctica. Ese es el propósito real de la consagración. Esto sólo puede hacerse con el pensamiento recto expresado en una ceremonia formal de consagración, con la ayuda de un gran ser iluminado en un nivel muy alto o con la ayuda de un practicante en un nivel muy alto de cultivación que tenga este poder.

En los templos, se requiere que las estatuas de Buda pasen por la consagración, y la gente dice que sin la consagración las estatuas no servirán para nada. Hoy en día, todos aquellos grandes maestros genuinos entre los monjes en los templos han fallecido. Después de la "Gran Revolución Cultural," algunos monjes de menor rango que no recibieron enseñanzas verdaderas, han tomado ahora el cargo de administradores en los templos. Hay muchas cosas que no se han heredado. Si le preguntan a uno de ellos: "¿Cuál es el propósito de la consagración?" les dirá que la estatua de Buda cumplirá su función después de la consagración. No podrá explicarles claramente para qué sirve. Por eso, sólo efectúa una ceremonia en la que pone un pequeño Sutra budista dentro de la estatua de Buda, lo sella con papel, y luego le recita Sutras a la estatua. A esto, lo llama consagración. Pero, ¿puede esto lograr la meta de la consagración? Eso depende de cómo recite los Sutras. Sakyamuni enseñaba que uno debe recitar los Sutras con una mente recta y con plena concentración para sacudir realmente el paraíso de la escuela de cultivación a la que uno pertenece. Sólo así puede invitar a un gran ser iluminado. Sólo después que el *Fashen* de un gran ser iluminado sube a la estatua de Buda, puede realizarse el propósito de la consagración.

Mientras están recitando los Sutras allá, algunos monjes están pensando: "¿Cuánto dinero me pagarán después de que termine la consagración?" O mientras están recitando los Sutras, están pensando: "¡Fulano me trata tan mal!" También tienen conflictos personales en el templo. En el presente Período de Decadencia, no se puede negar que este fenómeno existe. Aquí, no estamos criticando al Budismo.

No obstante, en el Período de Decadencia, no hay paz ni tranquilidad en algunos templos. Cuando la mente del monje está llena de estas cosas y emite malas intenciones, ¿cómo puede venir el ser iluminado? Así no se puede alcanzar en absoluto la meta de la consagración. Pero esto no es absoluto, ya que aún existen algunos templos y monasterios taoístas buenos.

En cierta ciudad, vi a un monje que tenía las manos de color muy oscuro. Puso un Sutra dentro de la estatua de Buda y la selló descuidadamente. Después que murmuró unas cuantas palabras, puso fin a la consagración. Luego, cogió otra estatua de Buda y murmuró otra vez otras pocas palabras. Cobró 40 yuanes por cada consagración de una estatua de Buda. Hoy en día, los monjes han comercializado la consagración y hacen fortuna por medio de ella. Al ver esto, me di cuenta que no se había realizado la consagración, porque él no tenía la capacidad de hacerlo en lo absoluto. En la actualidad, los monjes hasta hacen tal cosa. ¿Qué más he visto? En un templo, una persona que parecía ser un lego budista dijo que iba a hacer la consagración para la estatua de Buda. Cogió un espejo y lo dirigió hacia el sol, haciendo reflejar la luz del sol sobre la estatua de Buda. Luego, dijo que se había efectuado así la consagración. ¡Ya ha llegado a un grado muy ridículo! Hoy día, el Budismo se ha desarrollado hasta este punto y es un fenómeno bastante común.

Se hizo en Nanjing una enorme estatua de bronce de Buda y se puso en la colina de la Isla Lantau, Hong Kong. Es una estatua de Buda realmente enorme. Muchos monjes vinieron de todas partes del mundo para hacer la consagración de la estatua de Buda. Sosteniendo un espejo en la mano y dirigiéndolo hacia el sol, uno de los monjes hizo reflejar la luz del sol sobre la cara de la estatua de Buda y dijo que esto era la consagración. En una ceremonia tan grande y en una ocasión tan solemne como ésta, ¿cómo pudo tal acto llevarse a cabo? ¡Considero que esto es realmente lamentable! No es extraño que Sakyamuni haya dicho: "Durante el Período de Decadencia, los monjes tendrán dificultad en salvarse a sí mismos, mucho menos ofrecerles la salvación a otros seres humanos." Además, muchos monjes interpretan los Sutras budistas desde su propia perspectiva. Incluso las escrituras de la Señora Madre Reina se pueden encontrar en los templos. Lo que no pertenece a las obras clásicas del Budismo ha entrado ya en los templos, causando ahora un caos total y una gran confusión. Por supuesto, todavía hay monjes que practican la cultivación genuinamente y son bastante buenos. En realidad, la consagración significa invitar al *Fashen* de un ser iluminado a quedarse en la estatua de Buda. Esta es la consagración.

Entonces, si a una estatua de Buda no se le ha hecho la consagración con éxito, no se debe venerarlo. Venerar tal estatua traerá serias consecuencias. ¿Cuáles serán las serias consecuencias? Actualmente, los que estudian la ciencia del cuerpo humano han descubierto que nuestra intención humana y el pensamiento del cerebro humano pueden generar una substancia. Desde un nivel muy alto, podemos ver que realmente es una substancia. Sin embargo, esta substancia no tiene la forma de ondas eléctricas del cerebro que hemos descubierto en nuestras investigaciones, sino que existe en la forma de un cerebro humano completo. Típicamente, cuando una persona común piensa en algo, lo que genera es algo en la forma de un cerebro. Debido a que no tiene energía, la forma se dispersará poco después de su emisión. Sin embargo, la energía de un practicante se mantiene mucho más tiempo. Esto no quiere decir que esta estatua de Buda tenga ya mente al salir de la fábrica. No, aún no la tiene. Algunas estatuas de Buda no han pasado por el proceso de consagración, ni se ha realizado el propósito de la consagración después de ser llevadas al templo. Si la consagración es efectuada por un falso maestro de *Qigong* o por una persona de prácticas perversas, eso será aún más peligroso, porque los zorros y las comadrejas se subirán a la estatua de Buda.

Por eso, sería sumamente peligroso si veneran una estatua de Buda que no ha pasado por el proceso de consagración. ¿Qué tan peligroso sería eso? He dicho que al desarrollarse la humanidad hasta la actualidad, todo está deteriorándose. Toda la sociedad y todo lo que hay dentro del universo entero también se está corrompiendo sucesivamente. Todo lo que le ocurre a la gente común lo ha causado ellas mismas. Es muy difícil encontrar una Ley ortodoxa y seguir una vía ortodoxa, debido a la interferencia de muchas fuentes. Uno desea encontrar un Buda, pero, ¿quién es un Buda? Es muy difícil encontrar uno. Si no lo creen, déjenme decirles: Habrá una consecuencia muy seria cuando la primera persona se postre ante la estatua de Buda que aún no ha pasado por el proceso de consagración, venerándola. Hoy día, ¿cuántos son los que veneran Budas y piensan en pedirles que les ayude a obtener el Fruto Verdadero? Hay muy pocas personas así. En cuanto a la mayoría de la gente, ¿cuál es su propósito en venerar a un Buda? Buscan eliminar dificultades, solucionar problemas y hacer fortuna. ¿Se puede encontrar esto en las escrituras clásicas del Budismo? Estas cosas no se incluyen para nada.

Supongamos que el venerador de Buda, que está en busca de dinero, se postra ante la estatua de un Buda o de la Bodhisattva Guanyin o ante la de un Tathagata, diciendo: "Por favor, ayúdame a hacer algún dinero." Entonces, una intención completa se formará. Debido a que esta intención se emite precisamente a la estatua de Buda, instantáneamente se proyecta sobre la estatua. La formación de esta estatua en otra dimensión puede hacerse grande o pequeña. Después de que aquel pensamiento llega a esta entidad, la estatua de Buda tendrá cerebro y mente, pero no tendrá cuerpo. Otros también pueden venir a venerar la estatua, y cuanto más y más la veneren, más la dotarán de cierta cantidad de energía. A un practicante le es especialmente peligroso venerarla, porque su veneración le dará gradualmente la energía que le permitirá formar un cuerpo tangible. Sin embargo, este cuerpo tangible se forma en otra dimensión. Después de formarse, existe en otra dimensión y también puede aprender algunas verdades del universo. Por eso, puede hacer algo por la gente y de esta manera puede incrementar un poco de *Gong*. Pero ayuda a la gente condicionalmente y tiene su precio. En otra dimensión, puede trasladarse libremente y puede controlar muy fácilmente a la gente común. Este cuerpo tangible se parece exactamente al de la estatua de Buda. Por lo tanto, la veneración de la gente es la que le da vida a una Bodhisattva Guanyin falsa o a un

Tathagata falso, el cual se parece justamente a la estatua de Buda y tiene la apariencia de Buda. Pero, la mente del Buda falso o de la Bodhisattva falsa es sumamente mala y está en busca de dinero. El cuerpo tangible nace en otra dimensión. Al tener una mente, conoce un poco de la verdad y no se atreve a hacer cosas malas mayores, pero sí se atreve hacer cosas malas menores. Algunas veces, también ayuda a la gente; de otro modo, se hará completamente perverso y será aniquilado. ¿De qué forma ayuda a la gente? Cuando alguien reza: "Buda, te ruego que me ayudes porque un miembro de mi familia está enfermo." Pues bien, les echará una mano. Los hará poner dinero en el cepo porque su mente persigue el dinero. Cuanto más dinero le den, tanto más rápido hará desaparecer la enfermedad. En otra dimensión, puede manipular a una persona común porque posee cierta cantidad de energía. Será particularmente peligroso si un practicante va a venerarlo. ¿Qué es lo que procura este practicante? Dinero. Piensen todos. ¿Por qué persigue dinero un practicante? Para un practicante, rezar para eliminar infortunios y enfermedades para sus familiares o amigos es también un apego al sentimentalismo hacia sus parientes y amigos íntimos. Cada uno tiene su propio destino. ¡Cómo pueden manipular o cambiar el destino de otros! Si lo veneran y le ruegan: "Por favor, ayúdame a hacer alguna fortuna." Bien, les ayudará. Desea que pidan más dinero, mucho más dinero. Cuanto más dinero pidan, tanto más les quitará. Eso es un intercambio de valores iguales. Otros veneradores han puesto mucho dinero en el cepo y él los deja conseguir algo de él. ¿Cómo lo obtendrán? Puede que encuentren una cartera al salir por la puerta, o que en el trabajo les den algún bono. De todos modos, les ayudará a conseguir dinero de una u otra manera. Pero, ¿cómo podría ayudarles incondicionalmente? Sin pérdida, no hay ganancia. Se llevará algo de su *Gong* si tiene necesidad de él o se llevará el *Dan* que han cultivado u otras cosas suyas. Desea estas cosas.

A veces, estos Budas falsos son muy peligrosos. Muchos de nuestros practicantes cuyo Tercer Ojo ha sido abierto, creen que han visto Budas. Uno quizás pueda decir que un grupo de Budas ha venido al templo hoy, con un Buda de tal o cual nombre guiando a otro grupo de Budas al templo. Esta persona describirá cómo era el grupo que vino ayer y cómo era el grupo que ha venido hoy, y que después de salir un grupo, al rato llega otro. ¿Quiénes son ellos? Pertenecen justamente a esta categoría y no son Budas genuinos, sino falsos. Los que pertenecen a esta categoría constituyen un número considerable.

Si esto ocurre en el templo será más peligroso. Si los monjes lo veneran, se hará cargo de ellos: "¿No me están venerando? ¡Están venerándome conscientemente! Bien, ¿acaso no desean cultivarse? Voy a controlarlos y decirles cómo practicar la cultivación." Les hará los planes. Entonces, ¿a dónde irán después que completen la cultivación? Ya que la práctica de cultivación la planea él, no hay escuelas de práctica de niveles elevados que los acepten. Debido a que les ha hecho el plan entero de su cultivación, tendrán que obedecerlo en el futuro. En este caso, ¿no acabará en vano su cultivación? Como he dicho, hoy en día es muy difícil para la humanidad obtener el Fruto Verdadero en la cultivación. Este fenómeno es bastante común. Muchos de nosotros hemos visto la luz de Buda en las famosas montañas y a lo largo de los grandes ríos. La mayoría de esas luces pertenecen a este tipo. Los falsos Budas tienen energía y pueden manifestarse por sí mismos. Sin embargo, un gran ser iluminado genuino no se revela a la ligera.

En el pasado, estos llamados Budas y Taos terrestres eran relativamente pocos. Pero, ahora hay un gran número de ellos. Cuando uno de ellos hace maldades, los seres elevados en otras dimensiones lo matan. Cuando esto está a punto de ocurrir, huyen y se suben en las estatuas de Buda. Usualmente, un gran ser iluminado no interferirá a la ligera en los principios de la gente común. Cuanto más alto sea el nivel del ser iluminado, tanto menos se molestará en interferir en los principios de la gente común. No interferirá en lo absoluto. Después de todo, un gran ser iluminado no haría pedazos la estatua de Buda con un relámpago repentino. No haría tal cosa. Por lo tanto, el ser elevado ya no los perseguirá si se quedan sobre la estatua de Buda. Saben cuándo están en peligro de ser aniquilados y tratarán de escapar. Por consiguiente, ¿acaso la Bodhisattva Guanyin que han visto es realmente la Bodhisattva Guanyin? ¿Es un Buda verdadero el que han visto? Es muy difícil distinguirlo.

Muchos de ustedes podrán pensar acerca de este asunto: "¿Qué haremos con la estatua de Buda en casa?" Puede que muchos hayan pensado en mí. Con motivo de ayudar a mis estudiantes a cultivarse a sí mismos, les digo que pueden hacer lo siguiente: Pueden coger mi libro (porque el libro tiene mi foto) o mi foto, y mientras toman la estatua de Buda en sus manos, hagan la Gran Señal de Mano de la Flor de Loto.[7] Luego, pídanle al Maestro que haga la consagración de la estatua de Buda, como si me lo estuvieran pidiendo a mí. Será realizada en medio minuto. Sin embargo, quiero decirles a todos que esto sólo puede hacerse para nuestros cultivadores. Tal consagración no funcionará para sus parientes o amigos porque sólo cuidamos de los cultivadores. Algunos dicen que van a poner la foto del Maestro en casa de sus parientes o de sus amigos para mantener alejados a los espíritus perversos. No estoy aquí para mantener alejados a los espíritus perversos de la gente común. Esta es la más grave falta de respeto al Maestro.

Hablando de Budas y Taos terrestres, existe otro asunto. Durante los tiempos antiguos en China, hubo muchos que se cultivaban en lo profundo de los bosques y en las remotas montañas. ¿Por qué han desaparecido ahora? En realidad, no han desaparecido, sino que no quieren ser reconocidos por la gente común. Su número no ha disminuido en lo absoluto. Todos poseen capacidades sobrenaturales. No es verdad que ya no existan en estos años; aún siguen aquí. En el mundo, todavía hay varios miles de ellos. En nuestro país, hay un número relativamente mayor. Se encuentran particularmente en las famosas montañas y a lo largo de los grandes ríos. También se encuentran en algunas altas montañas, pero han bloqueado sus cuevas con poderes sobrenaturales para que no los puedan ver. El progreso de

---

[7] La Gran Señal de Mano de la Flor de Loto—Una posición de mano para la consagración.

su cultivación es relativamente lento y sus métodos son comparativamente torpes, ya que no han podido captar la esencia de la cultivación. Nosotros, por otro lado, nos dirigimos directamente al corazón humano, cultivándonos de acuerdo con las características más altas del universo y a la forma del universo. Por supuesto, nuestro *Gong* crece muy rápidamente. Esto se debe a que las vías de cultivación tienen forma de pirámide, donde sólo la vía central es la gran vía. En las sendas laterales alejadas del centro, se cultiva uno sin necesidad de un *Xinxing* elevado. A uno le sería posible iluminarse sin haber logrado un nivel alto de cultivación. Por lo tanto, están muy lejos de la gran vía de cultivación genuina.

Un maestro de tal senda lateral también tiene discípulos que heredan su práctica. Ya que su práctica de cultivación sólo puede llegar hasta cierto nivel con su correspondiente nivel de *Xinxing*, todos los discípulos que enseña se cultivarán sólo hasta ese nivel. Cuanto más cerca esté la práctica a las sendas laterales mundanas, tanto más requisitos tendrán sus practicantes y tanto más compleja será la práctica de su cultivación, porque son incapaces de comprender la esencia de la cultivación. En la cultivación, uno principalmente debe cultivar su propio *Xinxing*, pero no entienden esto y creen que uno puede cultivarse sólo por medio de sufrimientos. Por eso, después de pasar un largo tiempo y haberse cultivado por varios centenares de años o más de mil años, sólo han obtenido un poquito de *Gong*. En realidad, no es por medio del sufrimiento que han desarrollado su *Gong*. Entonces, ¿por qué medio lo consiguieron? Es justamente como una persona normal: Uno tiene muchos apegos cuando es joven, pero con el transcurso del tiempo, cuando se hace viejo, "ha perdido la esperanza en el futuro." Naturalmente, ha dejado sus apegos y los ha eliminado poco a poco. Estas sendas laterales de cultivación también usan este método. Saben que cuando uno depende de la meditación sentada, del trance, y del sufrimiento para progresar en la cultivación, también puede incrementar su *Gong*. Sin embargo, aún no se dan cuenta que sus apegos de gente común se desgastan lentamente a través de largos y penosos años y que es por medio de abandonar lentamente sus apegos que su *Gong* ha crecido.

Nuestra práctica tiene el propósito de señalar verdaderamente esos apegos. A través de renunciar a ellos, nuestra cultivación avanza muy rápidamente. Yo he visitado algunos lugares donde a menudo me he encontrado con gente que se ha cultivado por muchos años. Me han dicho: "Nadie sabe que estamos aquí y no interferiremos en tus asuntos ni te causaremos molestias." Estas personas pertenecen al rango de las que son relativamente buenas.

También ha habido algunos malos con los que hemos tenido que tratar. Por ejemplo, cuando dicté por primera vez el curso de conferencias sobre la Ley en Guizhou,[8] un hombre vino a buscarme, diciendo que su gran maestro quería verme. Describió a su gran maestro y cómo se había cultivado por muchos, muchos años. Me di cuenta que esta persona llevaba *Qi* negativo y parecía muy malo y tenía la cara amarilla como la cera. Le dije que no iría a verlo porque no tenía tiempo y lo rechacé. Como resultado, su viejo maestro se disgustó y comenzó a causarme molestias, persistiendo en acarrearme molestias todos los días. De acuerdo con mi carácter, soy una persona a la que le disgusta pelear con otros y tampoco valía la pena pelear con él. Siempre que me mandaba algo malo, yo simplemente lo barría. Después de hacer eso, yo continuaba con mi conferencia sobre la Ley.

En el pasado, en la Dinastía Ming,[9] hubo un hombre que cultivaba el Tao. Durante su cultivación fue poseído por una serpiente. Más tarde, este cultivador murió sin haber completado su cultivación. La serpiente tomó posesión de su cuerpo y cultivó la forma humana. El gran maestro de aquel hombre no era sino la serpiente en forma humana. Debido a que su naturaleza no había cambiado, se convirtió de nuevo en una gran serpiente para causarme problemas. Al ver que había hecho demasiadas maldades, lo atrapé con la mano y usé un *Gong* muy poderoso, llamado el *Gong* disolvente, y disolví la parte inferior de su cuerpo, convirtiéndola en agua. La parte superior de su

---

[8] Guizhou—Provincia en el sudeste de China.
[9] Dinastía Ming—El período entre 1368 d.C. y 1644 d.C. en la historia china.

cuerpo regresó corriendo a casa.

Un día, a la directora voluntaria de nuestro centro asistente en la provincia de Guizhou la llamó un discípulo del gran maestro, quien dijo que su maestro deseaba verla. La directora fue allá. Al entrar en la cueva, encontró que estaba tan oscura que no podía ver nada más que una sombra sentada allí, cuyos ojos emitían luces verdes. Una vez que abría los ojos, la cueva se iluminaba inmediatamente; cuando cerraba los ojos, la cueva se oscurecía enseguida. Dijo en un dialecto local: "Li Hongzhi vendrá de nuevo. Esta vez, ninguno de nosotros causará nuevamente estos problemas. Yo estaba equivocado. Li Hongzhi ha venido a salvar a la gente." Su discípulo le preguntó: "Maestro, ¿qué le pasa en las piernas? Por favor, levántese." El respondió: "Ya no puedo ponerme de pie. Mis piernas han sido lesionadas." Cuando le preguntaron cómo fue lesionado, comenzó a contar el proceso de las molestias que él causó. En la Feria de la Salud del Este de 1993, celebrada en Pekín, me causó molestias de nuevo. Debido a que él siempre había cometido maldades interfiriendo en mis conferencias de la Gran Ley, lo aniquilé definitivamente. Después que fue aniquilado, sus condiscípulos todos quisieron vengarse. En ese momento, dije unas palabras que estremecieron a todos. Se sorprendieron y quedaron tan asustados que ninguno se atrevió a hacer nada. Pudieron entender lo que había ocurrido. Algunos eran aún personas completamente comunes, a pesar que habían practicado la cultivación por un tiempo muy largo. Estos son algunos ejemplos que les he citado refiriéndome al tema de la consagración.

Zhuyou Ke (Práctica de Súplica)

¿Qué significa Zhuyou Ke? En la comunidad de cultivadores, muchos lo consideran como algo que pertenece a la categoría de la cultivación y lo difunden durante el curso de sus enseñanzas de *Qigong*. En realidad, no pertenece al rango de la práctica de cultivación. Es una herencia como una clase de truco, conjuro o técnica. Utiliza formas tales como dibujar signos mágicos, quemar incienso, quemar papeles, recitar conjuros, etc. Puede curar enfermedades, y sus métodos de tratamiento son muy singulares. Por ejemplo, en el caso que a alguien le haya salido un forúnculo en la cara, el practicante dibuja un círculo en la tierra y una cruz dentro del círculo con un pincel mojado con cinabrio. Le pide a la persona que se ponga de pie en el centro del círculo y comienza a recitar conjuros. Luego, moja el pincel con cinabrio para dibujar círculos en la cara de la persona. Mientras dibuja, recita conjuros. Sigue dibujando hasta que finalmente pone un punto en el forúnculo con el pincel y termina de recitar los conjuros. El le dirá que ya se ha curado. Cuando la persona toca el forúnculo, encuentra que se ha hecho pequeño y ya no le duele, ya que esto puede ser eficaz. El puede curar las enfermedades pequeñas, pero no las grandes. ¿Qué hará si les duele el brazo? Empezará a recitar conjuros mientras les pide que extiendan el brazo, y les soplará un poco en el punto *Hegu*[10] de la mano para que el soplido de aire salga del punto *Hegu* de la otra mano. Podrán sentir una corriente de aire y cuando se toquen la parte afectada nuevamente, no sentirán tanto dolor como antes. Además, hay quienes usan métodos tales como quemar papeles, dibujar signos mágicos, pegar signos mágicos, etc. Esta rama se dedica a hacer esto.

Las sendas laterales mundanas de la Escuela Tao no enseñan la cultivación de la vida. Se dedican totalmente a adivinar la suerte, al *fengshui*,[11] al exorcismo de espíritus perversos y a tratar enfermedades. La mayoría de estas sendas laterales mundanas adoptan estos métodos. Pueden curar enfermedades, pero los métodos que adoptan no son buenos. No hablaremos sobre qué cosa utiliza esta rama para curar enfermedades, pero los que cultivamos la Gran Ley no debemos adoptarlas porque llevan mensajes muy bajos y muy malos. En la antigua China, los métodos de tratamiento eran

---

[10] Punto *Hegu*—Punto de acupuntura localizado cerca del dedo pulgar.
[11] *fengshui*—Geomancía china; el estudio del medio ambiente en función de su entorno y los cinco elementos.

clasificados en ramas, tales como el método de reducción de fracturas, acupuntura, masaje, estimulación en puntos de acupuntura, tratamiento por *Qigong*, tratamiento con hierbas medicinales, etc. Se clasificaban dentro de muchas divisiones. Cada método de tratamiento se llamaba una rama. Esta Rama Zhuou Ke fue clasificada como la rama decimotercera. Por eso, su nombre completo es la "Rama Decimotercera de Zhuyou." Zhuyou Ke no pertenece a ninguna cosa dentro de la categoría de nuestra cultivación, porque lo que posee no es un *Gong* logrado a través de la cultivación, sino algo como una clase de técnica mágica.

Lectura Sexta

La Cultivación Desquiciada (*Zouhou Rumo*)[1]

En la comunidad de cultivadores, hay un término llamado cultivación desquiciada. Esto también ha tenido un impacto bastante considerable en el público. En particular, algunos lo han anunciado tan fuertemente que a mucha gente le ha entrado miedo de practicar el *Qigong*. Cuando las personas oyen decir que el practicar *Qigong* puede conducir a uno a la cultivación desquiciada, se quedan tan asustados que no se atreven a practicarlo. En realidad, les digo que no existe en absoluto la cultivación desquiciada.

No son pocas las personas que han contraído la posesión de espíritus o animales porque su mente no es virtuosa. Su Consciencia Principal no puede controlarse a sí misma y lo consideran *Gong*. Su cuerpo está controlado por espíritus o animales poseedores, que mentalmente las desorientan y las hace gritar y chillar. Cuando algunas personas ven tal forma de *Qigong*, les da tanto miedo que no se atreven a practicarlo. Muchos de ustedes consideran esto el *Qigong*, pero ¿cómo podría ser esto la práctica de *Qigong*? Es sólo el estado más bajo para eliminar enfermedades y fortalecer la salud. Pero aún esto es muy peligroso. Si están acostumbrados a esta manera, su Consciencia Principal nunca será capaz de controlarlos. Entonces, su cuerpo sería dominado por la Consciencia Asistente, mensajes externos, o la posesión de espíritus o animales, etc. Podrán hacer algunos actos peligrosos y esto causaría gran daño a la comunidad de cultivadores. Esto lo causa una mente inmoral y un fuerte deseo de lucirse. Esta no es la cultivación desquiciada. No se sabe cómo algunos se han convertido en supuestos maestros de *Qigong*, ya que ellos también creen en la cultivación desquiciada. De hecho, la

---

[1] *Zouhou Rumo*—"La cultivación desquiciada." Traducido literalmente significa: "Caminando sobre el fuego y uniéndose a los demonios."

práctica de *Qigong* no puede llevar a uno a la cultivación desquiciada. Muchas personas han aprendido este término de obras literarias, novelas de artes marciales, etc. Si ustedes no lo creen, pueden buscarlo en los libros clásicos o en las obras sobre la cultivación, en las cuales no hay tales cosas. ¿Cómo va a poder haber cultivación desquiciada? Es imposible que tal cosa pueda ocurrir.

Generalmente, se considera que hay varias formas de cultivación desquiciada. Lo que acabo de mencionar es también una de sus formas. Debido a una mente no virtuosa, algunos han atraído hacia sí la posesión por espíritus o animales y tienen varias mentalidades, tales como la búsqueda de un estado de *Qigong* para poder presumir. Algunos persiguen directamente las capacidades sobrenaturales o practican el *Qigong* falso. Siempre que practican el *Qigong*, están acostumbrados a abandonar su Consciencia Principal. Pierden la consciencia de todas las cosas y les dan su cuerpo a otros. Se confunden mentalmente y permiten que a su cuerpo lo domine su Consciencia Asistente o los mensajes externos. Muestran un comportamiento extraño. Una persona así saltaría desde un edificio o se tiraría al agua si le dijesen que eso hiciera. Ella misma ni siquiera quiere vivir y entrega su cuerpo a otros. Esta no es la cultivación desquiciada, sino la desviación durante la práctica de *Qigong*. Este estado lo causa una búsqueda intencional desde el comienzo. Muchas personas creen que tambalear el cuerpo inconscientemente es practicar el *Qigong*. En realidad, si uno practica realmente el *Qigong* en tal estado, podría causar serias consecuencias. Esa no es la práctica de *Qigong*, sino una consecuencia de los apegos y deseos de la gente común.

Otro caso se da cuando, durante la práctica de *Qigong*, un practicante tiene miedo cuando el *Qi* está obstruido en algún lugar del cuerpo o cuando el *Qi* no puede bajar de la coronilla. El cuerpo humano es un pequeño universo. Tales problemas ocurren particularmente en los sistemas de cultivación taoístas cuando el *Qi* está atravesando un paso. Si el *Qi* no puede atravesar el paso, allí se queda. Esto puede ocurrir no sólo en la coronilla, sino también en otras partes del cuerpo. Sin embargo, la parte más sensible de una persona es la coronilla. El *Qi* subirá a la coronilla y luego bajará. Si el *Qi* no puede atravesar el paso, uno puede experimentar estos fenómenos: sentir inflamación y pesadez como si tuviera puesta una gorra de *Qi* muy gruesa sobre la cabeza. Pero el *Qi* no puede controlar nada, ni puede causar molestias ni traer ninguna enfermedad en lo absoluto. Algunas personas no saben la verdad acerca del *Qigong* y han hecho algunos comentarios incomprensibles, causando así mucho caos. Por lo tanto, la gente cree que si el *Qi* le sube a uno a la coronilla y no puede bajar, va a contraer la cultivación desquiciada o a desviarse. Como resultado, muchas personas tienen miedo.

Si el *Qi* sube a la coronilla y no puede bajar, es sólo un estado temporal. Para algunos, este fenómeno puede durar un tiempo largo o tal vez medio año, sin que el *Qi* baje. Si ocurre esto, uno puede encontrar a un maestro de *Qigong* genuino que pueda hacerlo bajar, y esto se hará. Durante la práctica de *Qigong*, aquéllos de ustedes cuyo *Qi* no puede atravesar el paso ni bajar, deben examinar la razón dentro de su *Xinxing* para determinar si se han estancado en ese nivel por un tiempo demasiado largo, ¡para que eleven el *Xinxing*! Una vez que verdaderamente hayan elevado el *Xinxing*, encontrarán que el *Qi* puede bajar. No pueden perseguir sólo la transformación del *Gong* en el cuerpo físico sin hacer hincapié en el mejoramiento de su *Xinxing*. Este está esperando a que eleven su *Xinxing* y sólo entonces ocurrirá un cambio holístico. Si el *Qi* realmente está bloqueado, aún así no causará ningún problema. Frecuentemente son nuestros propios factores psicológicos los que están en juego. Además, a uno le entrará miedo al oír al falso maestro de *Qigong* decir que cuando el *Qi* sube a la cabeza, alguna desviación aparece. Con este miedo, realmente podrá traerle algunas dificultades a esta persona. Una vez que tienen temor, es un apego al miedo. ¿Acaso no es ése un apego? Una vez que les surja su apego, ¿no deberían descartarlo? Cuanto más lo teman, tanto más enfermos parecerán. Este apego de ustedes debe eliminarse. Se les hará aprender de esta lección para que su miedo sea desechado y así puedan avanzar.

Los practicantes no se sentirán cómodos físicamente en la cultivación futura, ya que su cuerpo desarrollará muchos tipos de *Gong*, todos los cuales son cosas muy poderosas y se moverán alrededor de su cuerpo y dentro de él; los harán sentirse incómodos por aquí y por allí. La causa de su incomodidad consiste principalmente en que siempre temen tener cierta enfermedad. En realidad, las cosas que se han desarrollado en su cuerpo son bastante poderosas y todas son *Gong*, capacidades sobrenaturales y muchas entidades vivientes. Si estos se mueven, sentirán picazón, dolor, incomodidad del cuerpo, etc. Las terminales del sistema nervioso son particularmente sensibles. Aparecerán diferentes clases de síntomas. Mientras que su cuerpo no haya sido transformado completamente por la materia de alta energía, se sentirán de esta manera. Esto debería verse como algo realmente bueno. Como practicantes, si siempre se tratan a sí mismos como personas comunes y siempre creen tener enfermedades, ¿cómo podrían cultivarse? Cuando una tribulación surja durante la práctica de cultivación, si todavía se tratan a sí mismos como personas comunes, yo diría que en ese momento su *Xinxing* ha caído al nivel de una persona común. Por lo menos en este asunto particular, han caído al nivel de una persona común.

Como practicantes genuinos, debemos ver las cosas desde un nivel muy alto en vez de desde del punto de vista de la gente común. Si creen que están enfermos, su creencia realmente podría conducirlos a la enfermedad. Esto es porque una vez que piensan que están enfermos, su *Xinxing* estará al mismo nivel que el de una persona común. La práctica de *Qigong* y la cultivación verdadera no conducen a las enfermedades, particularmente bajo este estado. Es sabido que lo que realmente causa que las personas se enfermen es un 70% psicológico y un 30% fisiológico. Generalmente, uno primero está agobiado psicológicamente, preocupándose mucho, y la mente no puede aguantarlo. Esto rápidamente empeorará el estado de la enfermedad. Ocurre usualmente de esta manera. Por ejemplo, hubo una vez una persona que fue atada a una cama. Le cogieron un brazo y le dijeron que iban a cortarlo para hacerlo sangrar. Luego, le cubrieron los ojos y le arañaron la muñeca una sola vez. (No le cortaron la mano en absoluto y no sangró.) Abrieron un grifo de agua para que oyera el goteo del agua. El creyó que era el goteo de su propia sangre. El hombre murió poco después. En realidad, no lo cortaron ni lo hicieron sangrar. Lo que goteaba era agua común. Los factores psicológicos lo condujeron a la muerte. Si siempre creen que están enfermos, como consecuencia, eso probablemente los lleve a la enfermedad. Debido a que su *Xinxing* ha bajado al nivel de una persona común, naturalmente, como personas comunes, caerán enfermos.

Como practicantes, si creen siempre que tienen una enfermedad, en realidad están buscándola. Si buscan una enfermedad, les entrará en el cuerpo. Como practicantes, el nivel de su *Xinxing* debe ser alto. No deben preocuparse siempre de tener una enfermedad, porque este miedo de estar enfermo es un apego y también puede traerles dificultades. Durante la práctica de cultivación, uno necesita eliminar el karma, lo cual es doloroso. ¿Cómo les sería posible incrementar el *Gong* cómodamente? De otro modo, ¿cómo podrían desechar sus apegos? Déjenme contarles un cuento del Budismo. Hubo una vez una persona que después de un gran esfuerzo en la cultivación se convirtió en un Arhat. Ya que estaba a punto de completar el Fruto Verdadero en la cultivación y convertirse en un Arhat, ¿cómo no iba a sentirse alegre? ¡Había salido fuera de los Tres Reinos! Sin embargo, esta alegría era un apego, un apego de complacencia. Un Arhat debe estar libre de apegos y mantener un corazón que no puede ser afectado. Pero fracasó y su cultivación resultó en vano. Debido a su fracaso, tuvo que empezar su cultivación nuevamente. Reanudó la cultivación, y después de hacer muchos esfuerzos, de nuevo se cultivó hasta aquel estado. Esta vez le entró miedo y se recordó a sí mismo: "Esta vez no debo sentirme alegre. De otro modo, caeré de nuevo." Con este miedo, cayó otra vez. El miedo también es una clase de apego.

Hay otra situación: Cuando una persona se convierte en enfermo mental, se le clasificará como alguien que contrajo la cultivación desquiciada. Hay quienes incluso esperan que les cure sus enfermedades mentales. Yo sostengo que una enfermedad mental no es una enfermedad, y tampoco tengo tiempo para tratar tales cosas. ¿Por qué? Porque un paciente con una enfermedad mental no tiene ningún virus, y su cuerpo tampoco tiene cambios patológicos ni infecciones. A mi modo de ver, esta no es una enfermedad. Una enfermedad mental ocurre cuando la Consciencia Principal de una persona se ha vuelto demasiado débil. ¿Hasta qué grado de debilidad puede llegar? Es como si una persona no pudiera hacerse cargo de sí misma. El *Zhu Yuanshen* de un paciente con una enfermedad mental está en tal estado. Ya no quiere estar a cargo de su cuerpo. Siempre está en un estado de ofuscamiento y no puede alentar su espíritu. Entonces, la Consciencia Asistente de la persona o los mensajes externos interferirán con ella. Debido a que hay tantos niveles en cada dimensión, toda clase de mensajes la perturbarán. Además, el *Zhu Yuanshen* de uno probablemente hizo algunas cosas malas durante sus vidas anteriores y los acreedores podrán querer hacerle daño. Es posible que ocurra toda clase de cosas. Así es como describimos la enfermedad mental. ¿Cómo podría curársela a ustedes? Yo diría que esta es la causa real de la enfermedad mental. Entonces, ¿qué se puede hacer? Educar a la persona y ayudarle a levantar su espíritu. Sin embargo, esto es muy difícil de hacer. Encontrarán que cuando un doctor en el hospital psiquiátrico coge un bastón de choque eléctrico con la mano, inmediatamente el paciente se asusta demasiado para decir cualquier cosa absurda. ¿Por qué es así? En ese momento, el *Zhu Yuanshen* de la persona se alerta, y teme al choque eléctrico.

Usualmente, una vez que alguien entra en la puerta de la cultivación, querrá continuar la práctica. Cada uno de nosotros tiene la naturaleza-Buda y el corazón para la cultivación del Tao. Por eso, una vez que aprenden el *Qigong*, muchos practicantes continúan con la cultivación por el resto de su vida. No importa si esa persona puede tener éxito en la cultivación o no, o si puede obtener la Ley o no. De todos modos, tiene el corazón para seguir el Tao y siempre quiere practicarlo. Todos saben que esa persona practica el *Qigong*. Sus colegas en la oficina lo saben, la gente en su vecindario al igual que sus vecinos lo saben. Sin embargo, piensen todos sobre esto: Unos años atrás, ¿quién hacía la verdadera práctica de cultivación? Nadie la hacía. Sólo si uno practica la cultivación verdaderamente, puede cambiarse el curso de su vida. Pero como persona común, esta persona practica el *Qigong* sólo para eliminar enfermedades y fortalecer la salud. ¿Quién le cambiará el curso de su vida? Como persona común, es natural que algún día pueda caer enferma u otro día encontrar alguna dificultad. Podría volverse enferma mental algún día o caer muerta. La vida entera de una persona común pasará de esta manera. Aunque vean que una persona está practicando *Qigong* en un parque, en realidad, no está cultivándose genuinamente. Aunque desea cultivarse hacia un nivel alto, no puede hacerlo porque no ha obtenido la Ley ortodoxa. Sólo tiene el deseo de cultivarse hacia un nivel alto. Esta persona es aún practicante de *Qigong* en un nivel bajo que elimina enfermedades y fortalece la salud. Nadie le cambiará el curso de su vida; por lo tanto, tendrá enfermedades. Si uno no presta atención a las virtudes, sus enfermedades no se curarán. No es verdad que una vez que una persona practique el *Qigong*, nunca caerá enferma.

Uno debe cultivarse verdaderamente y prestar atención a su *Xinxing*. Sólo la cultivación genuina puede eliminar las enfermedades. La práctica de *Qigong* no es un ejercicio físico, sino algo que está más allá de la gente común. Por eso, se debe requerir un principio y un requisito más alto para los practicantes. Uno debe actuar de acuerdo con ellos para poder alcanzar la meta. Sin embargo, muchas personas no han actuado así y todavía son personas comunes. Por eso, aún caerán enfermos en su debido tiempo. Un día, esta persona podría sufrir repentinamente una trombosis cerebral o contraer de repente una u otra enfermedad, o algún día volverse enferma mental. Todos saben que practica *Qigong*. Una vez que ese practicante se vuelva enfermo mental, la gente dirá que tiene la cultivación desquiciada y le pondrán esta etiqueta. Piensen todos sobre ello, ¿es razonable hacer eso? Los legos no saben la verdad. Les es también muy difícil a los profesionales, incluso a muchos practicantes, saber la verdad de este asunto. Si esta persona se vuelve enferma mental en su hogar, habrá menos problemas de la opinión pública, pero otros todavía dirán que le dio a causa de practicar el *Qigong*. Si la persona se vuelve enferma mental en un sitio de práctica de *Qigong*, eso será un desastre. Le pondrán una gran etiqueta que le será imposible quitarse, a pesar de sus esfuerzos. Los periódicos anunciarán que la práctica de *Qigong* la ha conducido a la cultivación desquiciada. Algunas personas se oponen al *Qigong* ciegamente: "Mira, hace un rato él estaba bastante bien practicando el *Qigong* allí y ahora se ha convertido en tal persona." Como persona común, cualquier cosa que le deba pasar ocurrirá. El podrá contraer algunas otras enfermedades o encontrar otros problemas. ¿Es razonable echarle toda la culpa a la práctica de *Qigong*? Es parecido a un doctor en un hospital: Ya que uno es doctor, nunca debería caer enfermo durante toda su vida. ¿Cómo se podría entender de esa manera?"

Por lo tanto, se puede decir que muchas personas hacen comentarios absurdos sin entender la verdad del *Qigong* o sus principios. Una vez que ocurra un problema, se le pondrá toda clase de etiquetas al *Qigong*. El *Qigong* ha sido popularizado en la sociedad por un tiempo muy corto. Muchas personas sostienen opiniones obstinadas y siempre lo niegan, lo denigran y lo rechazan. Nadie sabe qué clase de mentalidad tienen. Les fastidia tanto el *Qigong* como si tuviera algo que ver con ellos. Una vez que se mencione la palabra *Qigong*, dirán que es un idealismo. El *Qigong* es una ciencia, y es una ciencia muy elevada. Esto ocurre porque la mentalidad de esas personas es demasiado obstinada y su conocimiento muy estrecho.

En la comunidad de cultivadores, hay otra situación llamada "estado-*Qigong*." Tal persona tiene ilusiones mentales, pero no tiene cultivación desquiciada. Una persona en este estado es bastante racional. Déjenme primero explicarles qué es el estado-*Qigong*. Es sabido que la práctica de *Qigong* presta atención al tema de las cualidades innatas de uno. En todos los países del mundo, hay personas que creen en la religión. En China, siempre han existido creyentes del Budismo y del Taoísmo durante varios miles de años. Estas personas creen que hacer hechos buenos se recompensará con lo bueno y que ser malo se pagará con lo malo. Pero algunos no creen en esto. En particular, durante el período de la "Gran Revolución Cultural," tales cosas fueron criticadas y explicadas como supersticiones. Algunas personas consideran superstición a todo lo que no pueden entender, lo que no han aprendido de los libros, lo que la ciencia moderna todavía no ha descubierto y lo que todavía no ha sido comprendido. Hubo un gran número de tales personas unos años atrás, pero ahora hay relativamente menos. Aunque puede que no reconozcan algunos fenómenos, estos realmente ya se han manifestado en nuestra dimensión. Ustedes no se atreven a encararlos, pero ahora la gente ya tiene la valentía para hablar sobre ellos. También han aprendido algunos hechos concernientes a la práctica de *Qigong* por medio de haberlos oído o visto.

Algunas personas son tan tercas que se reirán desde el fondo del corazón una vez que mencionen el *Qigong*. Piensan que ustedes están siendo supersticiosos y demasiado ridículos. Tan pronto hablen sobre los fenómenos en la práctica de *Qigong*, les considerarán demasiado ignorantes. Aunque esta persona sea obstinada, sus cualidades innatas no son malas necesariamente. Si tiene buenas cualidades innatas y desea practicar el *Qigong*, su Tercer Ojo podrá abrirse hasta un plano muy alto y también podrá revelar algunas capacidades sobrenaturales. No cree en el *Qigong*, pero no puede garantizar que nunca caerá enferma. Cuando caiga enferma, irá al hospital. Cuando el doctor en medicina occidental no pueda curarla, irá a ver a un doctor en medicina tradicional china. Cuando el doctor en medicina tradicional china tampoco pueda curarla y ninguna receta casera dé resultado, entonces, pensará en el *Qigong* y reflexionará así: "Iré a probar suerte con el *Qigong* para ver si en realidad puede curar mi enfermedad." Vendrá de mala gana. Pero gracias a sus buenas cualidades innatas, tan pronto como practique el *Qigong*, podrá hacerlo muy bien. Quizás un maestro la mire con preferencia o quizás algún ser elevado en otra dimensión le eche una mano. De pronto, se le abrirá el Tercer Ojo o entrará en un estado de semi iluminación. Con el Tercer Ojo abierto hasta un plano muy alto, de pronto puede ver algo de la verdad del universo. Además, habrá desarrollado algunas capacidades sobrenaturales. Al juicio de ustedes, ¿podría su mente aguantar el haber visto este fenómeno? ¿En qué clase de estado mental piensan que estará? Lo que a lo largo de los años consideró supersticioso, absolutamente imposible y ridículo cuando otros lo mencionaban, ahora se presenta verdaderamente ante sus ojos y realmente está en contacto con ello. Entonces, ya que la presión mental es enorme, la mente de esta persona no será capaz de aguantarlo. Lo que ella dice otros no lo podrán aceptar, aunque la lógica de su pensamiento sea racional. Simplemente no puede balancear la relación entre los dos lados. Descubre que lo que la humanidad hace es frecuentemente erróneo, mientras que lo que se hace en el otro lado es frecuentemente correcto. Si hace las cosas de la manera que se hacen en el otro lado, la gente dirá que está equivocada. La gente no podrá entenderla y por eso, dirán que esta persona tiene la cultivación desquiciada.

En realidad, esta persona no tiene la cultivación desquiciada. La mayoría de ustedes no se harán así en absoluto en la práctica de *Qigong*. Sólo aquellas personas muy obstinadas podrán experimentar el estado-*Qigong*. Muchos aquí presentes ya tienen el Tercer Ojo abierto. Hay muchos que verdaderamente han visto objetos en otras dimensiones. No están sorprendidos, sino que se sienten muy bien, sin ningún choque mental, ni tampoco están en un estado-*Qigong*. Después de que una persona entra en el estado-*Qigong*, es muy sensata, y lo que dice es muy filosófico y muy lógico. Es simplemente que la gente común no cree lo que dice. En un momento, podrá decirles que ha visto a alguien que falleció y que esta persona le dijo que hiciera cierta cosa. ¿Cómo podría una persona común creer eso? Más tarde, esta persona entiende que debe guardarlo en su corazón en lugar de revelárselo a otros. Después de que pueda tratar apropiadamente la relación entre los dos lados, todo estará bien. Usualmente, estas personas también llevan consigo algunas capacidades sobrenaturales. Pero esto tampoco es la cultivación desquiciada.

Hay otro fenómeno llamado "locura verdadera," que se ve muy raramente. La "locura verdadera" a la que nos referimos no significa que la persona esté realmente loca. En lugar de tener este significado, denota la "cultivación de la verdad." ¿Qué es la locura verdadera? A mi juicio, entre practicantes, tal persona se ve muy raramente. Quizás se pueda encontrar una en cien mil cultivadores. Como resultado, esto no es común y no tiene impacto alguno en la sociedad.

Usualmente, se requiere una condición previa para la "locura verdadera," y es que esa persona debe poseer cualidades innatas superiores y debe también tener una edad avanzada. Debido a su edad mayor, le sería demasiado tarde practicar la cultivación. Aquéllos que tienen cualidades innatas superiores usualmente han venido con una misión y han llegado aquí desde las altas dimensiones. Cualquiera que venga a esta sociedad humana común siente miedo porque no podrá reconocer a nadie después de que su memoria sea lavada. Después de que una persona llega a este ambiente de la sociedad humana común, la interferencia humana le hará buscar fama y fortuna. Como resultado, caerá y no tendrá nunca la esperanza de salir de aquí. Por eso, nadie se atreve a venir aquí, y quienquiera que sea tendría miedo. Pero hay tales personas que han venido aquí. Después de llegar, verdaderamente no pueden comportarse bien entre la gente común. Realmente caerán hacia niveles bajos y cometerán muchos hechos malos durante su vida. Cuando uno vive para competir por sus intereses personales, hará muchas maldades y contraerá muchas deudas. Su maestro se da cuenta de que esta persona está a punto de caer hacia abajo. Sin embargo, esta persona ya ha obtenido el Estado de Fruto en la cultivación y el maestro no dejará que caiga fácilmente. ¿Qué se puede hacer? Su maestro estará muy preocupado y no tendrá otra manera de permitir que se cultive a sí misma. ¿Dónde podría encontrar un maestro entonces? Para volver al origen tendrá que cultivarse practicando desde el principio. ¿Pero cómo se podría hacer eso fácilmente? Siendo vieja, ella ya no tiene suficiente tiempo para cultivarse. ¿Dónde podría encontrar una práctica de cultivación integrada de cuerpo y mente?

Sólo si esta persona tiene cualidades innatas superiores y bajo estas circunstancias muy especiales, se le podría aplicar el método de la locura verdadera. En otras palabras, cuando no haya en absoluto ninguna esperanza para que regrese a su propio origen por cuenta propia, este método podría adoptarse para volverla loca. Cierta porción de su cerebro será desconectada. Por ejemplo, siendo seres humanos, le tenemos miedo al frío y a la suciedad. Las porciones de su cerebro que temen al frío y la suciedad se desconectarán. Después que estas porciones se desconecten, esta persona aparentará tener problemas mentales y actuará realmente como si estuviera demente. Sin embargo, tal persona nunca comete ninguna maldad, ni insulta, ni le pega a la gente. En cambio, a veces hace cosas buenas, pero ella a sí misma se trata muy cruelmente. Debido a que ignora tener frío, en el invierno correrá con los pies descalzos en la nieve e irá vestida con ropa ligera. Se le quemarán los pies gravemente por el frío, hasta el punto de sangrar. Debido a que ignora la suciedad, se atreve a comer excremento humano y beber orina humana. Una vez, conocí a tal persona que comía con buen apetito excremento de caballo, aunque éste estaba bien congelado. Aquella persona podía sufrir las penas que una persona común no podría sufrir con una mente consciente. Sólo imagínense cuántas penalidades la hizo sufrir su locura. Por supuesto, tales personas frecuentemente tienen capacidades sobrenaturales. La mayoría de tales personas son señoras mayores. En el pasado, las ancianas tenían los pies vendados para hacerlos más pequeños, pero esta señora podía saltar fácilmente por encima de un muro de algo más de dos metros de altura. Cuando su familia se enteró que estaba loca y siempre salía corriendo de la casa, la encerraban dentro de casa con candado. Una vez que sus familiares salían de la casa, ella abría el candado con sólo apuntar el dedo hacia la cerradura. Entonces salía de la casa. Más tarde, la restringían con cadenas de hierro. Después de que sus familiares salían de casa, se las sacudía desatándolas fácilmente. Era imposible restringirla. De esta manera, sufría muchas penas. Como ella sufrió muchísimo y muy intensamente, muy rápidamente pudo pagar las deudas de sus malos hechos. Esto se llevaba tres años como máximo, y usualmente sólo uno o dos años, ya que las penas que había sufrido eran enormes. Después de esto, ella entendía enseguida lo que había ocurrido porque había completado la cultivación de esta manera. Como resultado, se hacía *KaiGong* inmediatamente y una variedad de poderes divinos surgían. Tales casos son sumamente raros, pero han existido algunos a través de la historia. A las personas con cualidades innatas comunes no se les permitirá hacerlo de esta forma. Es sabido que de verdad hubo monjes budistas locos y taoístas locos documentados en la historia, tales como el monje budista loco que echó a Qin Hui[2] del templo con una escoba y otras historietas de taoístas locos. Se encuentran muchas historias de éstas en las obras clásicas.

Con referencia a la cultivación desquiciada, podemos decir que definitivamente no existe. Si alguien puede producir fuego,[3] y si esto es ciertamente así, yo diría que esta persona es extraordinaria. Si una persona pudiera producir fuego al abrir la boca o al extender la mano, o encender un cigarrillo con un dedo que pudiese soltar fuego, yo diría que eso es una capacidad sobrenatural.

La Interferencia Demoníaca Durante la Práctica de *Qigong*

¿Qué es la interferencia demoníaca durante la práctica de *Qigong*? Esto se refiere a algunas interferencias que frecuentemente encontramos al practicar el *Qigong*. ¿Cómo podría la práctica de *Qigong* atraer demonios? En realidad existe mucha dificultad cuando uno quiere practicar la cultivación. Uno simplemente será incapaz de lograr con éxito la cultivación verdadera sin la protección de mi *Fashen*. Tan pronto salgan de casa, podrán encontrarse en una

---

[2] Qin Hui—Un oficial malvado de la corte real durante la Dinastía Song sureña (1127 d.C.-1279 d.C.).
[3] "producir fuego"—Un término chino que también significa "cultivación desquiciada"; aquí se puede entender figurativamente al igual que literalmente.

situación de vida o muerte. El *Yuanshen* humano no se extingue. Entonces, en las actividades sociales de sus vidas anteriores, podrían haber debido algo o hecho daño a alguien, o cometido algunas maldades. Esos acreedores vendrán a hacerles pagar las deudas. En el Budismo se dice que los seres humanos viven justamente de acuerdo con el principio del castigo del karma. Si le deben algo a alguien, los encontrará para cobrar aquella deuda. Si él recibe más de lo que debe obtener, tendrá que devolverles la parte sobrante la próxima vez. Si un hijo le falta el respeto a sus padres, estos intercambiarán lugares en la próxima vida. Se realiza en ciclos de esta manera. Sin embargo, hemos observado realmente la interferencia demoníaca, la cual les impide practicar el *Qigong*. Todo esto tiene una relación kármica y no ocurre sin razón. No se permite que esto ocurra sin razón.

La forma más común de interferencia demoníaca ocurre de la forma siguiente. Antes de que practiquen *Qigong*, el ambiente circundante es relativamente tranquilo. Debido a que han aprendido *Qigong*, siempre les gusta practicarlo. Sin embargo, tan pronto como se sientan a meditar, de repente se empieza a oír mucho ruido afuera. Hay ruidos de bocinas de coche, de pasos en el corredor, de voces, de puertas que se cierran fuertemente y el sonido de la radio que viene de afuera. De repente deja de haber tranquilidad. Si no practican *Qigong*, el ambiente será bastante tranquilo, pero una vez que empiecen la práctica, se volverá así de ruidoso. Muchos no han pensado profundamente sobre ello. ¿Qué está pasando realmente? Ustedes sólo lo encuentran extraño y se sienten angustiados por no poder practicar *Qigong*. Esta "rareza" les impedirá seguir con la práctica. Esto es un demonio que interfiere con ustedes, el cual manipula a la gente para molestarlos. Esta es la forma más simple de interferencia, cuyo propósito es hacerlos dejar la cultivación. Si practican *Qigong* y obtienen el Tao, ¿qué pasará con esas deudas que les deben a otros? El demonio no estará de ningún modo de acuerdo con esto y no los dejará hacer la práctica. Sin embargo, esto es también un fenómeno que se refleja en cierto nivel de cultivación. Después de un período de tiempo, no se permitirá que este fenómeno exista más. En otras palabras, eso quiere decir que después de que estas deudas se hayan pagado, no se permitirá que vengan a interferir de nuevo. Esto es porque aquéllos que cultivan nuestro Falun Dafa hacen progreso rápido y también sobrepasan rápidamente los niveles en su cultivación.

Hay otra forma de interferencia demoníaca. Es sabido que por medio de nuestra práctica de *Qigong*, nuestro Tercer Ojo puede abrirse. Después de la apertura del Tercer Ojo, algunos podrán ver ciertas escenas terribles o caras horribles durante la práctica en casa. Algunas de aquellas imágenes tienen cabello largo desarreglado y algunas quieren pelear con ustedes, e incluso hacen varios movimientos, lo cual da mucho miedo. A veces, al practicar *Qigong*, uno podrá verlas a todas ellas pegadas a la ventana, lo que es muy espantoso. ¿Por qué puede aparecer esta situación? Todas son formas de interferencia demoníaca. Sin embargo, este caso ocurre muy raramente en nuestra escuela de Falun Dafa. Quizás, esto le ocurrirá a una de cada cien personas. La mayoría de los practicantes no encontrarán esta situación. Debido a que esto no les beneficia en la cultivación, no se permite que interfiera con ustedes de esta forma. En otras prácticas convencionales de cultivación, este fenómeno es la clase de interferencia más común y durará por un tiempo bastante largo. Algunos, simplemente a causa de esto, no pueden practicar el *Qigong* y se quedan aterrorizados. Normalmente uno elige un ambiente muy tranquilo para practicar el *Qigong* por la noche. Si uno ve a una persona de pie frente a uno, que parece mitad fantasma y mitad humana, se quedará tan asustado que no se atreverá a continuar la práctica. Generalmente, no existe este fenómeno en nuestro Falun Dafa. Sin embargo, existen aún unas cuantas excepciones raras, porque algunos tienen condiciones muy especiales.

Hay otra clase de práctica que es una vía de cultivación para el interior y exterior. Esta requiere la práctica de las artes marciales y la cultivación interna. Se ve comúnmente esta clase de práctica en la Escuela Tao. Una vez que uno estudia esta vía de cultivación, se encuentra frecuentemente con esta interferencia demoníaca.

Generalmente esto no pasa en las vías comunes de cultivación, excepto en las prácticas que incluyen la cultivación integrada del interior y del exterior, o en aquellas prácticas de las artes marciales. Es decir, el practicante será desafiado a una pelea. Hay muchos practicantes taoístas en el mundo y muchos de ellos son estudiantes de las artes marciales o de la cultivación interna y externa. Un estudiante de las artes marciales también puede desarrollar *Gong*. ¿Por qué es eso? Si una persona se despoja de deseos, fama y fortuna entre otros apegos, también podrá incrementar su *Gong*. Sin embargo, su deseo de contender y competir contra otros tardará mucho en ser abandonado y será descartado muy lentamente. Por eso, estará propensa a hacer tal cosa y hasta puede ocurrir en ciertos niveles. Mientras está sentada en trance, sabrá quién está practicando las artes marciales. Luego, su *Yuanshen* saldrá de su cuerpo físico para encontrar a otra persona y retarla a una lucha con el fin de determinar quién tiene las mejores artes marciales, y ocurrirá una contienda. Tales cosas también ocurren en otra dimensión, donde alguna persona podrá buscarla para pelear. Si esa persona rechaza a la otra, realmente la matará. Por lo tanto, una pelea tendrá lugar entre las dos. Una vez que este practicante se duerma, alguien vendrá a buscarlo para una pelea, así que no podrá descansar en toda la noche. En realidad, esta es la ocasión para que deje su deseo de competir contra otros. Si este estado mental de competencia no puede ser abandonado, se quedará siempre en tal estado. Si esto continúa así por largo tiempo, se mantendrá en este mismo nivel de cultivación por varios años. Esto hará que sea incapaz de continuar la práctica de *Qigong*. Con tanto consumo de energía, su cuerpo físico tampoco podrá soportarlo y podrá quedar fácilmente incapacitado. Por lo tanto, esta situación podrá encontrarse en ambas vías de cultivación, interna y externa, lo cual es bastante común. En nuestra práctica de cultivación interna no existe tal situación, ni está permitido que ocurra. Estas diversas formas de las que acabo de hablar existen muy comúnmente.

Existe aún otra forma de interferencia demoníaca, que cada practicante, incluso cada miembro de nuestra vía de cultivación, encontrará. Este es el demonio de la lujuria, que es algo muy grave.

En la sociedad de la gente común, debido a la existencia de esta vida matrimonial, los seres humanos pueden multiplicarse. Así es como se desarrolla la raza humana. Existe el sentimentalismo en la sociedad humana. Por eso, esto está perfectamente justificado para la gente común. Debido a que los seres humanos tienen sentimentalismo, la rabia es una pasión sentimental y también lo son la alegría, el amor, el odio, el gusto de hacer una cosa o el disgusto de hacer otra, la preferencia de una persona a otra, los pasatiempos y lo que les disgusta hacer. Todo esto pertenece al sentimentalismo, y la gente común vive por ello. Entonces, como practicantes y personas que se elevan y trascienden, no deben usar estos principios para juzgar las cosas y deberán desprenderse de ellas. Por eso, hay muchos apegos derivados del sentimentalismo humano. Debemos tomarlos con más ligereza y descartarlos totalmente al final. Los deseos, la lujuria sexual y otras cosas de este orden son apegos humanos, todos los cuales se deben abandonar.

Para aquellos practicantes que practican la cultivación entre la gente común, nuestra vía de cultivación de ningún modo requiere que vivan como monjes o monjas. Los practicantes jóvenes aún deben establecer familias. Entonces, ¿cómo debe tratarse este asunto? He dicho que nuestra vía de cultivación apunta directamente al corazón humano y no les hace perder realmente nada en términos de beneficios materiales. Al contrario, deben templar el *Xinxing* en medio de los beneficios materiales de la gente común, y lo que subirá realmente es su *Xinxing*. Si pueden renunciar a los apegos, serán capaces de abandonar todo. Si se les requiere que dejen sus beneficios materiales, por supuesto podrán hacerlo. Si no pueden renunciar a este apego, no serán capaces de dejar nada. Por consiguiente, el propósito real de la cultivación es el de cultivar el corazón. La cultivación en los templos los obliga a dejar estas cosas para hacerlos descartar sus apegos. Al no permitirles pensar en ello, se les obliga a rechazarlos completamente; se ha adoptado este método. Pero nosotros no requerimos que ustedes hagan esto. Pedimos que les den menos importancia a los intereses materiales que están justamente frente a ustedes. Por lo tanto, la cultivación en nuestra escuela es la más sólida. No les pedimos que se vuelvan monjes o monjas. En vista de que nuestra vía de cultivación se hará cada vez más popular en el futuro, los practicantes que se cultivan entre la gente común no deben todos convertirse en semi monjes. No estará permitido que cada practicante de Falun Dafa actúe de esta manera. Durante la práctica de *Qigong*, requerimos lo siguiente de todos los presentes: Aunque tú practicas, puede que tu esposa (o esposo) no practique; no está permitido que se divorcien a causa de la práctica de *Qigong*. Eso quiere decir que debemos tomar el sexo con ligereza y no debes tratarlo con tanta importancia como la gente común. En particular, en la sociedad actual, tales cosas como la llamada liberación sexual y la pornografía están interfiriendo con la gente. Algunas personas están muy interesadas en ello. Como practicantes, debemos darle poca importancia a esto.

Desde la perspectiva de las altas dimensiones, se dice que la gente común en la sociedad está simplemente jugando con lodo sin darse cuenta de la suciedad. Están jugando con lodo en la Tierra. Hemos dicho que no deben causar discordia en la familia por este asunto. Por eso, en la etapa presente, esto debe importarles menos. Es bueno que mantengan una vida matrimonial normal y armoniosa. En el futuro cuando lleguen a cierto nivel, habrá otra situación en ese nivel. En el presente, deben hacerlo de esta manera y estará bien que lo hagan así según nuestros requisitos. Por supuesto, no deben seguir lo que está ocurriendo en la sociedad actual. ¿Cómo podría permitirse eso?

Hay otro factor que concierne a este asunto. Sabemos que nuestros practicantes llevan energía en su cuerpo. Después de esta conferencia, aproximadamente un 80% a un 90% de la gente aquí presente no solamente tendrán curadas sus enfermedades sino que también desarrollarán *Gong*. Por eso, su cuerpo lleva consigo una energía muy poderosa. El *Gong* que llevan en el cuerpo y el nivel actual de su *Xinxing* no están en proporción. Su *Gong* está más alto temporalmente, habiendo sido mejorado instantáneamente, y ahora su

Xinxing se está elevando. Gradualmente, su *Xinxing* alcanzará el nivel debido. Está garantizado que dentro de este período de tiempo éste lo alcanzará. Por eso, hemos hecho esto por anticipado. En otras palabras, ya tienen cierta cantidad de energía. Debido a que el *Gong* de la Ley ortodoxa es puramente recto y compasivo, todo el mundo sentado aquí siente una atmósfera de serenidad y de compasión. Yo me he cultivado a mí mismo de esta manera y llevo estas cosas en mí. Sentados aquí, todo el mundo siente armonía y no tiene malas ideas en la mente y nadie ni siquiera piensa en fumar un cigarrillo. En el futuro, también deberán seguir los requisitos de nuestra Gran Ley y el *Gong* que desarrollarán a través de la práctica de cultivación dispondrá de esta característica. Con el crecimiento incesante de la Potencia de su Energía, la energía dispersada del *Gong* que lleva su cuerpo será también bastante poderosa. Aunque no sea tan poderosa, una persona común que esté dentro de su campo de energía podrá ser restringida. O si están en su hogar, ustedes podrán restringir a otros, y los miembros de su familia podrán ser restringidos. ¿Por qué es así? Ni siquiera necesitan usar la mente para hacerlo, porque este campo es uno de armonía pura, de compasión, y un campo de honrada fe. Por eso, la gente aquí no está propensa a pensar en cosas malas ni a hacer cosas incorrectas. Esto puede tener tal efecto.

El otro día, dije que la luz de Buda ilumina por todos lados, rectificando todas las anormalidades. Es decir, la energía que irradia de nuestro cuerpo puede rectificar las condiciones anormales a nuestro alrededor. Por consiguiente, bajo los efectos de este campo, si no piensas acerca de tales cosas, tu esposa (o esposo) será restringida sin darse cuenta. Si no piensas tal cosa y te niegas a pensar en ello, tu esposa (o esposo) tampoco pensará en ello. Sin embargo, esto no es absoluto. En el ambiente presente, si se enciende el televisor, allí hay toda clase de cosas que pueden estimular fácilmente los deseos de uno. Sin embargo, bajo circunstancias normales, ustedes pueden desempeñar tal papel de restricción. En el futuro, cuando lleguen a un alto nivel de cultivación, ustedes mismos sabrán lo que tienen que hacer sin que yo se lo diga. Pero para aquel entonces, habrá otro estado para que puedan mantener una vida armoniosa. Por lo tanto, no deben prestar demasiada atención a este asunto. Si se preocupan demasiado por esto, sería un apego. Entre esposo y esposa, no existe el problema del deseo sexual, pero sí el de la lujuria. Con tal de que puedan tomarlo ligeramente y sentir equilibrio mental, eso estará bien.

Entonces, ¿qué clase de demonio de lujuria podrá uno encontrar? Si su habilidad de _Ding_[4] no es adecuada, ese demonio podrá aparecer en sus sueños cuando están durmiendo. Mientras están durmiendo o sentados en meditación, de repente aparecerá una escena tal: Si eres hombre, una mujer bella aparecerá; si eres mujer, se presentará el hombre de tus sueños. Sin embargo, estarán completamente desnudos. Una vez que la idea del sexo les surja a ustedes en la mente, podrán eyacular, y esto se convertirá en realidad. Piensen todos sobre esto. En nuestra práctica de cultivación, la esencia del cuerpo físico se usa para cultivar nuestra vida. No deben eyacular así siempre. Mientras tanto, no han pasado la prueba del deseo sexual. ¿Cómo podría permitirse eso? Por eso, les digo que cada uno se encontrará con este asunto; está garantizado. Al mismo tiempo que estoy exponiendo la Ley, les estoy imprimiendo una energía muy poderosa en la mente. Es posible que después de salir por la puerta no puedan recordar específicamente lo que he dicho, pero cuando encuentren realmente tal problema, recordarán lo que he dicho. Con tal de que se consideren practicantes, lo recordarán instantáneamente y podrán controlarse, y entonces serán capaces de pasar esta prueba. Si fracasan en esta prueba la primera vez, les será difícil pasarla la próxima vez. Sin embargo, también existe el caso de una persona que después de despertarse, se arrepiente profundamente de haber fracasado en pasar la prueba por primera vez. Tal vez esta mentalidad y estado mental refuercen su impresión mental sobre ello. Cuando encuentren de nuevo este problema, serán capaces de controlarse y pasar la prueba. Si alguien que no ha pasado la prueba la toma sin darle importancia, le será más difícil pasarla más tarde. Esto definitivamente será así.

---

[4] _Ding_—Un estado de mente vacía pero consciente.

Esta forma de interferencia puede venir de los demonios o del maestro, quien transforma un objeto en otro para probarlos. Las dos formas existen porque cada uno debe pasar esta prueba. Empezamos la cultivación siendo personas comunes. El primer paso es esta prueba y cada practicante la experimentará. Déjenme citarles un ejemplo. Cuando yo estaba dando una clase en Wuhan,[5] había un alumno que era un joven de treinta años. Justamente después de asistir a esta conferencia, regresó a casa, se sentó en meditación y entró rápidamente en el estado de *Ding*. Después de eso, vio de repente a Buda Amitabha aparecer de un lado y a Lao Tsé del otro. Esto es lo que dijo en su informe de experiencias. Después de aparecer, ambos lo miraron sin decir una palabra, y luego desaparecieron. Enseguida, se presentó la Bodhisattva Avalokitesvara[6] con un florero en la mano de donde salía un humo blanco. Mientras estuvo sentado allí con las piernas cruzadas se sintió muy complacido porque podía contemplar vívidamente todas las cosas. De repente, el humo se convirtió en unas bellezas que eran Apsaras Voladoras y asombrosamente hermosas. Danzaron para él con movimientos muy elegantes. El pensó: "Ya que estoy practicando aquí, la Bodhisattva Avalokitesvara me está premiando, transformando unas bellezas para que yo las mire y ha enviado a las Apsaras Voladoras para que me bailen." Cuando estaba pensando alegremente sobre esto, de repente estas bellezas quedaron completamente desnudas e hicieron varios gestos hacia él, viniendo a abrazarlo y acariciarlo. El *Xinxing* de este practicante se había elevado muy rápidamente. En ese momento, este joven, nuestro estudiante, se alertó enseguida. El primer pensamiento que se le ocurrió fue: "¡No soy una persona común! Soy un practicante. No deben tratarme de esta manera porque soy practicante de Falun Dafa." Una vez que salió este pensamiento de su mente, todas de repente desaparecieron porque eran originalmente ilusiones transformadas. Entonces, el Buda Amitabha y Lao Tsé aparecieron de nuevo.

---

[5] Wuhan—Capital de la provincia de Hubei.
[6] Bodhisattva Avalokitesvara—Conocida por su compasión, es una de las dos Bodhisatvas mayores en el Paraíso de la Felicidad Suprema.

Apuntando con el dedo al joven, Lao Tsé sonrió hacia el Buda Amitabha y dijo: "Este chico es educable. Eso quiere decir que este joven es bueno para la cultivación y puede ser enseñado."

A través de la historia o desde la perspectiva de las altas dimensiones, el asunto de los deseos humanos y la lujuria ha sido considerado muy importante para determinar si una persona puede cultivarse o no. Por eso, debemos considerar con indiferencia estas cosas. Sin embargo, como hacemos la cultivación entre la gente común, no les requerimos que pongan fin completamente a ese deseo, por lo menos en la etapa presente. Deben tomarlo ligeramente y no deben tratarlo como antes. En calidad de practicante, uno debe actuar de esta manera. Siempre que aparezca esta u otra clase de interferencia en la práctica de *Qigong*, deben buscar la causa dentro de sí mismos y determinar qué es lo que aún no han podido abandonar.

La Interferencia Demoníaca de la Propia Mente de Uno

¿Qué es la interferencia demoníaca de la propia mente de uno? Existe un campo de materia alrededor del cuerpo humano en la dimensión de cada nivel. Dentro de un campo especial, todas las cosas del universo pueden reflejarse, como sombras, en su campo dimensional. Aunque sean sombras, son de existencia material. Todas las cosas dentro del campo de la dimensión de uno están dictadas por la consciencia de su cerebro; es decir, si miran tranquilamente sin actividades mentales, lo que ven con el Tercer Ojo será real. Si simplemente comienzan a pensar, lo que ven será totalmente falso. Esto se llama interferencia demoníaca de la propia mente de uno o "la transformación con la intención." Es porque algunos practicantes no pueden tratarse a sí mismos como practicantes ni pueden controlarse bien. Tales personas persiguen capacidades sobrenaturales y se obsesionan por pericias y habilidades insignificantes, o incluso por oír ciertas cosas de otras dimensiones. Se obsesionan por perseguir estas cosas. Esta clase de gente es propensa a tener interferencia demoníaca de su propia mente y a caer al nivel más bajo. No importa hasta qué altura se haya cultivado tal persona, una vez que surja este problema, caerá hasta el fondo y se arruinará completamente. Esto es un asunto con consecuencias sumamente graves. Es diferente de las cosas en otros aspectos, donde si uno fracasa en pasar la prueba de *Xinxing* esta vez, aún podrá continuar cultivándose a sí mismo una vez que se levante después de una caída. Pero éste no es el caso si la interferencia demoníaca proviene de la propia mente de uno, ya que la vida de esta persona se arruinará. Particularmente, para esas personas cuyo Tercer Ojo se ha abierto en un cierto nivel de su práctica, este problema puede ocurrir fácilmente. Además, hay algunas personas cuyas consciencias siempre las perturban los mensajes externos y creen todo lo que les dicen los mensajes externos. Este problema ocurrirá fácilmente de esta manera. Por eso, algunos de nuestros practicantes cuyo Tercer Ojo está abierto encontrarán mensajes de interferencia desde muchas fuentes.

Déjenme citarles un ejemplo. A uno le es muy difícil mantener la mente tranquila en el nivel bajo de cultivación. Probablemente ustedes no puedan ver claramente la apariencia de su maestro. Un día, podrán ver de repente a un inmortal gigantesco. Puede que les diga algunas palabras elogiosas y los enseñe a hacer algo. Si lo aceptan, su *Gong* se descompondrá. Una vez que estén muy contentos y lo consideren su maestro, lo seguirán. Sin embargo, él tampoco ha completado el Fruto Verdadero. En otra dimensión, su cuerpo puede transformarse en grande o pequeño. Con esto ante sus ojos y viendo a tal inmortal gigantesco, sentirán realmente mucha emoción. ¿Acaso no irán a aprender de él cuando surja tal emoción? Es muy difícil salvar a un cultivador si no puede controlarse bien. Podrá arruinarse fácilmente a sí mismo. Todos los seres celestiales son deidades, pero no han completado el Fruto Verdadero y por eso tienen que seguir en el ciclo de *samsara*. Si toman a la ligera a cualquiera de estos seres como su maestro y lo siguen, ¿a dónde los conducirá? Ni él mismo ha obtenido el Fruto Verdadero. ¿No será en vano su cultivación? Al final, su propio *Gong* se estropeará. A los humanos les es muy difícil mantener la mente imperturbada. Les estoy diciendo a todos que este asunto es muy serio y muchos de ustedes encontrarán más tarde ese problema. Les he enseñado la Ley. Depende completamente de ustedes el ver si pueden controlarse bien. Lo que les he dicho es uno de los casos. No dejen que la mente se perturbe cuando vean a seres iluminados de otras vías de cultivación. Permanezcan en una sola vía de cultivación. Aunque sea cualquier Buda, cualquier Tao, cualquier deidad o cualquier demonio, no deberán ser capaces de conmoverles el corazón. De este modo, seguramente tendrán éxito en la cultivación.

La interferencia demoníaca de la propia mente se manifiesta aún en otras formas: Podrán haber encontrado la interferencia de algún pariente que ha fallecido, que llora y les ruega que hagan esto o aquello. Toda clase de cosas pueden suceder. ¿Podrán mantener la mente tranquila? Supongamos que le tienes mucho afecto a este niño tuyo y amas a tus padres. Tus padres fallecidos podrán decirte que hagas algunas cosas... todo aquello son cosas que no debes hacer. Si lo haces, esto arruinará tu cultivación. Es simplemente muy difícil ser practicante. Se dice que el Budismo ya está en caos. En el Budismo han entrado las doctrinas confucianistas, tales como el amor y la veneración filial a los padres, el amor a hijos, etc., los cuales no son principios budistas. ¿Qué significa esto? Debido a que el *Yuanshen* es la vida real de un ser humano, la madre que le dio luz a tu *Yuanshen* es tu madre real. En el curso de *samsara*, has tenido madres que fueron humanas y no humanas, y hay demasiadas de ellas para contar. También son incontables el número de hijos e hijas que has tenido durante las diferentes vidas. ¿Quién es tu madre? ¿Quiénes son tus hijos? No se reconocerían el uno al otro después de fallecer. Ustedes aún tienen que pagar la deuda que deben a otros. Los seres humanos viven en un laberinto y no pueden abandonar tales cosas. Algunos no pueden dejar de pensar en sus hijos muertos, diciendo qué buenos eran, o decir qué buena era su madre que también ha muerto. Están tan tristes que simplemente desean seguir a los muertos por el resto de la vida. ¿Por qué no piensan que han venido a atormentarlos? Usan esta forma para hacer que les sea imposible vivir una vida cómoda.

Probablemente, la gente común no puede entenderlo. Si tienen apego a tal cosa, no podrán cultivarse de ningún modo. Por lo tanto, el Budismo no incluye tales conceptos. Si quieren practicar la cultivación, tienen que descartar el sentimentalismo humano. Por supuesto, durante la cultivación en la sociedad de la gente común, debemos respetar a nuestros padres, educar a nuestros hijos y ser buenos y bondadosos hacia otros bajo todas las circunstancias, mucho más hacia nuestros parientes. Debemos tratar igualmente a todos, ser amables con nuestros padres e hijos, y considerar a otros en todos los aspectos. Un corazón así será desinteresado, bondadoso y benévolo. El sentimentalismo pertenece a la gente común, que vive de verdad para ello.

Muchas personas no pueden conducirse bien a sí mismas y esto les causa dificultades en la cultivación. Algunas afirman que un Buda les ha dicho algo. A menos que estén en peligro de muerte y les diga cómo evitarlo, todos aquellos que les dicen cómo evitar una tribulación o cierta cosa que ocurrirá·hoy, o que les dicen el número del primer premio de la lotería de hoy para que lo saquen y que les hacen lograr beneficios en la sociedad de la gente común, son demonios. Si siempre hacen lo que les conviene en la sociedad de la gente común y evitan la tribulación, no podrán ascender en la cultivación. Si viven una vida cómoda entre la gente común, ¿cómo se podrían cultivar? ¿Cómo podría transformarse su karma? ¿Dónde estaría el ambiente para mejorar su *Xinxing* y transformar su karma? Todos deben asegurarse de recordar este punto. El demonio también puede elogiarlos, diciéndoles qué alto es su nivel, qué Gran Buda o qué Gran Tao son, y puede considerarlos extraordinarios. Todo esto es completamente falso. Como practicantes que se cultivan genuinamente hacia las dimensiones altas, deben dejar todos los apegos. Cuando encuentren tales cosas, ¡todos deben ponerse en guardia!

Durante la práctica de cultivación, nuestro Tercer Ojo se abrirá. Aquél cuyo Tercer Ojo esté abierto, tendrá dificultades en la cultivación; también habrá dificultades para aquél cuyo Tercer Ojo no esté abierto. En ninguno de los dos casos es fácil practicar la cultivación. Después de que el Tercer Ojo esté abierto, les será difícil controlarse bien cuando los mensajes de toda variedad interfieran con ustedes. Todo aquello en otras dimensiones es deslumbrante a la vista, muy hermoso y muy extraordinario. Cualquier cosa podría conmoverles el corazón. Una vez que se les afecte la mente, podrán sufrir interferencias y su *Gong* se estropeará. Esto ocurre frecuentemente. Por eso, cuando una persona con interferencia demoníaca de la propia mente sea incapaz de controlarse bien, podrá ocurrir esta situación. Por ejemplo, una vez que este hombre desarrolle un pensamiento malo, se encontrará en mucho peligro. Un día, el Tercer Ojo se le abre y puede ver muy claramente. Piensa: "En este sitio de práctica, mi Tercer Ojo es el que está mejor abierto. Probablemente yo no soy una persona común. Pude aprender el Falun Dafa del Maestro Li y lo he estudiado excelentemente, mejor que todos los demás. Quizás yo tampoco sea una persona común." Tal pensamiento ya es incorrecto. El pensará: "Quizás yo también sea un Buda. Ah, voy a verme a mí mismo." Cuando se vea a sí mismo, encontrará realmente que es un Buda. ¿Por qué? Esto es porque todas las substancias dentro de la esfera del campo dimensional alrededor de su cuerpo se trasformarán de acuerdo con sus pensamientos, lo que se llama también "transformación con intención mental."

Todo lo que se refleja del universo se transformará con los pensamientos de uno, porque todas las cosas dentro del campo dimensional de una persona están bajo su control. Como las imágenes reflejadas también son una existencia material, están igualmente bajo su control. El piensa: "Quizás yo sea un Buda y lo que llevo puesto probablemente es la vestidura de Buda." Entonces, verá que su vestimenta es realmente una vestidura de Buda. "Ah, soy verdaderamente un Buda." Se pondrá contentísimo. "Probablemente yo ni siquiera sea un Buda pequeño." Con otra mirada a sí mismo, encontrará que es realmente un gran Buda. "¡Tal vez mi nivel sea más alto que el de Li Hongzhi!" Echará otra mirada. "Ay, soy realmente más alto en nivel que Li Hongzhi." Algunas personas pueden escuchar esto con sus oídos. Un demonio podrá perturbarlo, diciéndole: "Tú tienes un nivel más alto que Li Hongzhi. Eres mucho más grande que Li Hongzhi." El también lo creerá. ¿Por qué no piensan sobre cómo se cultivarán en el futuro? ¿Han practicado alguna vez la cultivación? ¿Quién les ha enseñado la cultivación? Aun cuando un Buda genuino baja aquí para efectuar una misión, él también tiene que cultivarse desde el principio. No se le da su *Gong* original y solamente puede cultivarse más rápidamente esta vez. Por eso, una vez que este problema le ocurra a esta persona, le será difícil salir de esta mentalidad; desarrollará enseguida tal apego. Después de desarrollar este apego, se atreverá a decir cualquier cosa: "Soy realmente un Buda y no necesitan aprender de otros. Soy realmente un Buda y les diré qué y cómo hacerlo." Empezará a hacer tales cosas.

¿Acaso no tenemos un hombre como ése en Changchun? Al comienzo, era bastante bueno y más tarde actuó de esa manera. Pensaba que era un Buda. Al final, se consideró más grandioso que cualquier persona. Incurrió en esto porque no podía controlarse bien y desarrolló un apego. ¿Por qué ocurre este fenómeno? El Budismo enseña que no importa qué vean, no deben prestarle atención, porque todo esto es quimeras demoníacas, y que uno debe avanzar en la cultivación sólo por medio de la meditación. ¿Por qué no se permite verlas ni tener apego a ellas? Se debe a que se preocupa porque ocurren tales problemas. En la práctica de cultivación budista no hay métodos intensivos ni tampoco hay en los Sutras ninguna guía para librarlos de estas cosas. Sakyamuni no enseñaba tal Dharma en aquel entonces. A fin de evitar esta interferencia demoníaca de la propia mente o "la transformación con intención mental," llamó a todas las escenas observadas durante la cultivación "quimeras demoníacas." Por eso, una vez que uno desarrolle un apego, aparecerá tal quimera demoníaca. A uno le será difícil librarse de ella. Si este hombre no lo trata apropiadamente, se arruinará y seguirá una vía demoníaca. Dado que se llama a sí mismo un Buda, ha entrado ya en el mundo de los demonios. Al final, podrá atraer la posesión de espíritus o animales u otras cosas y se arruinará completamente. Su corazón también se volverá inmoral y caerá totalmente al fondo. Hay muchas personas como ésta. Aun en esta clase, hay algunos en este momento que piensan que ellos mismos son bastante elevados y hablan con una actitud diferente. ¿En qué estado se encuentran en realidad? Aun en el Budismo, se prohíbe estrictamente saber tal cosa. Lo que acabo de decir es otra forma de interferencia demoníaca, que se llama interferencia demoníaca de la propia mente de uno o "la transformación con intención mental." En Pekín hay tales practicantes y también los hay en otras regiones. Además, les han causado una grave interferencia a los practicantes.

Alguien me preguntó: Maestro, "¿por qué no ha eliminado este problema?" Piensen todos sobre esto. Si nosotros limpiásemos todos los obstáculos en su camino de cultivación, ¿cómo se podrían cultivar? Es precisamente bajo la circunstancia de la interferencia demoníaca donde podrán demostrar si pueden continuar su cultivación o no, si pueden entender la Ley verdaderamente o no, si serán perturbados o no, y si pueden sostener firmemente esta vía de cultivación o no. La cultivación es como el oleaje que lava las arenas auríferas. La cultivación es exactamente así. Lo que queda al final es oro genuino. Sin esta forma de interferencia, quiero decir que les sería demasiado fácil practicar la cultivación. Aún así, pienso que su cultivación ya es demasiado fácil. Viendo esto, aquellos grandes seres iluminados de las altas dimensiones lo encontrarán más injusto: ¿Qué estás haciendo? ¿Significa esto que estás salvando a la gente? Si no hubiera ningún obstáculo en su camino y pudieran hacer la cultivación de una sola vez hasta el final, ¿sería esto cultivación? ¿Cómo se podría permitir que hicieran la cultivación sin ninguna interferencia y sintiéndose cada vez más cómodos en la cultivación? Este es el asunto y he estado considerándolo también. Al comienzo, eliminé a muchos de tales demonios. También pienso que es incorrecto que yo continúe siempre haciendo eso. Otros me han dicho también: "Les has hecho la cultivación demasiado fácil. Los seres humanos tienen sólo esas pocas dificultades propias. Sólo hay esas pequeñas dificultades que se encuentran entre ellos mismos. ¡Tienen aún muchos apegos que no pueden descartar! Queda aún el asunto de que puedan entender o no la Gran Ley misma, en medio de tribulaciones y confusión." Esto concierne tal asunto; por eso habrá interferencias y pruebas. Acabo de decir que esto es una forma de interferencia demoníaca. Es muy difícil salvar realmente a una persona, pero arruinar a una persona es sumamente fácil. Una vez que su propio corazón no sea virtuoso, se arruinarán enseguida.

Tu Consciencia Principal debe Predominar

Debido a que los seres humanos han cometido maldades durante sus vidas anteriores, esto ha traído desastres a la gente y ha causado obstáculos kármicos para el practicante. Por lo tanto, existen el nacimiento, envejecimiento, enfermedad y muerte. Son karma común. Hay aún otro karma poderoso, que tiene gran impacto en los practicantes—se llama Karma del Pensamiento. La gente tiene que pensar mientras vive. Mientras uno se pierde entre la gente común, desarrolla frecuentemente intenciones de fama, ganancia, lujuria, enojo, etc. Gradualmente, esta intención se convierte en un poderoso Karma del Pensamiento. Debido a que todas las cosas en otras dimensiones tienen su propia vida, el karma igualmente tiene la suya. Cuando uno empieza a practicar la cultivación en una Ley ortodoxa, necesita eliminar su karma. Eliminar el karma significa desarraigar y transformar el karma. Por supuesto, el karma lo resistirá, y uno tendrá tribulaciones y obstáculos. Sin embargo, el Karma del Pensamiento directamente interfiere en nuestra mente. Por eso, hay algunas personas que insultan en la mente al Maestro y a la Gran Ley, y algunos podrán pensar en ciertas intenciones indecentes o en palabras de maldición. Como resultado, algunos practicantes estarán perplejos y hasta creerán ser ellos mismos los que piensan de esta manera. Algunas personas también creen que esto lo causa la posesión de espíritus o animales. Sin embargo, esto no lo causa la posesión de espíritus o animales, sino el reflejo del Karma del Pensamiento en la mente humana. Algunas personas con una Consciencia Principal débil actuarán de acuerdo con el Karma del Pensamiento y cometerán maldades. Tales personas se arruinarán y caerán hacia niveles bajos.

Sin embargo, la mayor parte de los practicantes pueden expulsar y resistir el Karma del Pensamiento con pensamientos subjetivos muy fuertes (una muy fuerte Consciencia Principal). De este modo, esto indica que esta persona puede ser salvada y puede distinguir lo bueno de lo malo. Es decir, esta persona tiene una buena cualidad de entendimiento. Mi *Fashen* les ayudará a eliminar la mayor parte de este Karma del Pensamiento. Es una situación que ocurre frecuentemente. Una vez que aparezca tal caso, a uno se le someterá a prueba para ver si puede vencer estos malos pensamientos. Si el practicante está decidido, el karma se puede eliminar.

La Mente Debe Ser Necesariamente Recta

¿Qué significa tener una mente no recta? Esto se refiere a la inhabilidad de tratarse siempre a sí mismo como practicante. Un practicante encuentra tribulaciones durante la práctica de cultivación. Cuando aparece la tribulación, puede manifestarse en forma de conflicto entre uno y otro. Surgen juegos mentales y otras cosas similares, que afectan directamente el *Xinxing* de ustedes. Ocurren muchos casos de éstos. ¿Qué más podrán ustedes experimentar? Nuestro cuerpo físico podrá sentirse de repente incómodo. Esto se debe al pago de las deudas del karma, que se manifestarán de diferentes formas. En un cierto período de tiempo, se les hará incapaces de discernir si algo es verdadero o falso, si existe su *Gong*, si pueden cultivarse o no, si pueden finalizar la cultivación o no, si existen Budas o no, y si éstos son verdaderos o falsos. En el futuro, tales situaciones aparecerán de nuevo para darles una impresión falsa y para hacerlos pensar como si aquello no existiera y todo fuera falso. De esta manera, se les probará para ver si están decididos. Ustedes dicen que tienen que ser firmes y estar resueltos. Con esta determinación, si de verdad pueden ser firmes con resolución en ese momento, naturalmente actuarán bien porque su *Xinxing* ya habrá mejorado. Sin embargo, en este momento aún les falta estabilidad. Si les llegan tales tribulaciones inmediatamente, no serán capaces de despertarse a ello en absoluto, ni podrán practicar la cultivación de ninguna forma. Las tribulaciones pueden ocurrir de formas muy variadas.

En el curso de la práctica de cultivación, uno debe cultivarse a sí mismo de esta manera para ascender a niveles más altos. Sin embargo, una vez que algunos de nuestros practicantes se sienten físicamente incómodos, piensan que están enfermos. Tal practicante nunca puede considerarse a sí mismo como practicante, y al encontrarse con tal cosa pensará que está enfermo. ¿Por qué surgen tantas molestias? Les digo que muchas molestias suyas han sido ya eliminadas y sus tribulaciones ya son bastante triviales. Si no hubieran sido eliminadas, probablemente ya habrían muerto, o quizás no habrían podido levantarse de la cama cuando se encontraron con tal molestia. Por eso, cuando se encuentren con una pequeña molestia, se sentirán incómodos. ¿Cómo podría eso ser tan cómodo? Por ejemplo, cuando dicté mis conferencias en Changchun,[7] había un hombre con muy buenas cualidades innatas, que era bastante prometedor. Yo le miraba también con preferencia y aumenté sus tribulaciones para que pudiera pagar rápidamente sus deudas kármicas e iluminarse. Esto era lo que yo intentaba hacer. Sin embargo, un día, de repente pareció sufrir una trombosis cerebral y se desplomó. Se sentía incapaz de moverse y le parecía que no tenía sensación en las cuatro extremidades. Lo llevaron a un hospital para tratarlo de emergencia. Después, volvió a poder andar. Que todos piensen sobre esto. ¿Cómo puede alguien con una trombosis cerebral andar y mover los brazos y las piernas tan rápidamente? En cambio, él acusó a Falun Dafa de hacer que se desviara. No había pensado sobre esto: ¿Cómo pudo haberse curado tan rápidamente de una trombosis cerebral? Si no hubiera practicado Falun Dafa en ese entonces, habría muerto allí al caer al suelo. Quizás hubiera quedado paralizado por el resto de su vida y hubiera padecido realmente de una trombosis cerebral.

Eso justamente quiere decir que la salvación de una persona es

---

[7] Changchun—Capital de la provincia de Jilin.

muy difícil. Se ha hecho mucho por él, pero aún no se ha dado cuenta; en su lugar, dijo algo como eso. Algunos practicantes veteranos han dicho: "Maestro, ¿por qué me siento incómodo por todo el cuerpo? Aunque voy frecuentemente al hospital, no me sirven de nada las inyecciones ni medicinas." ¡Ni siquiera tuvo vergüenza de decirme eso! Por supuesto que no le ayudarán. Esas no son enfermedades, ¿cómo van a poder ayudarte? Puedes ir a que te hagan un examen físico. No hay ningún problema y sólo te sientes incómodo. Uno de nuestros estudiantes fue al hospital y dobló varias agujas hipodérmicas. Al final, el líquido medicinal se salió fuera completamente y la aguja aún no podía penetrar. El llegó a entenderlo: "Ah, soy practicante y no debo ponerme inyecciones." De pronto, recordó que no debía ponerse una inyección. Por lo tanto, cuando se encuentren con una tribulación, tendrán que prestar mucha atención a este asunto. Algunas personas creen que yo simplemente no les permito ir al hospital y piensan: "Si no me permites ir al hospital, voy a ver a un maestro de *Qigong*." Aún lo consideran como una enfermedad y van a ver al maestro de *Qigong*. ¿Dónde podrían encontrar a un maestro de *Qigong* genuino? Si encuentran a uno falso, se arruinarán enseguida.

Hemos dicho: ¿Cómo podrían distinguir a un maestro de *Qigong* genuino de uno falso? Muchos maestros de *Qigong* son autodenominados. Yo he sido verificado y tengo en mano la documentación de las organizaciones de estudios científicos concernientes. Muchos maestros de *Qigong* son falsos y autodenominados. Muchos de ellos estafan y engañan a la gente. Tal maestro de *Qigong* también puede curar enfermedades. ¿Por qué puede hacerlo? Está poseído por un espíritu o animal, ¡sin el cual no podría engañar a la gente! Ese espíritu o animal poseedor también puede emitir *Gong* y también puede curar enfermedades debido a que es una forma existente de energía, lo cual puede restringir muy fácilmente a la gente común. No obstante, he dicho: ¿Qué cosas podrá darles ese espíritu o animal poseedor cuando les trate su enfermedad? A nivel muy microscópico, todo es la imagen de ese espíritu o animal poseedor. ¿Qué harán si les da esas cosas? "Es más fácil invitar a un inmortal que hacer que se vaya."[8] Dejemos de hablar sobre la gente común porque ésta sólo desea vivir como gente común y encontrar un alivio temporal. Sin embargo, ustedes son practicantes. ¿Acaso no desean purificar constantemente el cuerpo? Si eso se les ha pegado al cuerpo, ¿cómo serán capaces de expelerlo? Además, eso tiene cierta cantidad de energía. Algunas personas piensan: ¿Cómo puede el Falun permitir esto? ¿Acaso no tenemos los *Fashen* del maestro para protegernos? En este universo nuestro, hay un principio: Nadie intervendrá si ustedes mismos buscan algo. Mientras que eso sea lo que ustedes mismos desean, nadie intervendrá. Mi *Fashen* podrá detenerlos y darles alguna insinuación. Sin embargo, viendo que actúan siempre del mismo modo, mi *Fashen* ya no los cuidará. ¿Cómo se puede forzar a uno a practicar la cultivación? No se les puede forzar ni obligar a que practiquen la cultivación. Depende de ustedes mismos hacer progreso verdadero. Nadie puede hacer nada al respecto si ustedes mismos no desean progresar. Les he expuesto ya la verdad y la Ley. ¿A quién podrían culpar si todavía no quieren progresar? Es seguro que ni el Falun ni mi *Fashen* intervendrán en lo que ustedes mismos desean. Algunos se sintieron muy incómodos después de asistir a conferencias de otros maestros de *Qigong*. Esto es de esperarse. ¿Por qué no los protegió mi *Fashen*? ¿Para qué fueron allí? Fueron a asistir a sus clases. ¿No significa eso que fueron en busca de algo? Si no escucharon con los oídos, ¿cómo podría haberles entrado eso en el cuerpo? Algunos han deformado sus Falun. Les digo que ese Falun es más valioso que su vida. El Falun es una vida de alto nivel que no debe arruinarse a la ligera. Actualmente, hay muchos maestros falsos de *Qigong* y algunos son bastante bien conocidos. Les he dicho a los dirigentes de la Sociedad de Investigación de la Ciencia-*Qigong* de China que en la antigua China, una vez Da Ji[9]

---

[8] "Es mas fácil invitar a un inmortal que hacer que se vaya."—Una expresión china usada comúnmente para describir una situación en la que es fácil caer, pero de la que es difícil salir."

[9] Da Ji—Una concubina malvada del último emperador de la Dinastía Shang (771 a.C.-16 a.C.). Se cree que estaba poseída por el espíritu de un zorro y que causó la caída de la Dinastía Shang.

ocasionó desastres y desorden en la Corte Real. Esa zorra actuaba ferozmente, pero sus maldades no eran tan graves como las de los falsos maestros de *Qigong* de hoy, quienes simplemente han acarreado desastres y desorden a todo el país. ¡Cuánta gente ha sido víctima de esto! Pueden ver que en apariencia, esa gente parece ser bastante buena. ¿Cuántas personas llevan esas cosas en el cuerpo? Si ellos la emiten, ustedes la tendrán en el cuerpo—ellos simplemente están muy desenfrenados. Por eso, es muy difícil para una persona común distinguir lo verdadero por las apariencias.

Algunos pueden pensar: "Después de oír lo que ha dicho hoy el Maestro Li Hongzhi en la conferencia de *Qigong*, ¡me he dado cuenta de lo grande y profundo que es el *Qigong*! Cuando haya otras conferencias la próxima vez, asistiré también a ellas." Les advierto que no vayan allí de ningún modo porque si las escuchan, les entrarán cosas malas en los oídos. Es muy difícil salvar a una persona y cambiarle el pensamiento. Purificar el cuerpo de una persona también es muy difícil. Hay demasiados falsos maestros de *Qigong*. Incluso en cuanto a un maestro de *Qigong* verdadero de una práctica ortodoxa, ¿está realmente limpio? Algunos animales son muy feroces. Aunque aquellas cosas no puedan adherírsele al cuerpo, él tampoco es capaz de expelerlas. Esta persona, y particularmente sus estudiantes, no tienen la habilidad de afrontar tales cosas en gran escala. Cuando él emite *Gong*, hay una gran cantidad de cosas malas mezcladas con él. Aunque él mismo sea bastante decente, sus alumnos no son virtuosos y están poseídos por diferentes espíritus y animales—toda clase de ellos.

Si genuinamente desean practicar la cultivación en Falun Dafa, no vayan a asistir a otras conferencias de *Qigong*. Por supuesto, si no desean cultivarse en Falun Dafa y quieren intentar practicar de todo, simplemente háganlo. Yo no lo impediré y tampoco serán discípulos de Falun Dafa. Si algo les va mal, no acusen a la práctica de Falun Dafa de ello. Sólo actuando según la norma de *Xinxing* y cultivándose de acuerdo con la Gran Ley, podrán convertirse en cultivadores genuinos de Falun Dafa. Algunos han preguntado: ¿Podemos asociarnos con los practicantes de otras prácticas de *Qigong*? Déjenme decirles que ellos sólo practican el *Qigong* mientras que ustedes practican la cultivación en la Gran Ley. Después de asistir a estas conferencias, habrá una enorme diferencia de niveles entre ustedes y ellos. Este Falun ha sido formado por medio de la cultivación de muchas generaciones y tiene fuerzas poderosas. Por supuesto, si quieren tener contacto con ellos, deben asegurarse de no aceptar nada de ellos ni pedirles nada y considerarlos sólo amigos corrientes, y esto no les creará problemas graves. Sin embargo, si esa persona lleva realmente algo malo en el cuerpo, les hará mucho daño. Les sería mejor no tener contacto con aquella persona. Hablando sobre un matrimonio que practica diferentes *Qigong*, tampoco creo que eso les cause grandes problemas. Sin embargo, hay que señalar un punto: Ya que practican la cultivación de la Ley ortodoxa, aunque la practiquen solamente ustedes, otros obtendrán beneficios también. Si tu esposa o esposo practica algo perverso, podría tenerlo en el cuerpo. Se purificará a él o ella con el fin de garantizarles la seguridad a ustedes. Se les purificará todo aquello en otras dimensiones, inclusive el ambiente de su casa. ¿Cómo podrían practicar el *Gong* si su ambiente no está purificado y tienen toda clase de cosas que interfirieren con ustedes?

Sin embargo, hay un caso en el cual mi *Fashen* no ayudará a hacer la purificación. Tengo un alumno que un día vio a mi *Fashen* venir a su casa. Se alegró mucho: "El *Fashen* de mi Maestro ha venido. Maestro, por favor entre en mi casa." Mi *Fashen* dijo: "Tu casa está demasiado desordenada y hay demasiadas cosas." Después, mi *Fashen* se fue. Usualmente, cuando hay demasiados espíritus perversos en otras dimensiones, mi *Fashen* se los limpiará. Sin embargo, su casa estaba llena de diversos libros de *Qigong* malo. Luego lo llegó a entender y limpió su casa, quemando los libros o vendiéndolos. Más tarde, mi *Fashen* volvió. Esto es lo que me contó ese alumno.

También hay algunas personas que consultan adivinos. Alguna me ha preguntado: "Maestro, ahora soy practicante de Falun Dafa y también estoy muy interesado en Zhouyi o en cosas como adivinar la suerte. ¿Puedo aún usarlas?" Déjenme decírselo de esta forma: Si llevan cierta cantidad de energía, cualquier cosa que digan tendrá un efecto. Si algo no es de esa manera, pero le han dicho a alguien que sí es de esa manera, probablemente cometerán un hecho malo. Una persona común es muy débil. Los mensajes que lleva son inestables y pueden cambiar muy fácilmente. Si abren la boca y le dicen algo, esa tribulación puede volverse realidad. Si esa persona tiene muchas deudas kármicas que tiene que pagar y siempre le dicen que tendrá buena suerte, ¿sería permitido que no pagase sus deudas kármicas? ¿No le están haciendo daño a esta persona? Algunas personas simplemente no pueden dejar estas cosas, y están tan apegadas a ellas como si tuvieran cierto talento. ¿Acaso no es un apego? De todas formas, aunque sepan realmente la verdad, como practicantes, deben controlar bien su *Xinxing* y no deben revelar libremente un secreto del cielo a una persona común. Este es el principio. No importa cómo usen Zhouyi para predecir, algunas de esas cosas ya no son verdad. Predecir de una manera u otra, con parte siendo verdad y parte falso, esta clase de adivinación se permite que exista en la sociedad humana común. Ya que ustedes son practicantes verdaderos, con energía de cultivación genuina, yo diría que deben actuar de acuerdo con un criterio superior. Sin embargo, algunos practicantes tratan de encontrar alguien que les adivine la suerte y dicen: "¿Podría Ud. adivinarme la fortuna para ver qué tal voy? ¿Cómo marcha mi práctica de cultivación?" o "¿Me voy a encontrar con alguna tribulación?" Tales personas consultan a un adivino para que les prediga estas cosas. ¿Cómo podrán progresar si les predicen esa tribulación? Toda la vida de un practicante ha sido planeada de nuevo. La lectura de la palma, de la faz, los ocho caracteres cíclicos de su nacimiento así como los mensajes en el cuerpo han sido cambiados, y ya no son iguales a los de antes. Si consultan a un adivino, creerán en él. De otro modo, ¿para qué lo consultarían? Lo que podrá decirles son cosas superficiales sobre su pasado. Sin embargo, la esencia ya ha cambiado. Entonces, piensen todos sobre esto. Si van a consultar a un adivino, ¿no están escuchándolo y creyendo en él? Entonces, ¿no les ha causado esto una carga psicológica? ¿Acaso no es un apego si piensan demasiado en ello? ¿Cómo se puede abandonar este apego? ¿No se han añadido otra tribulación a sí mismos? ¿No tienen que sufrir más para descartar este apego? Cada prueba y cada tribulación está relacionada con el asunto de ascender o descender en la cultivación. La cultivación ya es difícil, pero si todavía se añaden esta tribulación a sí mismos, ¿cómo podrían superarla? A causa de esto, probablemente encontrarán tribulaciones y dificultades. No se permite que otros vean el cambio en el sendero de su vida. Si este sendero lo ven otros o si les dicen en qué etapa sufrirán tribulaciones, ¿cómo podrían practicar la cultivación? Por lo tanto, no está permitido verlo en absoluto. A ninguno de los practicantes de otras vías de cultivación se les permite verlo. Incluso a los discípulos de la misma vía de cultivación, no se les permite verlo. Nadie será capaz de adivinarlo correctamente, porque esa vida ha sido planeada de nuevo y es una vida para la práctica de cultivación.

Algunos me han preguntado si pueden leer libros de otras religiones y otros libros de *Qigong*. Hemos dicho que los libros religiosos, particularmente los del Budismo, tienen todos el objetivo de enseñar a la gente a cómo cultivar su *Xinxing*. Pertenecemos también a la Escuela Buda y decimos que eso no debería causar problemas. Sin embargo, hay un punto que mencionar: En muchas partes de los Sutras ha habido errores en el proceso de traducción. Además, muchos Sutras se han interpretado a diferentes niveles y las definiciones se han hecho a la ligera. En realidad, esto ha degradado el Dharma. Esas personas que han interpretado los Sutras a la ligera estaban demasiado lejos del reino de consciencia de un Buda y no entendían de ningún modo el sentido real de los Sutras. Por eso, también tenían diferente entendimiento de estos temas. A ustedes no les sería fácil entender los Sutras completamente y les sería imposible despertarse a la comprensión de su significado por su propia cuenta. Pero si dicen: "Simplemente estoy interesado en estudiar los Sutras," y siempre estudian los Sutras, eso quiere decir que estarán cultivándose en esa escuela de práctica, porque los Sutras también tienen integrado el *Gong* y la Ley de esa escuela de práctica. Una vez que los estudien, aprenderán cosas que pertenecen a esa escuela. Existe este asunto. Si los estudian profundamente y se cultivan de acuerdo con ellos, podrían estar siguiendo esa escuela en vez de la nuestra. A lo largo de la historia, en la práctica de cultivación, se requiere de uno que no siga dos escuelas de práctica a la misma vez. Si desean realmente practicar esta escuela de cultivación, deben leer sólo los libros de esta escuela de práctica.

En cuanto a los libros de *Qigong*, no deben leerlos si quieren practicar la cultivación. Sobre todo, no lean los libros de *Qigong* recién publicados. En lo concerniente a libros tales como <u>Huangdi Neijing</u>,[10] <u>Xingming Guizhi</u>,[11] o <u>Tao Tsang</u>, aunque no lleven cosas malas, contienen mensajes de diferentes dimensiones. Estos mismos también son métodos de cultivación. Una vez que los lean, les añadirán algunas cosas y podrán interferir en su cultivación. Si encuentran que una de sus frases es buena, bien, estarán invitando algo y se les añadirá al *Gong*. Aunque no sea algo malo, ¿cómo podrían practicar la cultivación cuando otra cosa se le añada a su *Gong*? ¿Acaso no les causaría problemas también? Si a un televisor le añaden un componente electrónico ajeno, ¿qué creen que le ocurrirá a este televisor? Se estropeará instantáneamente. Esto expone justamente este principio. Además, hoy en día muchos libros de *Qigong* son falsos y llevan muchas clases de mensajes. En una ocasión, un alumno nuestro abrió un libro de *Qigong* y enseguida, una serpiente grande saltó del libro. Por supuesto, no quiero hablar en detalle sobre esto. Lo que acabo de decir es que nuestros practicantes pueden traerse a sí mismos algunos problemas porque no pueden comportarse correctamente; eso quiere decir que esos problemas los causa su pensamiento incorrecto. Señalamos esto para beneficiarlos a todos y para hacerles saber a todos qué hacer y cómo distinguir los problemas a fin de evitar que ocurran en el futuro. Aunque no he enfatizado lo que acabo de decir, todos deben prestarle mucha atención, porque los problemas frecuentemente surgen precisamente

---

[10] <u>Huangdi Neijing</u>—Canon de la Medicina Interna del Emperador Amarillo.
[11] <u>Xingming Guizhi</u>—Guía Genuina para la Cultivación de la Naturaleza y la Vida.

aquí y alrededor de este asunto. La práctica de cultivación es sumamente ardua y muy seria. Si actúan descuidadamente por un momento, podrán caer y acabarán arruinados de una sola vez. Por lo tanto, la mente debe ser necesariamente recta.

El *Qigong* de las Artes Marciales

Además de las prácticas de cultivación internas, existe el *Qigong* de las artes marciales. Mientras estoy hablando sobre el *Qigong* de las artes marciales, debo enfatizar también un asunto. En la actualidad, dentro de la comunidad de cultivadores, se afirma que hay muchas formas de *Qigong*.

Hoy en día, han aparecido los llamados *Qigong* de bellas artes, *Qigong* de música, *Qigong* de caligrafía, *Qigong* de danza y de otras variedades. ¿Son *Qigong* todos éstos? Me siento perplejo acerca de esto. Yo diría que esto está degradando el *Qigong*. No sólo está degradando, el *Qigong* sino también simplemente arruinando el *Qigong*. ¿Cuáles son sus bases teóricas? Se dice que mientras uno dibuja, canta, baila o escribe, debe estar en un estado de trance o en el llamado estado de *Qigong*. ¿Eso lo hace ser *Qigong*? No se puede entender de esa manera. Quiero decir: ¿Acaso esto no está arruinando el *Qigong*? El *Qigong* es un amplio y profundo conocimiento de la cultivación del cuerpo humano. Oh, ¿cómo se podría llamar *Qigong* al estar en un estado de trance? Entonces, ¿cómo se llamaría si uno va al baño en estado de trance? ¿No está esto arruinando el *Qigong*? Yo diría que está menoscabando el *Qigong*. Hace dos años, en la Exposición de Salud del Lejano Oriente, había allí el llamado *Qigong* de caligrafía. ¿Qué es el *Qigong* de caligrafía? Fui allí a echar una mirada y vi a una persona escribiendo. Al escribir, esa persona emitía su *Qi* a cada carácter con las manos y el *Qi* emitido era completamente negro. Su mente estaba ocupada totalmente con el dinero y la fama. ¿Cómo podría tener *Gong* esa persona? Su *Qi* no podría ser bueno tampoco. Sus escritos colgaban allí y se vendían a un precio muy alto, pero todos los compradores eran extranjeros. Yo diría que quienquiera que las compraba tendría mala suerte. ¿Cómo podría ser bueno el *Qi* negro? Hasta la cara de esa persona era negra. Estaba obsesionado por el dinero y sólo pensaba en el dinero. ¿Cómo podría tener *Gong*? No obstante, la tarjeta comercial de esa persona llevaba un gran número de títulos, como la Caligrafía Internacional de *Qigong*. Quisiera preguntar: ¿Cómo podría tal cosa llamarse *Qigong*?

Que piensen todos sobre esto. Después de esta clase, de un 80% a un 90% de la gente en esta clase no sólo estarán libres de enfermedades, sino que también desarrollarán *Gong*, el *Gong* genuino. Lo que su cuerpo lleva ya es bastante sobrenatural. Si practican la cultivación por su cuenta, no podrían desarrollar esto durante toda la vida. Aunque los jóvenes empezaran la cultivación en este momento, en toda esta vida no serían capaces de desarrollar todas estas cosas que les he dado y aún necesitarían la guía de un maestro genuinamente bueno. Nos ha llevado muchas generaciones de dedicación formar este Falun y estos mecanismos. Estas cosas se les implantan en el cuerpo todas de una sola vez. Por eso, les digo que no deben perderlas fácilmente simplemente porque las hayan obtenido con facilidad. Son sumamente valiosas y de valor inestimable. Después de esta clase, lo que llevarán consigo será el *Gong* genuino, la materia de alta energía. Cuando lleguen a casa y escriban unas palabras, sin importar que la escritura sea buena o mala, ¡llevará *Gong*! Como resultado, ¿después de esta clase, debería cada uno tener derecho al título de "maestro," y convertirse todos en maestros de *Qigong* de caligrafía? No creo que pueda entenderse de esa manera. Como persona que posee *Gong* y energía genuina, no deben emitirla intencionalmente; dejarán energía sobre cualquier cosa que toquen, y todo ello resplandecerá brillantemente.

Una vez encontré en una revista unas noticias que informaban que se iba a establecer una clase de *Qigong* de caligrafía. Leí unas páginas para ver cómo se iba a enseñar. En el texto estaba escrito que uno primero debe ajustar la respiración, tanto la inhalación como la exhalación. Después, uno debe sentarse en meditación de 15 a 30 minutos, enfocando la mente en el *Qi* del *Dantian* e imaginar que el *Qi* se eleva del *Dantian* al antebrazo. Enseguida uno debe coger el pincel y mojarlo en tinta negra. Después de eso, uno debe trasladar el *Qi* a la punta del pincel. Cuando la intención mental de uno llega allí, puede comenzar a escribir. ¿Acaso esto no está engañando a la gente? Oh, si uno pudiera elevar el *Qi* a cierto lugar, ¿sería eso considerado *Qigong*? En ese caso, antes de comer, nos deberíamos sentar en meditación por un rato. Luego, tomaríamos los palillos y trasladaríamos el *Qi* a las puntas de los palillos para comer. ¿No sería llamado eso el *Qigong* de comer? Todo lo que comeríamos sería también energía. Sólo estamos comentando sobre este asunto. Yo le llamo a eso arruinar el *Qigong*, ya que toman el *Qigong* como algo muy superficial. Por lo tanto, la gente no debería entender el *Qigong* de esta manera.

Sin embargo, el *Qigong* de la artes marciales puede considerarse una práctica de *Qigong* independiente. ¿Por qué? Es porque ha pasado un proceso de herencia por varios miles de años con un sistema completo de teorías sobre la cultivación y un sistema completo de métodos de cultivación. Por eso, puede considerase un sistema íntegro. No obstante, el *Qigong* de la artes marciales todavía es algo que pertenece al nivel más bajo de las vías de cultivación internas. El *Qigong* Duro es una forma de masa de energía material, cuyo único objetivo es atacar. Déjenme citarles un ejemplo. Después de asistir a nuestras conferencias de Falun Dafa, un practicante en Pekín no podía apretar ninguna cosa con las manos. Una vez fue a una tienda para comprar un carrito de niños y se sorprendió al encontrar que el carrito se rompió con un sonido "¡Zas!" cuando quiso comprobar su solidez con las manos. Cuando llegó a casa y se sentó en una silla, no podía apretarla con las manos. De hacerlo, la silla se haría pedazos. El me preguntó qué había pasado. Yo no le dije el por qué, debido a que no quería que desarrollara un apego. Sólo le dije: "Todo eso es un fenómeno natural, déjalo pasar naturalmente y no te preocupes por ello porque todo eso es bueno." Si esa capacidad sobrenatural se usa correctamente, un pequeño apretón de las manos podría destrozar una piedra, haciéndola polvo. ¿No es esto el *Qigong* Duro? No obstante, él nunca había practicado el *Qigong* Duro. Generalmente, todas estas capacidades sobrenaturales pueden desarrollarse en las vías de cultivación internas. Debido a que es difícil manejar bien el *Xinxing* de uno, generalmente no les será permitido usar las capacidades sobrenaturales aunque hayan sido desarrolladas. En particular, a un nivel bajo de cultivación, el *Xinxing* de uno no ha mejorado. Por eso, las capacidades sobrenaturales desarrolladas en el nivel bajo no les serán otorgadas de ningún modo. Cuando pase el tiempo y su nivel de cultivación se haya elevado, estas cosas ya no serán útiles y no será necesario que se proporcionen.

Específicamente, ¿cómo se practica el *Qigong* de las artes marciales? Al practicar el *Qigong* de las artes marciales, se necesita conducir el *Qi*. Sin embargo, esto no es fácil de hacer al comienzo. Aunque uno quiera conducir el *Qi*, quizás no pueda hacerlo. Entonces, ¿qué deberá uno hacer? Deberá ejercitar las manos, los dos lados del pecho, los pies, las piernas, los brazos y la cabeza. ¿Cómo debe uno ejercitar el *Qi*? Algunas personas golpean árboles con las manos o palmas. Algunos golpean sonoramente una roca con las manos. ¡Qué tan doloroso debe de ser para los huesos hacer tal contacto, ya que las manos sangrarán al hacer un poquito de fuerza! No obstante, aún no pueden conducir el *Qi*. ¿Qué harán? Comenzarán a hacer girar los brazos hasta que la sangre fluya en dirección opuesta hacia las manos, y los brazos y manos entonces se hincharán. Efectivamente, estarán hinchados. Después de eso, cuando golpeen la roca, los huesos estarán acolchonados. Debido a que los huesos no chocarán directamente contra la roca, no sentirán tanto dolor. Mientras tal practicante continúe su práctica, su maestro lo enseñará. Gradualmente sabrá conducir el *Qi*. No obstante, la habilidad de conducir el *Qi* no es suficiente en sí, ya que en un combate real, el adversario no los esperará. Por supuesto, cuando uno pueda conducir el *Qi*, será capaz de resistir golpes y probablemente no sentirá dolor cuando le peguen con un palo muy grueso. Después de que uno conduzca el *Qi* a cierta parte del cuerpo, ésta se hinchará. Sin embargo, al principio, el *Qi* es la substancia más primitiva. Mientras uno continúa practicando incesantemente, este *Qi* se transformará en materia de alta energía. Cuando se complete esta transformación, se formará gradualmente una masa de energía de alta densidad. Esta clase de masa de energía ya tiene inteligencia. Por lo tanto, también es una masa de capacidad sobrenatural, es decir, una capacidad sobrenatural. No obstante, esta capacidad sobrenatural se usa sólo para golpear y para resistir golpes. Si se usa para tratar enfermedades, no servirá de nada. Debido a que esta materia de alta energía existe en otra dimensión y no viaja dentro de nuestra dimensión, su tiempo se mueve más rápidamente allá que aquí en nuestra dimensión. Cuando le dan un puñetazo a otra persona, no necesitan conducir el *Qi* ni pensar en él, y ese *Gong* ya habrá llegado allí. Cuando tratan de parar el golpe de alguien, el *Gong* también ya habrá llegado allí. No importa qué tan rápidamente den un golpe, la energía se moverá más rápidamente que ustedes, porque los conceptos de tiempo son diferentes en las dos dimensiones. Por medio de la práctica de *Qigong* de las artes marciales, uno puede desarrollar ciertas cosas como la Palma de Arena de Hierro, Palma de Cinabrio, Pierna de Vajra y Pie de Arhat.[12] Estas son habilidades de la gente común. Por medio de ejercicios, una persona común podrá alcanzar este nivel.

La mayor diferencia entre el *Qigong* de las artes marciales y las prácticas de cultivación internas consiste en que el *Qigong* de las artes marciales requiere la práctica en movimiento. Por eso, el *Qi* corre debajo de la piel. Ya que este *Qigong* requiere la práctica en movimiento, uno no puede alcanzar el estado de tranquilidad y su *Qi* tampoco puede entrar en el *Dantian*. El *Qi* de uno se mueve debajo de la piel y entre los músculos. Por lo tanto, uno no puede cultivar el cuerpo ni las habilidades de alto nivel. Nuestra práctica de cultivación interna requiere la práctica en un estado de tranquilidad. Las vías convencionales requieren que el *Qi* entre en el *Dantian*, en el abdomen inferior. Requieren la práctica en un estado de tranquilidad y la transformación del *Benti*. Pueden cultivar el cuerpo y alcanzar un

---

[12] Palma de Arena de Hierro, Palma de Cinabrio, Pierna de Vajra, Pie de Arhat—Clases de artes marciales chinas.

nivel más alto de cultivación.

Es probable que hayan oído hablar en las novelas de artes marciales que describen tales técnicas como el Escudo de Campana de Oro, la Camisa de Tela de Hierro y el Atravesar de un Flechazo una Hoja de Alamo a una Distancia de Cien Pasos. El arte marcial ligero permite que uno vaya y venga por lo alto de lugar a lugar. Algunos hasta pueden entrar a escondidas en otra dimensión. ¿Existen tales artes marciales? Sí, por supuesto. Sin embargo, estas artes marciales no existen entre la gente común. Los que han cultivado realmente con éxito estas excelentes artes marciales no pueden mostrarlas en público. Debido a que tal practicante no practica sólo las artes marciales y ha sobrepasado completamente el nivel de la gente común, debe cultivarse siguiendo una vía de cultivación interna. Esta persona debe valorar y elevar su *Xinxing*, y hacer poco caso de cosas tales como los intereses materiales. Aunque haya sido capaz de cultivar con éxito esas artes marciales, de ahora en adelante no podrá usarlas a la ligera entre la gente común. No obstante, será factible que las aplique cuando no haya nadie cerca que lo vea. Al leer aquellas novelas, verán que los personajes luchan y matan por cosas como un manual secreto de una espada, un tesoro o una mujer. Todos aparentan tener grandes habilidades, apareciendo y desapareciendo misteriosamente. Las novelas dicen que esos personajes hacen esto. Pensemos todos sobre esto: Aquellas personas que realmente tienen tales habilidades en las artes marciales, ¿no las han obtenido por medio de la cultivación interna? Han adquirido esas habilidades (*Gongfu*) sólo a través de la cultivación de su *Xinxing*, y hace mucho tiempo tienen que haber pérdido el interés en la fama y la fortuna, así como en varios deseos. ¿Cómo podrían matar a otros? ¿Cómo les podría importar tanto el dinero y la riqueza? Eso es absolutamente imposible. Esas son solamente exageraciones artísticas. La gente busca sólo la estimulación mental y hará cualquier cosa para saciar esa sed. Los autores se han aprovechado de esta particularidad y se esfuerzan por escribir cualquier cosa que pueda satisfacer sus deseos o que encuentren agradable. Cuanto más inconcebibles sean los libros, tanto más les gustará leerlos; pero son sólo exageraciones artísticas.

Aquéllos que realmente tienen estas habilidades en la artes marciales no actuarían de esta manera. En particular, no las mostrarían en público.

El Deseo de Ostentación

Debido a que se cultivan a sí mismos entre la gente común, muchos de nuestros practicantes no pueden descartar muchos apegos. Muchos apegos se han hecho naturales y ellos mismos no pueden percibirlos. Esta mentalidad de ostentación puede manifestarse en cualquier situación; puede surgir incluso al hacer cosas buenas. Con el fin de obtener fama y riqueza así como un pequeño beneficio, algunas personas frecuentemente presumen de sí mismos y se jactan: "Soy muy capaz y soy un ganador." También tenemos tales casos en que a los practicantes que han practicado un poco mejor que otros y tienen una visión más clara con el Tercer Ojo o hacen mejor los movimientos del ejercicio, les gusta también presumir.

Alguno podrá afirmar: "He oído algo del Maestro Li." La gente lo rodeará para escuchar lo que tiene que decir. Esta persona transmitirá el rumor añadiendo sus propias interpretaciones y con exageraciones. ¿Cuál es el propósito? Es el de presumir de sí mismo. Hay algunas personas que pasan los rumores de uno a otro con un gran placer, como si supieran más que otros, y como si muchos de nuestros alumnos no entendieran tanto ni supieran tanto como ellos. Esta manera de actuar se ha vuelto natural para ellos y tal vez lo hacen inconscientemente. Subconscientemente, simplemente tienen esta mentalidad de ostentación. De otro modo, ¿para qué transmiten esos rumores? Algunas personas chismean sobre cuándo volverá el Maestro a las montañas. Yo no he venido de las montañas, ¿por qué debía volver a las montañas? Aún otros difunden rumores diciendo que el Maestro ha dicho algo a alguien en cierto día y que he tratado a esa persona de forma especial. ¿De qué sirve difundir esos rumores? No harán ningún bien. Sin embargo, hemos visto que esto es su apego, una mentalidad de ostentación.

Hay también algunas personas que vienen a pedir mi autógrafo. ¿Qué propósito tienen? Es costumbre de la gente común guardar el autógrafo de uno como regalo. Si no practican la cultivación, mi autógrafo no les servirá de nada. Cada palabra de mis libros contiene mi imagen y Falun, y cada frase la he dicho yo. ¿Para qué necesitan mi autógrafo? Algunas personas presumen: "Con el autógrafo, el mensaje del Maestro me protegerá." Todavía creen en cosas tales como mensajes. Ni siquiera damos mensajes. Este libro ya no puede valorarse con un precio. ¿Qué más están buscando? Todas estas cosas son reflejos de esos apegos. Además, después de ver el comportamiento y la conducta de los estudiantes que están a mi lado, algunas personas tratan de imitarlos sin saber si son buenos o malos. En realidad, sin importar qué persona sea, existe sólo una Ley. Sólo actuando de acuerdo con esta Gran Ley, puede uno satisfacer la norma genuina. Todas las personas que trabajan a mi lado no han recibido ningún trato especial y son iguales que todos los demás; sólo son el personal de la Sociedad de Investigación. No desarrollen estos apegos. Usualmente, una vez que formen tal apego, desempeñarán sin intención el papel de dañar la Gran Ley. Los rumores sensacionales que hayan inventado podrán incluso crear conflictos o incitar el apego de los alumnos por apresurarse a llegar cerca del Maestro para poder oír algunas cosas más, etc. ¿No pertenece todo esto al mismo asunto?

¿A qué otra cosa puede conducir esta mentalidad de ostentación? He estado enseñando la práctica por dos años. Algunos entre los alumnos veteranos de Falun Dafa pronto se harán *KaiGong*; otro número de ellos entrará en el estado de iluminación gradual y lo alcanzarán de manera repentina. ¿Por qué no revelaron estas capacidades sobrenaturales en aquel entonces? Aunque los empujé a un nivel tan alto de una sola vez, hacer eso no sería permitido porque sus apegos de la gente común no habían sido completamente desechados. Por supuesto, su *Xinxing* ya se ha elevado mucho. Sin embargo, tienen aún muchos apegos que no han sido abandonados. Por lo tanto, no se les permitirá revelar estas capacidades sobrenaturales. Después de pasar esta fase y cuando estén firmes, se les hará llegar de una sola vez al estado de iluminación gradual. En este estado de iluminación gradual el Tercer Ojo se les abrirá a un plano muy alto y desarrollarán muchas capacidades sobrenaturales. De hecho, quiero decirles a todos que una vez que uno empiece a cultivarse genuinamente, desarrollará muchas capacidades sobrenaturales. Debido a que ya han alcanzado un nivel muy alto, tienen muchas capacidades sobrenaturales. Dentro de poco, muchos de nuestros practicantes se encontrarán en tal situación. Hay también algunas personas que no pueden alcanzar un alto nivel de cultivación. Lo que llevan consigo físicamente, inclusive su resistencia, está predestinado. Consecuentemente, algunos se harán *KaiGong* y se harán iluminados, completamente iluminados, en un nivel muy bajo. Habrá tales personas.

Estoy señalando este asunto a todos para que sepan que una que vez aparezca tal persona, no la consideren en absoluto como un ser iluminado extraordinario. Esto es un asunto muy serio en la práctica de cultivación. Sólo actuando de acuerdo con la Gran Ley, podrán hacer las cosas correctamente. No deben seguirla ni escucharla porque tenga capacidades sobrenaturales o poderes divinos o porque haya visto algunas cosas. Así le harán daño, porque desarrollará su apego al deleite y finalmente perderá todo y todo se le cerrará. Al final, caerá al fondo. Alguien que se haya hecho *KaiGong* también podrá tropezar y caer. Si uno no puede conducirse bien, puede caer, aún después de ser iluminado. Incluso un Buda puede caer si no maneja las cosas apropiadamente. ¡Ni mencionar practicantes como ustedes entre la gente común! Por lo tanto, no importa cuántas capacidades sobrenaturales tengan, qué tan potentes sean o qué tan poderosos sean sus poderes divinos, deben comportarse bien. Recientemente, había una persona sentada aquí que en un momento podía desaparecer y un rato después, aparecer de nuevo. Esto es justamente así. Se desarrollarán poderes divinos aún mayores. ¿Cómo se comportarán en el futuro? Como alumnos y discípulos nuestros, aunque sean ustedes mismos o algún otro que desarrolle estas cosas en el futuro, no deberán venerarlas ni buscarlas. Una vez que su mente se desvíe, se arruinarán inmediatamente y tropezarán. Quizás se encuentren en un nivel aún más alto que ellos, sólo que sus poderes divinos todavía no han emergido. Por lo menos, habrán tropezado en este asunto particular. Por lo tanto, todos deben prestar mucha atención a esta cuestión. Hemos puesto mucha importancia en este asunto porque esta cuestión aparecerá muy pronto. Una vez que esto ocurra, es inaceptable si no pueden conducirse bien.

Un cultivador que haya desarrollado su *Gong* y se haya hecho *KaiGong* y verdaderamente iluminado, no debe considerarse a sí mismo alguien especial. Lo que haya visto está limitado a su propio nivel. Su cultivación ha alcanzado este nivel, lo cual simplemente significa que su cualidad de entendimiento, el nivel de su *Xinxing* y su sabiduría sólo han llegado a este estado. Por lo tanto, probablemente no creerá lo que está en las dimensiones más altas. Precisamente debido a que no lo cree, podrá pensar que lo que ha visto es absoluto y creer que sólo hay estas cosas. Esto está aún muy lejos, porque su nivel se encuentra sólo allí.

Algunas personas se harán *KaiGong* en este nivel porque no pueden subir más en la práctica de cultivación. Como resultado, se harán *KaiGong* e iluminados sólo a este nivel. Entre aquellos de ustedes que completen la cultivación en el futuro, algunos se harán iluminados en las pequeñas sendas mundanas, algunos se volverán iluminados en diferentes niveles y algunos se iluminarán cuando hayan completado el Fruto Verdadero. Sólo aquéllos que se hagan iluminados con el Fruto Verdadero alcanzarán los niveles más altos y podrán ver cosas y manifestarse en diferentes niveles. Aun aquellos que se hayan hecho iluminados en las pequeñas sendas mundanas en los niveles más bajos, podrán ver algunas dimensiones y algunos seres iluminados y también serán capaces de comunicarse con ellos. Para ese entonces, no deberán sentirse satisfechos de sí mismos porque no podrán completar el Fruto Verdadero por medio de abrir el *Gong* en las pequeñas sendas mundanas del nivel bajo. Esto es seguro. Entonces, ¿qué se puede hacer? Uno sólo podrá quedarse en este nivel. El practicar la cultivación hacia una dimensión más alta será un asunto futuro. Ya que la cultivación de uno sólo puede llegar hasta cierto punto, ¿qué debería hacer uno si no puede hacerse *KaiGong*? A pesar de que sigan cultivándose de esta manera, no podrán hacer ningún progreso, así que se harán *KaiGong* porque habrán alcanzado el final de su cultivación. Aparecerán muchas personas como éstas. No importa qué situación aparezca, deben mantener un buen *Xinxing*. Sólo actuando de acuerdo con la Gran Ley, puede uno ser correcto de verdad. Ya sean sus capacidades sobrenaturales o su *KaiGong*, todo lo han obtenido por medio de la cultivación en la Gran Ley. Si ponen la Gran Ley en un lugar secundario y ponen sus poderes divinos en un lugar primario, o como persona iluminada creen que lo que entienden de ésta o esa manera es lo correcto, o si hasta se consideran incomparables y mejores que la Gran Ley, yo diría que ya han empezado a caer. Esto sería peligroso y se volverán cada vez peores. Para ese entonces, realmente encontrarán dificultades y su cultivación acabará en vano. Si no pueden hacer las cosas bien, tropezarán y fracasarán en la cultivación.

Déjenme decirles también que el contenido de este libro es la combinación de la Ley que he enseñado en varias sesiones de conferencias. Todo esto lo he enseñado yo, incluso cada frase. Cada palabra ha sido captada de la cinta de grabación y copiada palabra por palabra. Mis discípulos y alumnos me ayudaron a transcribirlo de las cintas de grabación. Después, lo he revisado una y otra vez. Todo esto es mi Ley. Lo que he expuesto es sólo esta Ley.

Lectura Séptima

Sobre el Tema de Matar

El tema de matar es un problema muy sensible. Para los practicantes, hemos establecido el estricto requisito que no deben matar. Está absolutamente prohibido matar en todas las prácticas de cultivación ortodoxas, ya sea que pertenezcan a la Escuela Buda, a la Escuela Tao, a la Escuela Qimen, o a cualquier otra escuela. Esto es definitivo. Debido a que las consecuencias de matar son tan graves, debemos hablarles detalladamente a todos sobre este tema. Matar, en el Budismo original, se refería principalmente a matar seres humanos y esto se consideraba como el acto más grave. Más tarde, matar animales domésticos, animales grandes o relativamente grandes se consideraba también como un asunto muy grave. ¿Por qué siempre se ha considerado tan grave el asunto de matar en la comunidad de cultivadores? En el pasado, en el Budismo se afirmaba que las vidas que se quitaban que no debían morir se convertirían en almas solitarias y fantasmas desamparados. Anteriormente, se practicaban ritos para liberar a las almas de su miseria. Sin tales ritos, estas vidas sufrirían de hambre y sed, viviendo en circunstancias muy amargas. Esto es lo que el Budismo decía en el pasado.

Nosotros creemos que cuando uno le hace algo malo a otra persona, uno tendrá que pagarle una cantidad considerable de virtud como compensación. Aquí, nos referimos usualmente al caso de haber tomado cosas que les pertenecen a otras personas. Sin embargo, si uno pone fin de repente a una vida, ya sea ésta un animal u otro ser viviente, esto generará un karma considerable. Antes, el matar se refería principalmente a matar seres humanos, lo que causa una gran cantidad de karma. Sin embargo, matar otros seres comunes tampoco es un pecado menor, puesto que se incurre directamente un karma muy grande. Particularmente para un practicante, hay algunas tribulaciones planeadas para él en cada fase del proceso de su cultivación. Todas éstas son su propio karma, sus propias tribulaciones colocadas en sus diferentes niveles con el fin de hacerlos progresar. Con tal de que eleven su *Xinxing*, podrán superarlas. Sin embargo, si todo su karma sale de una vez, ¿cómo podrían superarlo? Con su nivel de *Xinxing*, no podrán superar la tribulación de ningún modo. Esto quizás podría hacerlos completamente incapaces de practicar la cultivación.

Hemos descubierto que cuando una persona nace, hay muchos de "él" que nacen simultáneamente en cierta esfera de este espacio cósmico. Todos ellos se parecen a "él," tienen el mismo nombre y hacen cosas similares, y por eso pueden llamarse partes de su entidad total. Esto implica tal asunto, porque si uno de ellos (como también en el caso de la vida de un animal grande) muere repentinamente mientras que los demás de "él" en otras diferentes dimensiones no han terminado su trayecto de vida específicamente predestinado y tienen aún muchos años que vivir, esta persona que ha muerto caerá en una situación desamparada, flotando en el espacio cósmico. Eso puede ser el caso de las almas solitarias y los fantasmas desamparados que sufren de hambre, sed y muchas dificultades como lo que se ha descrito en el pasado. Sin embargo, hemos percibido realmente la terrible condición en la que esta persona sufre porque tiene que esperar hasta que todos los "él" en diferentes dimensiones terminen su trayecto de vida, y así juntos puedan ir a encontrar su destino final. Cuanto más tiempo espere, tanto más sufrirá. Cuanto más sufra, tanto mayor será el karma creado por su sufrimiento que se añadirá al cuerpo del asesino. Sólo imagínense, ¿cuánto aumentará el karma de ustedes como consecuencia? Esto es lo que hemos observado por medio de capacidades sobrenaturales.

También hemos observado esta situación: Cuando una persona nace, un esquema de su vida entera existirá en una dimensión específica. Es decir, todo lo que haga en diferentes fases de su vida existirá allí en esa dimensión. ¿Quién ha planeado el trayecto de su vida? Obviamente, lo hace un ser inteligente de una dimensión superior. Por ejemplo, en nuestra sociedad de la gente común, después de nacer, uno pertenece a cierta familia, a cierta escuela y a cierto lugar de trabajo. A través de su trabajo, hace contactos con varios aspectos de la sociedad. Es decir, el diseño de toda la sociedad ha sido planeado de esta manera. Sin embargo, si esta vida muere de repente y ha ocurrido un cambio que no está de acuerdo con el plan original, el ser inteligente en el alto nivel no perdonará esta transgresión. Pensemos sobre esto. Como practicantes, deseamos cultivar hacia los niveles más altos. El ser inteligente en el alto nivel no perdonará al asesino. ¿Creen que esta persona podría aún cultivarse? Algunos maestros están por debajo del nivel del ser inteligente que ha hecho estos planes. Por eso, incluso al maestro de esta persona se le castigará con él y se le echará al nivel bajo como castigo. Sólo piensen en esto: ¿Es esto un asunto corriente? Por eso, una vez que una persona haya cometido tal acto, la cultivación le será muy difícil de practicar.

Entre los practicantes de Falun Dafa, algunos pudieron haber luchado en tiempos de guerra. Esas guerras fueron condiciones que resultaron de los grandes cambios cósmicos y ustedes sólo fueron elementos de esas circunstancias. Sin las actividades humanas bajo la influencia de cambios cósmicos, tales condiciones no hubieran podido traerse a la sociedad humana, ni tampoco se llamarían cambios cósmicos. Estos sucesos evolucionaron de acuerdo con los grandes cambios cósmicos y por eso ustedes no tuvieron la culpa totalmente. El karma del que hablamos aquí, se refiere a lo que uno ha acumulado por maldades cometidas en busca de logro personal, la satisfacción de intereses propios o cuando uno mismo es afectado de cierta forma. Siempre y cuando atañe a los cambios en todo este inmenso espacio y a los cambios de gran escala del desarrollo social, no es culpa de ustedes.

El matar puede causar enorme karma. Uno podrá preguntarse: "No podemos matar, pero como soy la cocinera en casa, ¿qué comerá mi familia si no mato animales?" Yo no me preocupo de este asunto en concreto, ya que estoy exponiendo la Ley a los practicantes en lugar de simplemente decirle a la gente común cómo vivir su vida. En cuanto a cómo van a tratar con asuntos específicos, deben juzgarlos con la Gran Ley y hacer lo que sientan que es correcto. La gente común hará cualquier cosa que quiera hacer y eso es asunto de ellos. Es imposible que todos practiquen la cultivación genuinamente. Sin embargo, como practicante, uno debe actuar de acuerdo con un criterio más elevado, así que estoy presentando aquí los requisitos sólo para los practicantes.

No sólo los seres humanos sino también los animales y las plantas, todos tienen vida. Cualquier substancia manifiesta su forma de vida en otras dimensiones. Cuando su Tercer Ojo llegue al plano de la Visión del Ojo de la Ley, descubrirán que las piedras, los muros y cualquier cosa que vean, los saludará y les dirá algo. Quizás alguno se pregunte: "Los cereales y vegetales que comemos tienen vida y hay moscas y mosquitos en casa, ¿qué debemos hacer?" Uno sufre mucho cuando en el verano le pica un mosquito y tendremos que mirarle picándonos sin reaccionar ante él. Aunque vea uno las moscas ensuciando la comida, tampoco debería matarlas. Déjenme decirles a todos que no debemos matar negligentemente sin razón. Sin embargo, no debemos convertirnos en esos caballeros tímidos y cautelosos, que siempre prestan atención a estas pequeñeces. Andan cuidando de cada paso y pegan saltos temiendo pisar una hormiga. Yo diría que este modo de vivir es de cansar. ¿Acaso no es eso también otro apego? Aunque no maten la hormiga dando saltos al andar, su pisada puede haber matado a muchos microorganismos. Hay muchas vidas microscópicas aún más pequeñas, incluso microbios y bacterias, que pudieron haber matado al pisarlos. En ese caso, ya no podríamos vivir. No queremos convertirnos en tales personas y esto haría imposible la cultivación. Uno debe enfocarse en una perspectiva más amplia y practicar la cultivación de una manera recta y honorable.

Como seres humanos, vivimos y debemos mantener el derecho de vivir. Por eso, el ambiente en que vivimos también debe responder a las necesidades de la vida humana. No debemos dañar o matar intencionalmente, pero tampoco debemos limitarnos a estas pequeñeces. Por ejemplo, los vegetales y los cereales tienen vida. No podemos dejar de comer ni beber sólo por esta razón. De otro modo, ¿cómo podríamos practicar la cultivación? Debemos tener una mentalidad más amplia. Por ejemplo, cuando ustedes caminan, algunas hormigas o insectos podrían correr bajo sus pies y morir al ser pisadas. A lo mejor debían morir, porque ustedes no las mataron intencionalmente. En el mundo de la biología o de la microbiología, existe también el asunto del equilibrio ecológico. Demasiados seres de cualquier especie posarían problemas. Por eso, debemos cultivarnos de una manera recta y honorable. Cuando hay moscas y mosquitos en la casa, podemos ahuyentarlos o instalar ventanas con tela metálica para evitar su entrada. Sin embargo, algunas veces no podemos echarlos fuera; entonces no será problema matarlos. Si van a picar y hacer daño a las personas en el espacio donde los seres humanos viven, entonces por supuesto, deben echarlos fuera. Si no pueden echarlos fuera, no pueden simplemente mirarlos sin hacer nada cuando le pican a una persona. Aunque como practicantes no les temen y son inmunes a ellos, otros miembros de la familia que no son practicantes pueden contraer enfermedades contagiosas. No deben permitir que un mosquito le pique la cara a un niño.

Voy a citar un ejemplo a todos los presentes. Hay una historia sobre Sakyamuni en su etapa temprana. Un día, Sakyamuni quería bañarse en un bosque y le pidió a un discípulo que le limpiara la bañera. Su discípulo fue a la bañera y la encontró llena de gusanos arrastrándose por todas partes. Para limpiar la bañera tendría que matar los gusanos. Regresó y le dijo a Sakyamuni que los gusanos estaban arrastrándose por todas partes de la bañera. Sakyamuni no lo miró y dijo sólo una frase: "Ve a limpiar la bañera." El discípulo regresó a la bañera y no supo cómo limpiarla sin matar los gusanos. Volvió de nuevo a donde estaba Sakyamuni y dijo: "Estimado Maestro, la bañera está llena de gusanos. Si la limpio, los gusanos morirán." Sakyamuni lo miró y dijo: "Lo que te pedí que hicieras es limpiar la bañera." El discípulo le entendió de inmediato y enseguida limpió la bañera. Esta historia expone un principio: No debemos dejar de tomar un baño porque haya gusanos, ni debemos buscar otro lugar para vivir porque haya mosquitos, ni tampoco debemos atarnos el cuello ni dejar de comer y beber porque los cereales y los vegetales tengan vida. No debemos hacerlo así. Debemos equilibrar las relaciones adecuadamente y cultivarnos recta y honorablemente. Siempre que no dañemos o matemos intencionalmente, todo estará bien. Mientras tanto, los seres humanos también deben tener espacio para vivir y las condiciones para existir, y éstas deben mantenerse bien. Los seres humanos aún deben mantener su vida y su manera normal de vivir.

En el pasado, algunos falsos maestros de *Qigong* decían: "Se permite matar el primer día y el decimoquinto día del mes según el calendario lunar chino. ¿Entonces les parece que eso es sólo excavar la tierra? Algunos falsos maestros de *Qigong* pueden ser identificados por lo que dicen y hacen, o por lo que hablan y buscan. Esos falsos maestros de *Qigong* que dicen esas palabras están frecuentemente poseídos por espíritus o animales. Sólo fíjense de qué forma un maestro de *Qigong* poseído por un espíritu de zorro se come un pollo, devorándolo como un lobo y engulléndoselo como un tigre, como si ni siquiera estuviera dispuesto a escupir los huesos.

Matar no sólo causa un karma enorme, sino que también atañe al tema de la compasión. Como practicantes, ¿no deberíamos tener compasión? Cuando surja nuestra compasión, probablemente descubriremos que todos los seres vivientes y cada persona está sufriendo. Esto ocurrirá.

El Tema de Comer Carne

Comer carne también es un asunto muy sensible, pero comer carne no es matar. Aunque ya han aprendido la Ley por un largo tiempo, no les hemos exigido que dejen de comer carne. Muchos maestros de *Qigong* les dicen que dejen de comer carne tan pronto hayan entrado en sus clases. Ustedes podrán pensar: "Aún no estoy preparado mentalmente para dejar súbitamente de comer carne." Probablemente, la comida que se sirve hoy en casa es precisamente un estofado de pollo o pescado frito. Aunque puedan oler muy bien, no se les permite comerlos. Lo mismo es verdad con las prácticas de cultivación religiosas, que obligan a los practicantes a dejar de comer carne. Las prácticas convencionales de la Escuela Buda y algunas prácticas de *Qigong* de la Escuela Tao también dicen lo mismo y prohíben que uno coma carne. Aquí no les exigimos que lo hagan así, pero sí prestamos atención a este asunto. Entonces, ¿cuál es nuestra posición? Debido a que nuestra vía de cultivación es una en la que la Ley cultiva al practicante, eso quiere decir que algunas situaciones surgirán del *Gong* y de la Ley. Durante el curso de la cultivación, diferentes niveles producirán diferentes situaciones. Algún día, o después de mi conferencia de hoy, algunos podrán entrar en este estado: Ya no pueden comer más carne y la carne les huele mal. Si uno come carne, lo hará vomitar. Nadie los obliga, ni tienen que forzarse a dejar de comer carne. En cambio, desde lo profundo del corazón, no querrán comerla. Cuando hayan llegado a este nivel, no podrán comer carne, ya que eso es el reflejo del *Gong*. Si han llegado a ese nivel, seguramente vomitarán si la comen.

Todos nuestros practicantes veteranos saben que esta situación aparecerá en la cultivación de Falun Dafa y que diferentes situaciones se manifestarán en distintos niveles. Algunos practicantes tienen un fuerte deseo y un apego muy fuerte a comer carne, y comen mucha carne regularmente. Cuando a otros les causa malestar el olor de la carne, a ellos no; no lo sienten así y aún pueden comerla. Con el fin de descartar este apego, ¿qué se debe hacer? A tal persona le dará dolor de estómago si come carne. Si se abstiene de comer carne, no se sentirá así. Esta situación ocurrirá y eso quiere decir que esta persona no debe comer más carne. ¿Significa esto que la dieta con carne no tendrá nada que ver con nuestra escuela de práctica de ahora en adelante? No, no es así. ¿Cómo debemos tratar este asunto? No poder comer carne proviene verdaderamente de lo profundo del corazón de uno. ¿Cuál es el propósito? Las prácticas de cultivación en los templos lo obligan a uno a no comer carne. Esto y el estado de no poder comer carne que se manifiesta en nuestra práctica, juntos tienen el objetivo de eliminar esta clase de deseo o apego humano a la carne.

Si no hay carne en sus tazones, algunos simplemente no comerán. Ese es un apego de la gente común. Una mañana, cuando pasé por la puerta trasera del Parque del Triunfo en Changchun, tres personas salieron hablando ruidosamente. Una dijo: "¿Qué clase de práctica de *Qigong* es ésa que prohíbe a sus practicantes comer carne? ¡Aunque perdiera diez años de mi vida, no dejaría de comer carne!" ¡Qué fuerte es ese deseo! Piensen todos sobre esto. ¿No debería eliminarse ese apego? Definitivamente que sí. Durante el proceso de la cultivación, uno debe abandonar precisamente todos los diversos deseos y apegos. A decir verdad, si el deseo de comer carne no se abandona, ¿no es que el apego no ha sido descartado? ¿Cómo podría uno llegar a la consumación en la cultivación? Por lo tanto, siempre y cuando sea un apego, debe eliminarse. Sin embargo, eso no quiere decir que uno tenga que dejar de comer carne desde ahora y para siempre. Dejar de comer carne no es el propósito. El propósito es descartar ese apego suyo. Encontrarán que podrán comer carne nuevamente una vez que eliminen ese apego durante el período de tiempo cuando no puedan comer carne. Entonces, tal vez podrán comerla de nuevo y no les causará malestar el olor de la carne ni sabrá desagradable. Para entonces, si comen carne, ya no importará.

Cuando puedan comer carne de nuevo, tanto su apego como su deseo por la carne habrán desaparecido. Sin embargo, un gran cambio ocurrirá: No sentirán más el buen sabor de la carne; si la carne se prepara en casa, la comerán junto con la familia; si no se prepara, no la extrañarán; si la comen, no les sabrá deliciosa. Este escenario ocurrirá. No obstante, la cultivación entre la gente común es muy complicada. Si su familia siempre cocina carne, a la larga, la encontrarán muy sabrosa otra vez. Tales recaídas ocurrirán más tarde y puede que se repitan muchas veces durante el curso entero de la práctica de cultivación. Quizás repentinamente, no puedan comerla de nuevo. No deben comerla cuando no la puedan comer. Vomitarán si la comen. Esperen hasta que la puedan comer nuevamente y sigan el curso natural. Comer carne o no comerla no es en sí el propósito. El punto clave es eliminar ese apego.

Nuestra escuela de Falun Dafa nos permite avanzar muy rápidamente. Una vez que eleven su *Xinxing*, rápidamente superarán cada nivel. Algunos naturalmente no tienen mucho apego a la carne y no les importa comerla o no. Les llevará un par de semanas a estas personas pasar esta fase y dejar poco a poco este apego. A algunas personas les podrá llevar un mes, dos o tres meses, o quizás medio año lograrlo. Excepto en casos sumamente especiales, no se llevará más de un año para que uno pueda comer carne nuevamente. Esto es porque la carne se ha convertido en una comida principal para la humanidad. No obstante, los practicantes profesionales en los templos no pueden comer carne.

Vamos a decir algo concerniente al concepto budista sobre comer carne. El más temprano Budismo original no prohibía comer carne. Cuando Sakyamuni dirigía a sus discípulos al bosque para practicar la cultivación a través de las dificultades, no había tal regla que prohibiera comer carne. ¿Por qué no la había? Es porque cuando Sakyamuni enseñó su Dharma hace más de 2.500 años, la sociedad humana estaba muy atrasada. Algunas regiones tenían agricultura, mientras que otras no la tenían. La tierra de cultivo era muy limitada y los bosques se extendían por todas partes. El abastecimiento de cereales era sumamente escaso. Los seres humanos que habían surgido recientemente de las entrañas de la sociedad primitiva vivían principalmente de la caza y en muchas regiones se alimentaban principalmente de la carne. A fin de abandonar al máximo los apegos humanos, Sakyamuni no permitía a sus discípulos tener contacto con ninguna riqueza ni posesiones materiales. Llevaba a sus discípulos consigo a pedir comida y limosna. Comían cualquier cosa que les dieran. Como cultivadores, no podían elegir la comida y ésta podía incluir carne.

En el Budismo original, había una prohibición de *hun*.[1] Esta prohibición proviene precisamente del Budismo original. Sin

---

[1] *hun*—Comida prohibida en el Budismo.

embargo, ahora se dice que comer carne es *hun*. En realidad, en aquel entonces, *hun* no se refería a la carne, sino a verduras tales como la cebolla, el jengibre, ajo, etc. ¿Por qué los consideraban *hun*? Hoy en día, incluso muchos monjes no pueden explicarlo claramente porque muchos de ellos no practican la cultivación verdadera y hay muchas cosas que no entienden. Lo que Sakyamuni enseñaba era: Precepto, Samadhi y Sabiduría. Precepto se refiere a abandonar todos los deseos de la gente común. Samadhi significa que un practicante se cultiva a sí mismo, quedándose completamente inmóvil en la meditación, sentado con las piernas cruzadas. Cualquier cosa que interfiriese en el estado de trance y la cultivación se consideraba una grave interferencia. Quienquiera que hubiera comido cebolla, jengibre o ajo, causaría un mal olor muy fuerte. En aquel entonces, los monjes usualmente se quedaban en el bosque o en una caverna. Siete u ocho se sentaban con las piernas cruzadas en círculos y formaban muchos círculos para meditar. Si alguien había comido estas cosas, produciría un olor muy fuerte e irritante, que afectaría a los otros sentados en meditación e interfería seriamente con su práctica. Por consiguiente, había una regla para prohibir comer estas cosas, que se consideraban *hun*. Muchas entidades vivientes que el cuerpo humano ha desarrollado en la cultivación sienten mucha repugnancia ante tales olores fuertes. La cebolla, el jengibre y el ajo también pueden estimular los deseos humanos, y comerlos mucho puede formar un vicio. Por eso, se consideraban *hun*.

En el pasado, muchos monjes, después de alcanzar niveles altos de cultivación, en un estado de *KaiGong* o casi de *KaiGong*, también reconocían que esas reglas en el curso de la práctica de cultivación no importaban en realidad. Si el apego puede abandonarse, esa misma substancia no podrá ejercer efecto. Lo que verdaderamente obstruye a un practicante es precisamente la mente. Por lo tanto, a lo largo de la historia, los monjes eminentes también han entendido que el problema de comer carne no es un asunto crítico para un practicante. El punto clave consiste en si el apego puede abandonarse o no. Si uno no tiene ningún apego, puede comer cualquier cosa para llenar el estómago. Como los monjes en los templos se han cultivado de esta manera, muchos ya se han acostumbrado. Además, en vez de ser una simple regla, la prohibición de comer carne se ha convertido en un reglamento oficial y sistema del templo. Está absolutamente prohibido comer carne. Por consiguiente, ya se han acostumbrado a cultivarse de esta manera. Ahora vamos a hablar sobre el monje Jigong[2] al que han hecho sobresalir en las obras literarias. Los monjes deben abstenerse de la carne, pero él la comía, y así se hizo muy conocido. De hecho, ya que fue expulsado del Templo Lingyin, la comida se convirtió para él en una preocupación primordial, ya que su vida estaba en una situación desesperada. A fin de llenarse el estómago, comía cualquier cosa que encontraba; eso no importaba, con tal de que sólo quería satisfacer el hambre sin tener apego a ninguna comida en particular. Ya en ese nivel de cultivación, él entendía este principio. En realidad, Jigong sólo comió carne en una o dos ocasiones. Los escritores se entusiasman tan pronto se habla de un monje que comía carne. Cuanto más sorprendente sea el tema, tanto más interés tendrán los lectores por leerlo. Las obras literarias provienen de la vida y luego van más allá de ella; así, los escritores han hecho a Jigong conocido. De hecho, si uno puede abandonar realmente ese apego, no importa lo que uno coma para satisfacer el hambre.

En el sudeste de Asia y en el sur de China, inclusive las provincias de Guangdong y Guangxi,[3] algunos budistas legos no se llaman a sí mismos budistas en la conversación, como si este término fuese demasiado anticuado. Dicen que comen la comida budista o que son vegetarianos, lo cual sugiere que los vegetarianos son cultivadores budistas. Ellos consideran la cultivación del Buda algo muy simple. ¿Cómo podría el simple hecho de ser vegetariano permitirle a uno cultivar el Estado de Buda? Como todos saben, comer carne es sólo un apego humano y un deseo; es solamente un apego. Ser vegetariano elimina sólo este apego. Además, uno todavía tiene que desechar la envidia, la mentalidad competitiva, el apego al

---

[2] Jigong—Un monje budista bien conocido en la historia china.
[3] Guandong y Guanxi—Dos provincias en el sudeste de China.

fanatismo, la mentalidad de presunción y muchos otros apegos; hay numerosos apegos humanos. Sólo a través de eliminar todos los apegos y deseos, puede uno completar la práctica de cultivación. ¿Cómo podría uno cultivar el Estado de Buda por medio de abandonar sólo el apego de comer carne? Esa afirmación no es correcta.

Sobre el tema de la comida, además de comer carne, uno no debe tener apego a ninguna comida, y tampoco debe tenerlo a otras cosas. Algunas personas dicen que sólo les gusta comer cierta comida. Esto también es un apego. Después de llegar a cierto nivel de cultivación, un practicante no tendrá este apego. Por supuesto, la Ley que estamos exponiendo es bastante elevada y lo estamos haciendo incorporando los estados de diferentes niveles. Es imposible llegar a este punto de una sola vez. Ustedes dicen que sólo les gusta comer esa cosa, pero cuando su cultivación realmente llegue a la hora de descartar ese apego, simplemente no podrán comerla. Si la comen, no tendrá buen sabor o no le tomarán sabor. Cuando yo trabajaba, el comedor en el lugar de trabajo siempre sufría pérdidas, y más tarde, se cerró. Después de haberse cerrado, todos traían su almuerzo al comedor. Era muy molesto y apresurado preparar la comida por la mañana antes del trabajo. A veces compraba dos panes cocidos al vapor y un trozo de queso de soya, aderezado con salsa de soya, y eso comía. A decir verdad, ésa era una comida bastante ligera. Sin embargo, comer esto todo el tiempo no estaba bien, y ese apego también tuvo que eliminarse. Llegó el momento en que tan pronto como veía el queso de soya, sentía acidez en la boca. Ya no podía comerlo. Esto ocurrió para prevenir que desarrollase ese apego. Por supuesto, esto ocurrirá sólo cuando uno haya llegado a cierto nivel en su cultivación. No será así al principio.

La Escuela Buda no permite a sus discípulos beber alcohol. ¿Han visto alguna vez a un Buda con un envase de vino? No. Cuando hablo de que no pueden comer carne, quiero decir que no importa si comen carne de nuevo en el futuro después de dejar su apego durante la cultivación entre la gente común. Sin embargo, después de abstenerse del alcohol, no deben beberlo de nuevo. ¿Acaso no tiene *Gong* un practicante en el cuerpo? Uno tiene diferentes formas de *Gong* y algunas capacidades sobrenaturales que aparecen en la superficie del cuerpo, y todas son puras. Tan pronto como tomen alcohol, todas saldrán instantáneamente de su cuerpo porque todas le temen a ese olor. Ninguna se quedará en su cuerpo. Si han formado el vicio de beber alcohol, será fastidioso porque el alcohol puede hacerlos irracionales. ¿Por qué algunas grandes prácticas taoístas de cultivación requieren beber alcohol? Es porque no cultivan al *Zhu Yuanshen* y tomar alcohol sirve para dejar inconsciente al *Zhu Yuanshen*.

A algunas personas les encanta el alcohol tanto como su propia vida. Algunas personas disfrutan bebiendo alcohol. Algunas personas son tan adictas que están ya intoxicadas por beber alcohol. Ni siquiera pueden levantar su tazón de comida sin beber alcohol; no pueden estar sin una bebida. Como practicantes, no debemos comportarnos así. Beber alcohol definitivamente puede transformarse en un vicio. Es un deseo y estimula los nervios de la adicción. Cuanto más beba uno, tanto más vicioso será. Pensemos en ello: Como practicantes, ¿no deben descartar ese apego? Ese apego también debe eliminarse. Uno puede pensar así: "Sin beber, no podré trabajar ni hacer bien mis negocios porque soy responsable de recibir a los clientes" o "Soy responsable de hacer viajes para hacer contactos de negocios. Será difícil hacer tratos sin beber alcohol." Yo diría que no es así necesariamente. Por lo general, en una conversación de negocios, especialmente al hacer negocios o tener diálogo con extranjeros, tú puedes elegir un refresco, él puede pedir agua mineral, y otro puede pedir una cerveza. Nadie les forzará a tomar alcohol. Pueden elegir lo que quieran y beber tanto como quieran. Especialmente entre los intelectuales, este caso raramente sucede. Normalmente es así.

Fumar también es un apego. Algunos dicen que fumar los estimula y los refresca. Yo llamo a eso engañarse a sí mismos y engañar a los demás. Algunos pueden sentirse cansados después del trabajo o de escribir un artículo y toman un descanso fumándose un cigarrillo. Se sienten refrescados de nuevo después de fumar. En realidad, eso se debe a que han tomado un descanso. La mente humana puede crear una impresión falsa al igual que un engaño, que más tarde puede formar un concepto o una creencia falsa; uno siente que el fumar puede refrescarlo. Fumar no puede hacer eso en absoluto, ni puede desempeñar tal papel. Fumar no es nada provechoso para el cuerpo humano. Si uno ha fumado por un largo período de tiempo, en el momento de la autopsia, el doctor descubrirá que sus bronquios y pulmones se han puesto negros.

¿No quieren nuestros practicantes que su cuerpo sea purificado? Debemos purificar incesantemente nuestro cuerpo para progresar constantemente hacia niveles más elevados. Entonces, ¿por qué hacen lo opuesto y siguen contaminando el cuerpo? Además, fumar también es un fuerte deseo. Aunque algunos saben que fumar no es bueno, no pueden dejarlo. En realidad, quiero decirles a todos que a uno no le es muy fácil dejarlo sin la guía de pensamientos correctos. Como practicantes, desde hoy, tómenlo como un apego que hay que abandonar, y vean si pueden dejarlo o no. Les aconsejo a todos los que desean cultivarse genuinamente que dejen de fumar de hoy en adelante y está garantizado que podrán hacerlo. En el campo de esta conferencia, nadie piensa en fumar. Si desean dejar de fumar, está garantizado que podrán hacerlo. Cuando fumen un cigarrillo de nuevo, sentirán un sabor desagradable. Si leen este capítulo del libro, también tendrá el mismo efecto. Por supuesto, si no quieren practicar la cultivación, no cuidaremos de eso. Pienso que como practicantes, lo deben dejar. Una vez, cité un ejemplo: ¿Han visto alguna vez a un Buda o a un taoísta sentado allí con un cigarrillo en la boca? ¿Cómo sería eso posible? Como practicantes, ¿cuál es su objetivo? ¿No deberían dejar de fumar? Por lo tanto, digo que si quieren cultivarse, deben abstenerse del tabaco. Fumar perjudica el cuerpo y también es un apego. Esto es justamente contrario a los requisitos que tenemos como practicantes.

La Envidia

Cuando expongo la Ley, hablo frecuentemente sobre el asunto de la envidia. ¿Por qué? Es porque la envidia se manifiesta sumamente fuerte en China. Es tan fuerte que se ha vuelto natural y la gente misma ya no la percibe. ¿Por qué tienen los chinos una envidia tan fuerte? Esto tiene su propio origen. La gente china en el pasado fue profundamente influenciada por el Confucianismo y desarrolló un carácter introvertido. Cuando están enojados o contentos, no lo expresan. Creen en el autodominio y en la tolerancia. Estando acostumbrados a esta manera de ser, toda nuestra nación ha formado un carácter muy introvertido. Ciertamente, este carácter tiene sus ventajas, tales como no mostrar la fuerza interna de uno; pero tiene también sus desventajas que pueden traer efectos negativos. Particularmente durante este Período de Decadencia, sus aspectos negativos se han vuelto más evidentes y pueden estimular a que se intensifique la envidia de uno. Si las buenas noticias de alguien se hacen públicas, enseguida a otros les da mucha envidia. Algunas personas temen mencionar sus premios o beneficios ganados en su lugar de trabajo o en otros lugares, porque otros podrán sentir desequilibrio psicológico al saber esas noticias. Los occidentales llaman a esto la envidia oriental o la envidia asiática. Toda la región asiática ha sido influenciada en mayor o menor grado por el Confucianismo chino. Particularmente en China, la envidia se manifiesta muy fuertemente.

Esta envidia está relacionada con el igualitarismo absoluto que fue practicado en el pasado. Pase lo que pase, todos deberían morir juntos si el cielo se cayera; todos deberían obtener una porción igual si hay un beneficio; todos deben ganar juntos el aumento de salario sin considerar que sólo un cierto porcentaje de los empleados pueden tenerlo. Esta mentalidad parece ser justa, según la cual todos deben recibir igual trato. En realidad, ¿cómo podría ser igual el trato? Las labores son diferentes y el grado de responsabilidad de las funciones y los deberes son diferentes. En este universo hay un principio: "Sin pérdida, no hay ganancia. Para ganar, tiene uno que perder." Entre la gente común, se dice que el que no trabaja no gana; el que trabaja más, gana más; el que trabaja menos gana menos, y el que mayor esfuerzos haga debe ganar más. El igualitarismo absoluto que se practicaba en el pasado afirmaba que todos los seres humanos son iguales al nacer y que la vida postnatal es la que cambia a la gente. Creo que esta afirmación es demasiado absoluta. Cuando cualquier cosa se hace absoluta, se vuelve incorrecta. ¿Por qué algunas personas nacen varones y otras hembras? ¿Por qué no son iguales de apariencia? Las personas no nacen iguales, ya que algunas nacen enfermas o deformes. Desde el nivel superior, podemos ver que una vida humana está predestinada y existe allá en otra dimensión. ¿Cómo podrían ser iguales? Todas las personas desean ser iguales. Sin embargo, si ciertas cosas no están predestinadas en la vida de uno, ¿cómo pueden ser iguales? Las personas no son iguales.

El carácter de los occidentales es relativamente extrovertido. Uno puede darse cuenta de cuando están contentos o enojados. Este carácter tiene sus ventajas, pero tiene también sus desventajas y puede resultar en la falta de autodominio. Debido a que el carácter occidental y oriental son diferentes en su temperamento, traen diferentes consecuencias en la práctica. Para los chinos, si uno es elogiado o tratado favorablemente por el jefe, otros sentirán desequilibrio psicológico. Si uno gana un premio o algo extra, lo pondrá discretamente en su bolsillo y no dejará a otros saberlo. Hoy en día, es difícil ser un trabajador modelo. "Si eres un trabajador modelo, tú puedes hacer bien el trabajo. Tienes que venir temprano al trabajo por la mañana y regresar tarde a casa. Ya que lo haces bien, puedes hacerlo todo. Nosotros no somos lo suficientemente capaces." Otros pueden ser sarcásticos y cínicos, así que no es fácil ser una buena persona.

Si esto ocurriera en otros países, sería totalmente diferente. Si un jefe se da cuenta que un obrero hace su trabajo bien, el jefe puede darle más bonificación. Contará alegremente los billetes delante de los otros y dirá: "¡Ah! hoy mi jefe me ha dado mucho dinero." Podrá decírselo alegremente a otros y no le causará ninguna consecuencia negativa. Si ocurre en China que alguien gana mayor bonificación, incluso el jefe le dirá que lo esconda rápidamente y que no deje a otros verle. En los países extranjeros, si un niño se saca 100 puntos en una prueba, correrá alegremente de la escuela a casa gritando: "¡Hoy me saqué 100 puntos en la prueba, me saqué 100 puntos!" Un vecino podrá abrir la puerta y decirle: "Hola, Tomás. ¡Buen muchacho!" Otro vecino podrá abrir la ventana y decir: "Hola, Jack. ¡Lo haz hecho muy bien!" Si esto ocurriera en China, sería un desastre. Si un niño chino corre de la escuela a casa, gritando: "¡Me saqué 100 puntos, me saqué 100 puntos!" Los vecinos, antes de abrir la puerta, comenzarán a reprocharle: "¿Qué tiene de extraordinario sacarse 100 puntos? ¡De qué presumes! ¿Quién no se ha sacado 100 puntos?" Las dos mentalidades distintas pueden producir diferentes resultados. Esta mentalidad china puede producir envidia. Si alguien hace algo bien, otros se sentirán mentalmente intranquilos en vez de ponerse contentos. Esto puede conducir a tal problema.

Hace unos años, en China se practicaba el igualitarismo absoluto, el cual ha trastornado los conceptos y valores de la gente. Déjenme darles un ejemplo específico. En el lugar de trabajo, una persona puede creer que otros no son tan capaces como ella. Cualquier trabajo que hace, lo hace bien. Se considera que es realmente extraordinaria. Piensa: "Estoy calificado para ser director de fábrica o gerente, o incluso un puesto más importante. Creo que hasta podría ser primer ministro." El jefe puede decir también que esta persona es muy capaz y sabe hacer de todo. También sus colegas pueden decir que es apta, hábil y competente. Sin embargo, en su grupo de trabajo o en la oficina, puede haber otra persona que es incapaz de hacer cosa alguna. Un día, esta persona incompetente es promovida en lugar de la persona competente e incluso se convierte en su jefe. El competente sentirá en el corazón que esto es injusto y correrá por todas partes quejándose con indignación y mucha envidia.

Estoy diciéndoles a todos un principio del cual la gente común es incapaz de darse cuenta: Podrán pensar que son capaces de hacer todas las cosas, pero no pueden lograr lo que desean porque esto no les ha sido predestinado en la vida. Otra persona puede ser incapaz de hacer cosa alguna, pero puede lograr lo que desea porque esto le ha sido predestinado en la vida; por eso, se ha convertido en jefe. Sin importar lo que piense la gente común, eso sólo es el punto de vista de la gente común. Al juicio de los seres de altas dimensiones, la sociedad humana está desarrollándose de acuerdo con las leyes específicas de desarrollo. Por lo tanto, lo que uno hace en la vida no está planeado de acuerdo con sus capacidades. El Budismo cree en el principio del pago kármico. La vida de uno está predestinada según su karma. A pesar de que sean muy capaces, puede que no tengan nada durante su vida porque no tienen virtud. Ven que alguien no sabe hacer nada, pero tiene mucha virtud. El puede convertirse en un funcionario de alto rango o hacer fortuna. Una persona común no puede ver este punto y siempre cree que debe hacer exactamente lo que tiene la capacidad de hacer. Por lo tanto, esta persona compite y pelea durante toda su vida con un corazón herido. Podrá sentirse muy amargado y cansado, siempre encontrando todas las cosas injustas. No puede comer ni dormir bien y se desanima. En su vejez, sufrirá de muy mala salud y tendrá toda clase de enfermedades.

Entonces, nuestros practicantes deben ser aún menos de esa manera. Como practicantes, debemos seguir el curso natural. Si algo les pertenece, no lo perderán. Si algo no es suyo, no pueden obtenerlo aunque compitan. Por supuesto, eso no es absoluto. Si fuera así de absoluto como eso, no habría el asunto de cometer maldades. En otras palabras, quiere decir que pueden existir algunos factores inestables. Sin embargo, como practicantes, por principio ustedes son cuidados por el *Fashen* del Maestro. Otros no pueden quitarles lo que les pertenece, aunque quieran. Por eso, creemos que debemos seguir el curso natural. A veces, ustedes piensan que algo debe ser suyo y otros también se lo dicen así, pero en realidad, no es suyo. Es probable que piensen que eso es suyo, pero al final, eso no les pertenece. En este caso, se les pondrá a prueba para ver si pueden dejarlo o no. El no poder dejarlo es un apego. Esta es una manera utilizada para eliminar el apego a sus intereses personales. Este es el fondo de este asunto. Debido a que la gente común no se ilumina a este principio, todos compiten y pelean por sus intereses.

Entre la gente común, la envidia se ha manifestado muy seriamente. También se refleja muy evidentemente en la comunidad de cultivadores. Entre las diferentes vías de cultivación no existe el respeto mutuo. Algunos afirman que una vía de cultivación es buena, mientras que otros dicen que otra vía es mejor. Chismean sobre lo bueno y lo malo. A mi modo de ver, todas pertenecen al nivel de curar enfermedades y fortalecer la salud. La mayor parte de esas prácticas que pelean entre sí, pertenecen a las prácticas caóticas y deshonestas que provienen de espíritus o animales poseedores, y no toman en cuenta el *Xinxing*. Una persona pudiese haber practicado *Qigong* por más de veinte años sin haber desarrollado capacidades sobrenaturales, mientras que otra las ha obtenido al comienzo de la práctica. Esta persona lo encontrará injusto: "Yo he practicado *Qigong* por más de veinte años sin desarrollar capacidades sobrenaturales, pero él ya las ha logrado. ¿Qué clase de capacidades sobrenaturales tiene él?" Esta persona se enfurecerá: "Lo que él ha logrado es la posesión de espíritus o animales y está experimentando la cultivación desquiciada." Cuando un maestro de *Qigong* dicta una conferencia, alguien puede estar sentado allí, sin respeto: "Ah, ¿qué tipo de maestro de *Qigong* es él? No estoy interesado en escuchar lo que él diga." Es posible que este maestro de *Qigong* no sea capaz de hablar tan bien como él. No obstante, de lo que habla el maestro de *Qigong* es sólo sobre las cosas de su propia vía de cultivación. Esta persona ha estudiado de todo y ha asistido a cada una de las conferencias de los maestros de *Qigong*. Esta persona ha obtenido un montón de certificados de graduación y de veras sabe mucho más que ese maestro de *Qigong*. Pero, ¿para qué le sirve todo eso? Todo eso es para curar enfermedades y fortalecer la salud. Cuantas más cosas adquiera esta persona, tanto más desordenados y complicados se volverán los mensajes, y tanto más difícil le será practicar la cultivación. Todo será un revoltijo. La cultivación genuina debe especializarse en una sola vía de cultivación y no debe desviarse. Esto también ocurre entre los practicantes taoístas genuinos, debido a que la falta de respeto mutuo y el no eliminar su mentalidad competitiva los conducen fácilmente a la envidia.

Déjenme contarles una historia: En el libro Crónica de la Investidura de los Dioses,[4] la Honorable Divinidad del Origen le pidió a Jiang Ziya que concediese títulos a los Dioses. Al juicio de Shen Gongbao,[5] Jiang Ziya[6] era viejo e incompetente. Por eso, Shen Gongbao sintió en su corazón que eso era injusto y pensó: "¿Por qué se le pidió a él conceder títulos a los Dioses? Yo soy tan poderoso que puedo colocarme de nuevo la cabeza sobre los hombros después de cortármela. ¿Por qué no me pidieron a mí conceder títulos a los Dioses?" Le daba tanta envidia que siempre le causaba problemas a Jiang Ziya.

En la época de Sakyamuni, el Budismo original hablaba sobre las capacidades sobrenaturales. Sin embargo, actualmente nadie se atreve a mencionarlas en el Budismo. Si ustedes mencionan las capacidades sobrenaturales, dirán que tienen la cultivación desquiciada. ¿Qué capacidades sobrenaturales? No las reconocen en lo absoluto. ¿Por qué? Los monjes de hoy ni siquiera saben qué son las capacidades sobrenaturales. Sakyamuni tenía diez discípulos principales. Entre estos, Mu Jianlian[7] era el número uno en poderes divinos. Sakyamuni también tenía discípulas; entre ellas, Lian Huase[8] ocupaba el primer lugar en poderes divinos. A lo largo de la historia, han aparecido muchos monjes consumados después de que el Budismo entró en China. Cuando Boddhidarma vino a China, flotó sobre un tallo de caña para cruzar un río. Sin embargo, durante el desarrollo histórico, los poderes divinos se han negado y rechazado cada vez más. La

---

[4] Crónica de la Investidura de los Dioses—Una obra clásica de ficción china.
[5] Shen Gongbao—Un personaje envidioso en Crónica de la Investidura de los Dioses.
[6] Jiang Ziya—Un personaje en Crónica de la Investidura de los Dioses.
[7] Mu jianlian—Uno de diez discípulos varones principales de Buda Sakyamuni.
[8] Lian Huase—Una de diez discípulas mujeres de Buda Sakyamuni.

razón principal es que los monjes principales, maestros y abades en el templo no son necesariamente hombres de grandes cualidades innatas. Aunque sean abades y monjes superiores, tienen sólo posiciones de gente común. También son practicantes, sólo que son practicantes profesionales. Ustedes se cultivan en casa como aficionados. Ya sea que uno pueda cultivarse con éxito o no, depende todo de la cultivación del corazón. Lo mismo es verdad para todos y uno no puede quedarse corto ni un poquito. Sin embargo, el monje menor, que cuida el hogar y la cocina, no es necesariamente un hombre de pobres cualidades innatas. Cuantas más dificultades aguante el monje menor, tanto más fácil le será hacerse *KaiGong*. Cuantas más comodidades goce el monje superior, tanto más difícil le será hacerse *KaiGong* debido al principio de la transformación del karma. Debido a que el monje menor trabaja duro y fatigosamente, puede pagar más rápidamente su karma e iluminarse. Quizás un día de repente se haga *KaiGong*. Al alcanzar este *KaiGong*, iluminación, o semi iluminación, todos sus poderes divinos emergerán. Todos los monjes del templo vendrán a consultarlo y le mostrarán respeto. Pero, el abad no puede soportar esto: "¡Cómo podré aún ser abad! ¿Qué iluminación? Está loco. ¡Expúlsenlo del templo!" De esta forma, al monje menor lo expulsan del templo. A lo largo del tiempo, en el Budismo en nuestra región Han, nadie se ha atrevido a mencionar las capacidades sobrenaturales. Saben que Jigong tenía grandes capacidades sobrenaturales. Podía mover troncos de árboles desde la Montaña Emei[9] y los tiraba uno tras de otro desde de un pozo. Sin embargo, al final lo expulsaron del Templo Lingyin.

El asunto de la envidia es muy grave porque concierne directamente al asunto de si podrán llegar a la consumación o no. Si la envidia no se elimina, todo lo que hemos cultivado se volverá muy frágil. Hay una regla: Si durante el curso de la cultivación, la envidia no se elimina, uno no podrá en absoluto obtener el Fruto Verdadero. En el pasado, quizás hayan oído que el Buda Amitabha hablaba sobre

---

[9] Montaña Emei—Está a 1.500km del Templo Lingyin, donde estaba localizado el pozo.

ir al Paraíso con karma. Pero eso no va a ocurrir sin abandonar la envidia. Es posible que uno tenga una pequeña debilidad en aspectos menores y vaya con karma a un Paraíso para continuar cultivándose allá. Sin embargo, es absolutamente imposible ir allá si la envidia no se abandona. Hoy, les estoy diciendo a los practicantes que no deben mantenerse en la oscuridad sin iluminarse a ello. La meta que quieren alcanzar es la de cultivarse hacia niveles más altos; por lo tanto, tienen que abandonar la envidia. Por eso, escogí este tema para exponerlo aparte.

El Tema de Tratar Enfermedades

Al hablar sobre la curación de enfermedades, no les estoy enseñando a tratar enfermedades. Ninguno de los discípulos genuinos de Falun Dafa debe tratar pacientes. Una vez que lo hagan, todas las cosas de Falun Dafa implantadas en su cuerpo serán recobradas por mi *Fashen*. ¿Por qué se considera tan serio este asunto? Porque es un fenómeno que daña a la Gran Ley. Además de ser dañino a su propia salud, algunos no podrán dejar de tratar enfermedades una vez que comiencen a hacerlo. Puede que tomen a quienquiera para tratarle la enfermedad y alardear de sí mismos. ¿No es esto un apego? Esto impedirá gravemente su práctica de cultivación.

Muchos falsos maestros de *Qigong* se aprovechan del deseo de la gente común de tratar enfermedades después de aprender *Qigong*. Te enseñarán tales cosas y afirmarán que por medio de emitir *Qi*, uno puede curar enfermedades. ¿No es esto una broma? Tú tienes *Qi* y él lo tiene también. ¿Cómo podrían tratar a un paciente emitiendo su *Qi*? ¡Quizás el *Qi* de él cure tu enfermedad! El *Qi* de uno no restringe al del otro. Cuando uno desarrolla *Gong* en la cultivación de alto nivel, lo que emite es la materia de alta energía, la cual verdaderamente puede sanar, controlar y reprimir enfermedades, pero no puede eliminar la raíz de la causa. Por eso, para ser capaz de curar real y cabalmente las enfermedades, uno necesita tener capacidades sobrenaturales. Cada capacidad sobrenatural trata una enfermedad correspondiente. Yo diría que hay más de mil clases de capacidades sobrenaturales dirigidas para tratar cada enfermedad. El número de enfermedades es igual al de las capacidades sobrenaturales que se usan para tratar esas enfermedades. Sin tales capacidades sobrenaturales, no servirá de nada aunque su tratamiento sea muy hábil.

Durante los últimos años, algunas personas han creado mucho caos en la comunidad de cultivadores. Entre aquellos verdaderos maestros de *Qigong* que salieron al principio para abrir el camino y ayudar a la gente a sanar enfermedades y fortalecer la salud, ¿había alguno que enseñara a la gente a tratar enfermedades? Siempre sanaban sus enfermedades o les enseñaban a cómo cultivarse y cómo fortalecer la salud con un sistema de ejercicios. Después podían sanarse las enfermedades mediante su propia práctica. Más tarde, los falsos maestros de *Qigong* salieron al público y convirtieron al mundo de la cultivación en un ambiente caótico. Quienquiera que desee curar enfermedades con *Qigong*, atraerá la posesión de espíritus o animales. Eso es así definitivamente. Bajo las circunstancias de aquel tiempo, algunos maestros de *Qigong* también trataban a pacientes a fin de cooperar con los cambios del fenómeno celestial de aquel entonces. Sin embargo, el *Qigong* no es una habilidad de la gente común, y ese fenómeno no podía durar para siempre. Resultó de los cambios del fenómeno celestial de aquel entonces y sólo fue producto de aquel período de tiempo. Más tarde, se especializaron en enseñar a otros a curar enfermedades actuando a su antojo, creando caos. ¿Cómo podría una persona común ser capaz de tratar enfermedades en tres o cinco días? Alguien afirma: "Yo puedo curar esta o esa enfermedad." Les digo que tales personas están todas poseídas por espíritus o animales. ¿Saben qué cosas llevan pegadas en la espalda? Están poseídos por espíritus o animales, pero no pueden sentirlo y no lo saben. Se sienten muy bien y piensan que son competentes.

Los genuinos maestros de *Qigong* podrán alcanzar esta meta sólo después de muchos años de ardua cultivación. Cuando ustedes tratan a un paciente, ¿han pensado alguna vez si tienen las poderosas capacidades sobrenaturales para eliminar el karma de esa persona? ¿Han alguna vez recibido una enseñanza genuina? ¿Cómo podrían aprender a tratar enfermedades después de dos o tres días? ¿Cómo podrían curar enfermedades con las manos de una persona común? No obstante, aquellos falsos maestros de *Qigong* se aprovechan de sus debilidades y apegos humanos. ¿Acaso no buscan ustedes la manera de tratar enfermedades? Bien, ellos quizá organicen un curso que se especializa en enseñarles algunos métodos de tratamiento, tales como la aguja *Qi*, el método de iluminación de luz, la descarga de *Qi*, la compensación de *Qi*, la llamada dígito puntura, el método del agarre, etc. Hay una variedad de métodos destinados a sacarles el dinero.

Ahora hablemos sólo sobre el método del agarre. Lo que hemos visto es esta situación: ¿Por qué cae enfermo un ser humano? La causa fundamental de la enfermedad de uno y de todos sus infortunios es el karma, el campo kármico de substancia negra. Eso pertenece a algo negativo (*Yin*) y es algo malo. Aquellas perversas entidades inteligentes también son cosas *Yin* y son todas negras. Por eso, pueden venir, ya que este ambiente les conviene. Esta es la causa fundamental por la cual uno cae enfermo, y es la fuente principal de las enfermedades. Por supuesto, hay otras dos formas: Una es la maligna entidad sumamente pequeña e inteligente de alta densidad que es como una masa kármica. La otra se distribuye a través de un conducto, pero se ve raramente; todo se acumula de los antepasados. También existen estos casos.

Hablemos sobre las enfermedades más comunes, tales como un tumor, inflamación, osteoproliferación, etc., que se encuentran en el cuerpo humano. Esto se debe a que en otra dimensión, en un espacio muy profundo, existe una perversa entidad inteligente. Un maestro común de *Qigong* o una capacidad sobrenatural común no puede detectarla, pero sí puede ver el *Qi* negro en el cuerpo de uno. Es correcto decir que donde haya *Qi* negro, hay enfermedad. Sin embargo, el *Qi* negro no es la causa fundamental de las enfermedades, sino el campo emitido por una perversa entidad inteligente desde un espacio profundo. Algunos hablan sobre descargar y expulsar el *Qi* negro. ¡Descarguen tanto como quieran! En poco tiempo, se producirá de nuevo. Algunos seres son muy poderosos. Volverán de nuevo apenas sean expulsados y puedan recuperarse. El tratamiento no tendrá efecto, no importa qué forma se use.

De acuerdo con lo que uno ve con las capacidades sobrenaturales, dondequiera que haya *Qi* negro, se considera que esa área tiene *Qi* patogénico. Desde el punto de vista de la medicina tradicional china, el área enferma es el lugar donde el canal de energía está obstruido, ya que el *Qi* y la sangre no pueden pasar y los canales de energía están congestionados. Al juicio de la medicina occidental, ese lugar presenta el fenómeno de úlcera, tumor, osteoproliferación, inflamación, etc. Cuando se manifiestan en esta dimensión, son de estas formas. Después de erradicar esa entidad perversa, encontrarán que no hay nada malo en el cuerpo en esta dimensión. Ya sea una protuberancia del disco vertebral lumbar u osteoproliferación, después de erradicar esa entidad perversa y limpiar ese campo, los encontrarán sanados instantáneamente. Luego, si sacan otra radiografía ya no se verá la osteoproliferación. La causa fundamental es que esa entidad maligna estaba produciendo ese efecto.

Algunos afirman que enseñándoles el método del agarre, podrán curar enfermedades en tres o cinco días. ¡Muéstrenme su método de agarre! Los seres humanos son los más débiles, mientras que esa maligna entidad inteligente es muy feroz. Puede controlarles la mente, manipularlos a su antojo y hasta puede acabar fácilmente con su vida. Si afirman que pueden agarrarla, ¿cómo la agarran? Con manos de persona común, no pueden alcanzarla. Pueden agarrar aquí y allá sin tino, lo cual es ridículo. No les hará caso y también se reirá de ustedes a sus espaldas. Si pudieran tocarla realmente, les dañaría inmediatamente la mano. ¡Esa sería una herida real! En el pasado, he visto a algunas personas cuyas manos eran normales bajo cualquier examinación. No tenían enfermedades ni en el cuerpo ni en las manos, pero no podían levantar las manos y las mantenían colgando débilmente. He encontrado a uno de tales pacientes. Sus manos en otra dimensión estaban heridas, lo que significa que estaban realmente inválidas. Si sus manos en otra dimensión están heridas, ¿no estarían inválidas sus manos aquí? Una vez, alguien me preguntó: "Maestro, ¿podré practicar el *Qigong*? He sufrido una operación de esterilización y uno de mis órganos ha sido extirpado." Yo repliqué: "Eso no importa, ya que tu cuerpo en otra dimensión no ha sufrido una operación y ese es el cuerpo sobre el que actúa la práctica de los ejercicios." Por lo tanto, acabo de decir que si tratan de agarrarla y no pueden alcanzarla, no les hará caso. Si la tocan, es probable que les dañe la mano.

En apoyo de las actividades de *Qigong* a escala nacional, llevé a algunos discípulos a participar en la Exposición Oriental de Salud en Pekín. Fuimos los participantes más sobresalientes en las dos Exposiciones. En la primera Exposición, nuestro Falun Dafa fue premiado como Escuela Estrella de *Qigong*. En la segunda Exposición, había tantos visitantes que no sabíamos qué hacer. En otros puestos de exhibición, no había tanta gente, mientras que alrededor de nuestro puesto se amontonaba mucha gente. La gente hacía tres colas. La primera cola era para aquellos que se inscribían en el tratamiento de enfermedades por la mañana, la segunda esperaba para inscribirse en el tratamiento por la tarde, y la tercera esperaba por mi autógrafo. No tratamos enfermedades. Entonces, ¿por qué lo hicimos en aquel entonces? Lo hicimos así para apoyar las actividades de *Qigong* a escala nacional y para contribuir a esta causa. Por eso participamos.

Repartí una porción de mi *Gong* a cada uno de mis discípulos que estaban allí conmigo. Cada porción era una masa de energía compuesta de unas cien clases de capacidades sobrenaturales. Les sellé las manos con *Gong*. No obstante, a algunos les mordieron las manos hasta el punto de ampollárselas o hacérselas sangrar; esto incluso pasó frecuentemente. Las entidades malignas eran muy feroces. ¿Piensan que se pueden atrever a tocarlas con las manos de una persona común? Además, no podrán agarrarla sin esa capacidad sobrenatural específica. Esto es porque en otra dimensión esta entidad sabrá cualquier cosa que quieran hacer en el instante que lo piensen. Cuando intenten agarrarla, saldrá corriendo. Una vez que el paciente salga fuera de la puerta, regresará a su cuerpo y la enfermedad retornará. Para tratarla, uno necesita una cierta capacidad sobrenatural que podrá sujetarla una vez que uno extienda la mano. Después de sujetarla, usamos otra capacidad sobrenatural llamada la Gran Vía para Capturar el Alma. Esta capacidad sobrenatural es aún más poderosa. Esta puede sacar el *Yuanshen* del cuerpo e incapacitar instantáneamente a la persona e inmovilizarla. Esta capacidad sobrenatural tiene su propósito específico. La usamos para apuntar y agarrar a esta entidad maligna. Como todos saben, aunque Sun Wukong[10] tenía un cuerpo enorme, el Tathagata podía usar el tazón en su mano convirtiéndolo en un punto pequeño al cubrirlo con él. Esta capacidad sobrenatural puede tener tal efecto. No importa qué tan grande o pequeña sea la entidad maligna, será agarrada en la mano instantáneamente y se convertirá en una cosa muy pequeña.

Además, no está permitido que uno extienda la mano dentro del cuerpo físico de un paciente y saque algo. Eso traería desorden a la mente de las personas en la sociedad humana común y está absolutamente prohibido. Aun si fuera posible, no se podría hacer de esta manera. La mano que uno extiende dentro es la mano en otra dimensión. Supónganse que alguien esté enfermo del corazón. Cuando esta mano se extiende hacia el lugar del corazón para agarrar a esa entidad maligna, la mano en otra dimensión se mueve dentro del cuerpo y será agarrada instantáneamente. A la vez que la mano de afuera la agarra, ambas manos se juntan y agarrarán a esta entidad. La entidad es muy feroz y maligna; a veces se mueve tratando de penetrar en las manos, a veces muerde y hasta chilla. Aunque parezca ser muy pequeña en sus manos, se volverá muy grande si la sueltan. No es algo que cualquiera pueda tocar. Sin esa capacidad sobrenatural,

---

[10] Sun Wukong—También conocido como el "Rey Mono"; un personaje en una obra clásica de ficción china, Viaje al Oeste.

uno absolutamente no puede tocarla. De ningún modo es eso algo tan simple como se imagina la gente.

Por supuesto, quizás se permita que exista esta forma de tratamiento de *Qigong* en el futuro, ya que siempre ha existido en el pasado. Sin embargo, eso exige una condición. La persona que usa esa forma de tratamiento de *Qigong* debe ser cultivador. Durante el curso de su cultivación, por compasión se le permite tratar a unas cuantas buenas personas. Sin embargo, no puede eliminar completamente el karma de los pacientes, porque no tiene suficientes poderes y virtudes. Por lo tanto, la tribulación aún existirá, pero la enfermedad específica desaparecerá. Un maestro de *Qigong* corriente no es una persona que haya obtenido el Tao en la práctica de cultivación. Sólo puede aplazar la enfermedad o transformarla en otras formas de tribulación. Sin embargo, probablemente él mismo no sabe de este proceso de aplazamiento. Si su sistema de cultivación cultiva la Consciencia Asistente, la labor es hecha por su Consciencia Asistente. Los practicantes de algunas vías de cultivación parecen ser muy famosos. Muchos maestros de *Qigong* muy conocidos no tienen *Gong* porque el *Gong* crece en el cuerpo de sus Consciencias Asistentes. Es decir, se les permite a algunas personas hacer tales cosas en el curso de la práctica de cultivación debido a que continúan manteniéndose en ese mismo nivel. Han estado practicando por decenas de años sin ser capaces de salir de este nivel de cultivación. Por eso, tratarán enfermedades toda su vida. Debido a que se quedan en este nivel, se les permite hacerlo. A los practicantes de Falun Dafa no se les permite en absoluto tratar enfermedades. Si un paciente puede aceptarlo, leerle este libro puede curar su enfermedad. Sin embargo, los resultados varían de acuerdo a la diferente cantidad de karma de cada individuo.

La Curación en el Hospital y la Curación por *Qigong*

Vamos a hablar sobre la relación entre la curación en el hospital y la curación por *Qigong*. La mayor parte de los doctores de medicina occidental no reconocen el *Qigong*. Su punto de vista es éste: "Si el *Qigong* puede curar enfermedades, ¿para qué necesitamos hospitales? ¡Ustedes deberían sustituir nuestros hospitales! Ya que su *Qigong* puede curar enfermedades con la mano sin recurrir a inyecciones, medicamentos u hospitalización, ¿no sería bueno si ustedes pudieran reemplazar nuestros hospitales?" Esta declaración simplemente no es razonable ni racional. Algunas personas no entienden el *Qigong*. En esencia, la curación por *Qigong* no se parece al tratamiento convencional de la gente común. La curación por *Qigong* no es una habilidad de una persona común, sino algo sobrenatural. Entonces, ¿cómo se podría permitir que algo tan sobrenatural como eso perturbe en gran escala a la sociedad humana común? Un Buda es tan poderoso que puede hacer desaparecer todas las enfermedades humanas con sólo un movimiento de su mano. ¿Por qué no lo hace? Además, hay muchos Budas. ¿Por qué no muestran su misericordia curándoles las enfermedades? Esto es porque la sociedad humana común debe ser de esta manera. El nacimiento, envejecimiento, enfermedad y muerte son justamente tales condiciones. Todas tienen relaciones kármicas y son ciclos de castigo kármico. Deben pagar la deuda que han contraído.

Si eres tú el que cura su enfermedad, esto equivale a una violación de este principio; eso quiere decir que cada uno puede hacer maldades sin tener que pagar la deuda. ¿Sería eso correcto? Mientras no tengan una gran habilidad para resolver completamente este problema en su cultivación, se les permite tratar enfermedades por compasión. Se les permite hacerlo así porque su compasión ha surgido. Sin embargo, si son realmente capaces de resolver este problema, no se les permitirá hacerlo en gran escala porque eso podría perturbar gravemente el estado de la sociedad humana común. Por lo tanto, no se permite en absoluto reemplazar los hospitales de la gente común con el *Qigong*, porque el *Qigong* es una Ley sobrenatural.

Si en China se permitiera fundar hospitales de *Qigong* con muchos grandes maestros de *Qigong* para curar enfermedades, ¿qué parecería eso? No será permitido, porque todos mantienen el estado de la sociedad humana común. Si se establecieran hospitales de *Qigong*, clínicas de *Qigong*, centros de salud de *Qigong* y sanatorios de *Qigong*, la eficacia de los tratamientos de los maestros de *Qigong* bajaría inmediatamente, y tan pronto empezaran a tratar enfermedades, su efecto curativo no sería bueno. ¿Por qué es así? Ya que ellos hacen esto entre la gente común, su Ley debe estar al mismo nivel que la Ley de la gente común. Tienen que mantenerse al mismo nivel que el estado de la gente común. Su efecto curativo tiene que ser igual al de un hospital. Así pues, sus tratamientos no funcionarán bien y también requerirán varias de las llamadas "sesiones de tratamiento" para curar una enfermedad. Usualmente es así.

Con hospitales de *Qigong* o sin ellos, de cualquier manera no se puede negar que el *Qigong* puede curar enfermedades en la sociedad. El *Qigong* ha sido popularizado en la sociedad por un largo tiempo, y muchas personas han alcanzado la meta de curar sus enfermedades y fortalecer la salud por medio de la práctica de *Qigong*. Ya sea que el maestro de *Qigong* pospuso la enfermedad o como quiera que la haya tratado, la enfermedad ha desaparecido. Eso quiere decir que nadie puede negar que el *Qigong* puede curar enfermedades. La mayor parte de los pacientes que han visitado a los maestros de *Qigong*, padecen de enfermedades difíciles y complicadas que son incurables en los hospitales. Acuden a los maestros de *Qigong* para probar su suerte, y sus enfermedades eventualmente son curadas. Aquellos que pueden curarse en los hospitales, no visitan a los maestros de *Qigong*. Particularmente al principio, toda la gente pensaba de esa manera. El *Qigong*, por lo tanto, realmente puede curar enfermedades, excepto que el *Qigong* no puede aplicarse como otras cosas que se hacen en la sociedad común. Mientras que una interferencia en gran escala nunca se permitirá, una práctica poco influyente en pequeña escala es permisible. Pero también es cierto que el tratamiento no puede curar la enfermedad completamente. La mejor manera para curarse de su enfermedad es que uno mismo practique el *Qigong*.

Hay también algunos maestros de *Qigong* que afirman que los hospitales no pueden curar enfermedades, o que son malos sus efectos curativos. ¿Qué decimos nosotros al respecto? Por supuesto, eso se debe a causas de muchas proveniencias. A mi modo de ver, la causa principal es que los valores morales humanos han llegado a un nivel muy bajo, lo que origina una variedad de enfermedades extrañas e incurables en los hospitales. Los medicamentos tampoco pueden curarlas. Existen también muchos medicamentos falsos. Todo esto es el resultado de tanta corrupción humana en la sociedad. Nadie puede culpar a otros, ya que todos le han echado leña al fuego. Consecuentemente, cada uno encontrará tribulaciones en su cultivación.

Algunas enfermedades no pueden ser diagnosticadas en los hospltales, aunque realmente existen. Algunas personas son diagnosticadas con nuevas enfermedades que no tienen nombre, ya que no han sido identificadas anteriormente. Los hospitales llaman a todas éstas "enfermedades modernas." ¿Pueden o no los hospitales curar enfermedades? Por supuesto que sí pueden. Si los hospitales no pudiesen curar enfermedades, ¿por qué acude la gente a ellos y confía en sus tratamientos? Los hospitales aún pueden curar enfermedades, pero sus medios de tratamiento pertenecen al nivel de la gente común, mientras que las enfermedades son sobrenaturales. Algunas enfermedades son muy graves. Por eso, los hospitales requieren tratamientos tempranos, porque no pueden curar esas enfermedades si se vuelven muy graves. Una dosis excesiva de medicamento puede ser intoxicante. Hoy en día, el nivel del tratamiento médico es igual al nivel de la ciencia y tecnología. Todos se encuentran en el nivel de la gente común. Por lo tanto, su efecto curativo sólo puede llegar a tal grado. Un tema que debe ser aclarado es que la curación por el *Qigong* común y el tratamiento en el hospital sólo posponen esas tribulaciones, las cuales son la causa fundamental de las enfermedades, hasta la mitad posterior de la vida o más tarde. El karma no se elimina en lo absoluto.

Hablemos ahora sobre la medicina china. La curación con la medicina tradicional china es muy cercana a la curación por *Qigong*. En la antigua China, generalmente todos los doctores, tales como Sun Simiao, Huatuo, Li Shizhen, Bian Que y otros,[11] tenían capacidades sobrenaturales. Todos estos grandes científicos médicos tenían capacidades sobrenaturales que fueron documentadas en libros de medicina. Sin embargo, hoy en día esta esencia frecuentemente se critica. Lo que la medicina tradicional china ha heredado son sólo esas recetas o experiencias de la investigación. La medicina antigua china estaba muy avanzada, más avanzada que la ciencia médica moderna. Algunos piensan: "¡Qué desarrollada está la ciencia médica moderna. Con T.A.C. escáneres se puede examinar el interior del cuerpo humano, y hay ultrasonido, fotografía y rayos X!" Aunque los equipos médicos modernos estén muy avanzados, a mi modo de ver, son aún inferiores al nivel de la antigua medicina china.

Hua Tuo vio un tumor en el cerebro de Tzao Tzao[12] y quiso hacerle una operación para abrirle el cráneo y extraer el tumor. Pensando que Hua Tuo quería matarlo, Tzao Tzao encarceló a Hua Tuo. Al final, Hua Tuo murió en la cárcel. Cuando Tzao Tzao se enfermó, recordó a Hua Tuo y lo buscó, pero Hua Tuo ya había muerto. Más tarde, Tzao Tzao efectivamente murió del tumor. ¿Cómo pudo haberlo sabido Hua Tuo? Lo había visto. Esta es nuestra capacidad sobrenatural humana, que en el pasado todos los grandes médicos científicos poseían. Después de abrirse el Tercer Ojo, uno puede ver desde un lado los cuatro lados del cuerpo humano simultáneamente. Desde el frente, se puede ver la parte trasera, la izquierda y la derecha. También se es capaz de ver por diferentes capas o ver la causa fundamental de la enfermedad más allá de esta dimensión. ¿Pueden los medios médicos modernos alcanzar esto? Están lejos de eso, y tal vez necesitarían mil años para alcanzarlo. El T.A.C. escáner, ultrasonido y rayos X pueden examinar el interior del

---

[11] Sun Simiao, Huatuo, Li Shizen, Bian Que—Doctores notables en la historia de la medicina china.
[12] Tzao Tzao—Emperador de uno de los tres reinos (220 d.C.-265 d.C.).

cuerpo humano, pero el equipo es enorme, no es portátil y no funciona sin electricidad. ¡Cómo se podría comparar eso con el Tercer Ojo, que uno lleva consigo dondequiera y que no necesita suministro de energía!

Algunos hablan sobre lo maravillosa que es la medicina moderna. Yo diría que quizás no sea así. En la antigua China, las hierbas medicinales podían curar enfermedades realmente una vez que se aplicaban. Muchas recetas se han perdido y muchas otras circulan aún entre la gente. En aquel tiempo cuando yo daba conferencias en Qiqihar,[13] una vez vi a una persona en la calle sacándole muelas a la gente. Se podía reconocer fácilmente que venía del sur de China porque su atuendo no correspondía al de uno del nordeste del país. Trataba a cualquier persona que acudiera a él, y había sacado un montón de muelas. Su propósito no era sacar muelas, sino vender su medicina líquida. Esa medicina líquida emitía un gas amarillo que era muy denso y fuerte. Mientras sacaba la muela, abría la botellita de la medicina líquida y la dirigía hacia la muela dañada desde fuera de la mejilla del paciente. Le pedía al paciente que inhalara unas veces el gas de la medicina líquida amarilla, la cual apenas si se consumía. Tapaba la botellita y la ponía a un lado. Luego sacaba de su bolsillo un palillo de fósforo. Mientras hablaba sobre su medicina, tocaba ligeramente la muela dañada y la sacaba con el palillo de fósforo. La muela tenía sólo unas cuantas manchas de sangre, pero el paciente no sangraba ni le dolía. Pensemos sobre esto: Un palillo de fósforo puede quebrarse si se utiliza con fuerza. Sin embargo, él usaba el palillo para sacar una muela con sólo un ligero toque.

He dicho que hay algunos tratamientos que aún están circulando entre la gente en China, los cuales no pueden compararse con los instrumentos de precisión occidentales. Veamos de quién es el tratamiento más eficaz. El podía sacar la muela sólo con un toque de un palillo de fósforo. Si un doctor de medicina occidental quiere sacar

---

[13] Qiqihar—Una ciudad en el nordeste de China.

una muela, primero debe aplicar inyecciones de anestesia aquí y allá, causándole mucho dolor al paciente. Después de esperar hasta que la anestesia haga efecto, el doctor saca la muela con alicates. Después de largo rato de esfuerzo, si el doctor no lo hace con cuidado, la raíz de la muela puede romperse dentro de la encía. Entonces, el doctor usa un martillo grande y un cincel para excavarla, y el paciente se sumirá en pánico. Luego, utiliza un instrumento de precisión para taladrar la muela. Algunas personas están en tanto dolor por el taladrado, que casi saltan. La muela sangra bastante y el paciente escupe sangre por un rato. ¿Cuál de los tratamientos dirías que es mejor? ¿Cuál es el más avanzado? No debemos ver sólo la apariencia de los instrumentos, sino también su eficacia. La antigua medicina china estaba muy avanzada, y la medicina occidental de hoy no la alcanzará en muchos años venideros.

La ciencia china antigua es diferente de nuestra ciencia moderna aprendida del Occidente, puesto que avanzó por una vía diferente que podía traer un estado diferente. Por lo tanto, no podemos entender la ciencia y tecnología antiguas de China a través de nuestra manera actual de entendimiento, porque la ciencia antigua china se dirigía directamente al cuerpo humano, la vida y el universo. Enfocando su atención directamente en esos objetos, avanzó por una vía diferente. En aquel tiempo, cuando los estudiantes iban al colegio, prestaban atención a sentarse con las piernas cruzadas y una buena postura. Cuando querían escribir con el pincel, regulaban la respiración y hacían el ejercicio de *Qi*. La gente de todos los oficios creía en purificar el corazón, vaciar la mente y regular la respiración. Toda la sociedad se encontraba en tal estado.

Algunos han dicho: "Si hubiésemos seguido la vía de la ciencia antigua china, ¿tendríamos coches y trenes? ¿Tendríamos la modernización de hoy?" Digo que no pueden entender otro estado desde la perspectiva de este ambiente. Deben hacer una revolución en su modo de pensar. Sin televisores, la gente los llevaría en la frente y podría mirar cualquier cosa que quisiera ver. También tendría capacidades sobrenaturales. Sin trenes y coches, uno sería capaz de elevarse en levitación desde donde se sentara sin usar el ascensor. Eso podría producir un estado de desarrollo social diferente y no estaría limitado necesariamente a este esquema. Los OVNIS de los extraterrestres vienen y van con una velocidad inconcebible y pueden expandirse y encogerse. Marchan por un camino de desarrollo alternativo, el cual es otra vía científica.

Lectura Octava

El *Bigu*[1]

Algunos han hablado sobre el asunto del *Bigu*. El fenómeno de abstención de comida no sólo existe en la comunidad de cultivadores, sino también entre un buen número de personas en toda la sociedad humana. Algunas personas no comen ni beben por varios años o por más de diez años, pero viven muy bien. Algunos dicen que la abstención de comida es una indicación de un cierto nivel, mientras que otros la explican como una manifestación de purificación del cuerpo. Otros también afirman que es un proceso de cultivación de alto nivel.

De hecho, no pertenece a ninguno de los casos antes mencionados. Entonces, ¿qué es? La abstención de comida se refiere en realidad a un método especial en un ambiente específico. ¿Bajo qué circunstancias se utiliza? En la antigua China, particularmente antes de la fundación de las religiones, muchos practicantes empleaban la forma de la cultivación secreta y solitaria en lo profundo de las montañas o en cuevas muy lejos de los poblados humanos. Una vez que empleaban esta forma, el abastecimiento de comida se convertía en un problema. Si un practicante no utilizaba el método de abstención de comida, no podía hacer su cultivación en absoluto y moría allí de hambre o de sed. Fui desde ChongQing[2] a Wuhan para enseñar la Ley y tomé un barco que iba hacia el este a favor de la corriente del río Yantze. Vi que había algunas cuevas en la roca de las faldas de las montañas, por ambos lados de las Tres Gargantas. Muchas montañas bien conocidas tienen también tales cuevas. En el pasado, después de trepar hasta dentro de la cueva por

---

[1] *Bigu*—"Sin un grano"; un antiguo término para la abstinencia de agua y comida; el ayuno.
[2] ChongQing—La ciudad más poblada en el suroeste de China.

medio de una cuerda, el practicante cortaba la cuerda y hacía la cultivación dentro de la cueva. Si esta persona no tenía éxito en la cultivación, moría dentro de ella. Sin agua ni comida, bajo esta circunstancia sumamente especial, se empleaba este método particular de cultivación.

Muchas vías de cultivación han pasado por tal proceso heredado y así incluyen el *Bigu*. Un gran número de sistemas de cultivación no incluyen el *Bigu*. Actualmente, la mayor parte de los sistemas de cultivación que se enseñan públicamente en la sociedad no incorporan el *Bigu*. Enseñamos que la práctica de *Qigong* debe concentrarse hacia un solo sistema de cultivación y que no deben hacer cualquier cosa que se les antoje. Podrán pensar que el *Bigu* es bueno y quieren hacerlo. ¿Para qué desean hacerlo? Algunos sienten que es muy bueno y tienen curiosidad, o consideran que ellos mismos tienen habilidades de alto nivel y quieren demostrarlas. Hay gente con toda clase de mentalidades. Aunque uno use este método de cultivación, tiene que consumir su propia energía para sostener el cuerpo físico. Por lo tanto, lo que se gana no compensa lo que se pierde. Todos saben que particularmente después de la fundación de las religiones, a uno le abastecían de té y comida mientras estaba sentado en meditación o durante la cultivación solitaria en el templo. Esto no implica el asunto del *Bigu*. En particular, practicamos la cultivación dentro de la sociedad humana común y no necesitamos emplear este método en lo absoluto. Además, si no existe tal cosa en su escuela de práctica, no deben hacerla a su antojo. Sin embargo, si desean realmente practicar el *Bigu*, pueden hacerlo. Según lo que conozco, usualmente cuando un maestro enseña una práctica de alto nivel y guía genuinamente a un discípulo, y si hay *Bigu* en su escuela de práctica, este fenómeno puede aparecer. No obstante, uno no puede promoverlo en público; uno típicamente se lleva a su discípulo a practicar la cultivación en secreto y aisladamente.

Actualmente, también hay maestros de *Qigong* que enseñan a otras personas el *Bigu*. ¿Practicaron estas personas el *Bigu*? En realidad, no lo han hecho. ¿Quién lo ha hecho con éxito? He visto a muchas personas que han sido hospitalizadas, y no pocas estuvieron en peligro de muerte. ¿Por qué ha aparecido esta situación? ¿Acaso no existe el fenómeno del *Bigu*? Sí, existe. Sin embargo, hay un punto: A nadie se le permite menoscabar descuidadamente el estado de nuestra sociedad humana común; no se permite perturbarla. Sin mencionar cuánta gente en todo el país no tendría que comer ni beber con esta práctica, ¡yo diría que las cosas se pondrían mucho más fáciles si la gente en Changchun no necesitara comer ni beber! Para la gente, no sería necesario preocuparse por preparar la comida. Los campesinos trabajan tan arduamente en el campo y ahora nadie necesitaría comer. Eso haría realmente muy fáciles las cosas porque la gente sólo trabajaría sin tener que comer. ¿Cómo podría permitirse eso? ¿Sería eso una sociedad humana? Eso está definitivamente prohibido, porque la interferencia en la sociedad humana común en tan gran escala no se permite.

Cuando algunos maestros de *Qigong* enseñan el *Bigu*, la vida de muchas personas corre peligro. Algunas personas simplemente tienen el apego a la abstención de comida. Sin embargo, no han desechado ese apego ni muchos de los deseos de la gente común. Al ver una comida deliciosa, a tal persona se le hará agua la boca. Cuando surja este deseo, no podrá controlarse y estará ganosa de comérsela. Cuando le entre el apetito, tendrá que comer urgentemente; de otro modo, sentirá hambre. Sin embargo, si come, vomitará. Debido a que no puede comer, se sentirá nerviosa y tendrá mucho miedo. Así muchos son hospitalizados y muchos están de verdad en peligro de muerte. También hay personas que me han buscado y me han pedido que trate esos casos enredados. No estoy dispuesto a atender esas cosas. Algunos maestros de *Qigong* simplemente hacen cosas irresponsablemente. Nadie está dispuesto a resolverles esos problemas.

Además, si han encontrado problemas a causa del *Bigu*, ¿acaso no es eso lo que habían perseguido? Hemos dicho que este fenómeno existe, pero no es algo como el llamado "estado de alto nivel" o la llamada "reacción especial." Es sólo un método de práctica de

Qigong aplicado en una circunstancia especial. Sin embargo, este método no se puede popularizar. Un número de personas buscan el *Bigu* y lo denominan como el llamado *Bigu* o el semi *Bigu*, clasificándolo en diferentes niveles. Algunos afirman que sólo beben agua y otros afirman que solamente necesitan comer fruta. Todos estos son *Bigu* falsos, y a la larga, todos fracasarán. Un cultivador genuino se quedará en una cueva montañosa sin comer ni beber. Eso es el verdadero *Bigu*.

Robando *Qi*

Al hablar sobre el robo de *Qi*, algunos palidecen de horror, como si se mencionara un tigre, y les da tanto miedo que no se atreven a practicar el *Qigong*. Debido a los rumores sobre el fenómeno de la cultivación desquiciada y sobre el robo de *Qi*, etc., muchas personas no se atreven a practicar ni a tener contacto con el *Qigong*. Si no fuera por tales comentarios, probablemente habría más personas practicando el *Qigong*. Sin embargo, hay algunos maestros de *Qigong* con pobre *Xinxing*, que se especializan en enseñar tales cosas. Esto causa mucho caos en la comunidad de cultivadores. En realidad, no es tan terrible como ellos lo han descrito. Hemos dicho que el *Qi* es simplemente *Qi*, aunque puedan llamarlo el "*Qi* Mixto Primordial," este *Qi* o ese *Qi*. Siempre que un cuerpo humano tenga *Qi*, esa persona se encuentra aún en el nivel de curar enfermedades y fortalecer la salud, y no puede considerarse practicante. Siempre que una persona todavía tenga *Qi*, eso significa que su cuerpo no ha llegado aún a un grado alto de purificación y que aún tiene *Qi* patogénico. Eso es seguro. El que roba *Qi* está también en el nivel de *Qi*. ¿Quiénes de nuestros practicantes desea ese *Qi* impuro? El *Qi* del cuerpo de un no practicante es bastante turbio, aunque este *Qi* puede hacerse claro a través de la práctica de *Qigong*. Entonces la parte afectada por la enfermedad revelará una masa de substancia negra de alta densidad. Si esa persona continúa su práctica y ciertamente ha curado su enfermedad y ha fortalecido su salud, poco a poco su *Qi* se hará ligeramente amarillo. Si sigue practicando aún más, su enfermedad realmente se curará y tampoco habrá *Qi* en su cuerpo. Entrará al estado del Cuerpo Blanco Como la Leche.

Eso quiere decir que si uno tiene *Qi*, aún no está libre de enfermedades. Somos practicantes. ¿Para qué necesitamos *Qi* en la práctica de *Qigong*? Nuestro cuerpo necesita purificarse. ¿Para que necesitamos ese *Qi* turbio? Definitivamente que no. El que desea *Qi* está todavía en el nivel de *Qi*. Estando en este nivel, no es capaz de distinguir el *Qi* bueno del malo, porque no tiene esa habilidad. En cuanto al "*Qi* Primordial" que está en el *Dantian* de tu cuerpo, es incapaz de llevárselo, ya que sólo una persona con habilidades de alto nivel puede llevárselo. En cuanto al *Qi* turbio en tu cuerpo, déjalo que se lo robe, porque no tiene nada de importancia. Si quiero llenarme de *Qi* durante la práctica, mi vientre se llenará de *Qi* con sólo pensarlo.

La Escuela Tao enseña la postura parada de *Tianzi Zhuang*,[3] mientras que la Escuela Buda requiere que se llene uno de *Qi* con las manos por la coronilla. En el universo hay mucho *Qi* con el que pueden llenarse el cuerpo diariamente. Con los puntos de acupuntura *Laogong*[4] y *Baihui*[5] abiertos, pueden llenarse el cuerpo de *Qi* a través de las manos mientras concentran la mente en el *Dantian*. Así su cuerpo se llenará de *Qi* en poco tiempo. Aunque llenen al máximo el cuerpo de *Qi*, ¿qué uso tiene eso? Algunos que han practicado mucho el *Qi* pueden sentir que tienen los dedos y el cuerpo hinchados. Cuando otros se acercan a tal persona, pueden sentir un campo a su alrededor. "¡Vaya! Has practicado muy bien el *Qigong*." Yo digo que eso no es nada. ¿Dónde está su *Gong*? Eso es aún una práctica de *Qi*. Por muy grande que sea la cantidad de *Qi*, éste no podrá reemplazar al *Gong*. El propósito de practicar el *Qi* es de sustituir el *Qi* en el cuerpo de uno con el *Qi* bueno del exterior, a fin de purificar el cuerpo. ¿Para

---

[3] *Tianzi Zhuang*—Una forma de ejercicio en postura parada de *Qigong* en la Escuela Tao.
[4] *Laogong*—Punto de acupuntura localizado en medio de la palma.
[5] *Baihui*—Punto de acupuntura localizado en la coronilla.

qué acumulan *Qi*? En este nivel, sin ningún cambio fundamental, el *Qi* aún no es *Gong*. No importa qué tan grande sea la cantidad de *Qi* que se hayan robado, aún no son más que un saco grande de *Qi*. ¿Qué uso tendría? Aún no ha sido transformado en materia de alta energía. Por eso, ¿a qué temen? Déjenlo robarse el *Qi* si realmente desea hacerlo.

Piensen todos sobre esto: Siempre que su cuerpo tenga *Qi*, no estará libre de enfermedad. Entonces, cuando una persona se roba su *Qi*, ¿acaso no les está robándo también el *Qi* patogénico? No se puede diferenciar el *Qi* en absoluto, porque una persona que desea *Qi* está también en el nivel de *Qi* y no tiene ninguna capacidad. Una persona que tiene *Gong* no quiere *Qi*, esto es seguro. Si no lo creen, podemos hacer una prueba: Si alguien quiere robarse realmente su *Qi*, pueden ponerse de pie allí y dejar que se lo robe. Pueden fijar la mente en llenarse el cuerpo con el *Qi* del universo, mientras esa persona les roba el *Qi* detrás de ustedes. Verán lo bueno que es esto, ya que les acelerará la purificación del cuerpo y los librará de cargar y descargar el *Qi* del cuerpo con los movimientos de manos (*chongguan*). Debido a que esa persona tiene una mala intención y se ha robado algo de otro, aunque lo que se haya robado sea algo malo, ha cometido también una maldad que le hará perder su virtud. Por lo tanto, les dará virtud. De esta manera, se forma un circuito en el que mientras que alguien les está quitando el *Qi* aquí, está dándoles virtud allá. La persona que roba *Qi* no sabe esto. Si lo supiera, ¡no se atrevería a hacerlo!

Todas esas personas que roban *Qi* tienen la tez oscura. Muchas personas que van a practicar *Qigong* a los parques con el fin de eliminar enfermedades sufren de toda clase de enfermedades. Cuando uno se está sanando de una enfermedad, debe intentar descargar el *Qi* patogénico de su cuerpo. Sin embargo, la persona que roba *Qi* no descargará el *Qi* y acumulará toda clase de *Qi* patogénico por todo el cuerpo. Incluso el interior del cuerpo se le pone negro. Como siempre pierde virtud, su cuerpo está rodeado totalmente de negro. Con un campo grande de karma y con mucha pérdida de virtud, tanto el interior como el exterior se le ponen negros. Si la persona que roba *Qi* supiera que tal cambio le ha ocurrido y que está dándole virtud a otros al hacer tal tontería, no lo haría en absoluto.

Algunas personas describen el *Qi* de una manera exagerada, diciendo: "Si estás en América, puedes recibir el *Qi* que he emitido; si esperas en el otro lado del muro, puedes recibir el *Qi* que yo emito." Algunos son muy sensibles y pueden sentir inmediatamente el *Qi* emitido. Sin embargo, el *Qi* no se mueve por esta dimensión. Se mueve por otra dimensión donde no hay tal muro. ¿Por qué no pueden sentir nada cuando un maestro de *Qigong* emite *Qi* sobre la tierra plana? Es porque hay una separación allí en otra dimensión. Por lo tanto, el *Qi* no tiene un poder tan penetrante como la gente lo ha descrito.

Lo que realmente funciona es el *Gong*. Cuando un practicante es capaz de emitir *Gong*, ya no tiene *Qi*. Lo que emite es materia de alta energía, que vista por el Tercer Ojo, es una clase de luz. Cuando la emisión llega al cuerpo de otros, da· una sensación de calor; puede restringir directamente a una persona común. Sin embargo, el *Gong* aún no puede alcanzar el propósito de curar enfermedades totalmente y sólo puede desempeñar un papel de represión. A fin de curar enfermedades verdaderamente, se necesitan las capacidades sobrenaturales. Hay una capacidad sobrenatural específica para cada enfermedad. En un nivel sumamente microscópico, cada partícula de su *Gong* asume su misma imagen personal. Puede reconocer a otras personas y tiene inteligencia, ya que es materia de alta energía. Si alguien se la roba, ¿cómo podrá quedarse allí? No se quedará allí y no puede colocarse allí, porque no es propiedad de esa persona. En cuanto a todos los practicantes verdaderos, después de desarrollar *Gong*, serán cuidados por su maestro. Su maestro está viendo lo que hacen. Cuando intentan robarse cosas de otra persona, el maestro de esa persona tampoco dejará que eso ocurra.

Recogiendo *Qi*

En la enseñanza de la práctica de cultivación de altos niveles, robar *Qi* y recoger *Qi* no son asuntos que debemos resolver para todos. Es porque aún tengo el propósito de rehabilitar la reputación de las prácticas de cultivación y hacer algo bueno por medio de exponer estos fenómenos desfavorables, lo cual nadie ha mencionado antes. Quiero que cada uno de ustedes lo sepa, para que algunos no cometan siempre maldades y para que aquéllos que no entienden bien la verdad del *Qigong* no tengan siempre miedo de hablar sobre ello.

Hay una gran abundancia de *Qi* en el universo. Algunos hablan del *Qi Yang* Celestial y el *Qi Yin* Terrenal. Ya que ustedes también son un elemento del universo, pueden recoger tanto *Qi* como quieran. Sin embargo, algunas personas no recogen el *Qi* del universo, sino que se especializan en enseñar a otros a recoger el *Qi* de las plantas. Incluso han resumido sus experiencias: Cómo y cuándo recoger el *Qi*, el *Qi* del álamo es blanco y el *Qi* del pino es amarillo. Alguien también ha afirmado: "Enfrente de mi casa hay un árbol que ha muerto porque he recogido su *Qi*." ¿Qué clase de capacidad es esa? ¿No es eso una maldad? Es bien sabido que cuando hacemos la cultivación genuinamente, queremos mensajes positivos y asimilación con las características del universo. ¿Acaso no deben practicar el *Shan*? Para poder asimilarse a las características del universo, *Zhen-Shan-Ren*, uno tiene que practicar el *Shan*. Si siempre cometen maldades, ¿cómo podrán incrementar el *Gong*? ¿Cómo podrán eliminar sus enfermedades? ¿No es eso justamente opuesto a lo que nuestros practicantes deben hacer? ¡Eso también significa matar y cometer maldades! Tal vez alguien podrá decir: "Cuanto más dices, tanto más inconcebible es—matar un animal es quitar una vida, y matar una planta también es quitar una vida." En realidad, este dicho es verdad. El Budismo ha hablado sobre el *samsara* y ustedes bien pudieron haber reencarnado en una planta durante el *samsara*. Esto es lo que el Budismo dice, pero nosotros no hablamos aquí sobre ello de esta manera. Sin embargo, les decimos a todos que los árboles también tienen vida. No sólo tienen vida, sino que también tienen actividad mental muy avanzada.

Por ejemplo, hay un norteamericano que se especializa en estudios electrónicos y enseña a otros a usar detectores de mentiras. Un día, por una inspiración repentina, puso los dos polos de un detector de mentiras en conexión con un henequén (una planta) y le echó agua en la raíz. Luego, descubrió que la pluma electrónica del detector de mentiras dibujó rápidamente una curva. Esta curva era idéntica a aquella producida por el cerebro humano en un breve segundo cuando está emocionado y contento. En ese momento, él se sorprendió. ¡Cómo puede una planta tener sentimientos! Casi quería ir a la calle a gritar: "¡Las plantas tienen sentimientos!" Al haberse iluminado por este incidente, continuó desarrollando la investigación en esta área y realizó muchos experimentos.

Una vez, colocó dos plantas en un mismo lugar y le pidió a un estudiante que pisara una de las plantas hasta matarla frente a la otra planta. Luego, llevó la otra planta a una sala y la conectó con el detector de mentiras. Les pidió a cinco estudiantes que entraran en la sala uno por uno. No hubo reacción cuando los primeros cuatro estudiantes entraron en la sala. Una vez que el quinto estudiante, el que había destrozado la planta, entró en la habitación, y aun antes de acercarse a ésta, la pluma electrónica dibujó rápidamente una curva. Esta curva sólo aparece cuando una persona tiene miedo. ¡Se quedó asombrado! Este suceso implica un asunto muy importante: A lo largo de los años, hemos considerado siempre que los seres humanos son seres vivientes de alto nivel, con órganos sensorios que pueden identificar las cosas y un cerebro que puede analizarlas. ¿Cómo pueden las plantas distinguir las cosas? ¿No indica esto que también tienen órganos sensorios? En el pasado, si alguien hubiera dicho que las plantas tenían órganos sensorios, pensamientos, sentimientos y la habilidad de reconocer a las personas, se le habría considerado supersticioso. Además de eso, parece que las plantas han sobrepasado en ciertos aspectos a nuestros humanos contemporáneos.

Un día conectó el detector de mentiras con una planta y luego pensó: "¿Qué clase de experimento hago? Voy a quemarle las hojas con fuego y a ver cómo reacciona." Con este pensamiento, y aun antes de quemarle las hojas, la pluma electrónica dibujó una curva. Esta curva sólo se dibuja cuando una persona pide socorro a gritos. Este poder de telepatía se llamaba adivinar el pensamiento en el pasado; es una capacidad potencial humana y una habilidad innata humana. Sin embargo, la humanidad de hoy está degenerándose. Para recuperar esos poderes, tienen que practicar la cultivación desde el principio y regresar a su ser original y verdadero o a su naturaleza original. Sin embargo, la planta ya las tiene, y sabe lo que están pensando. Parece inconcebible, pero fue verdaderamente un experimento científico. El ha realizado varios experimentos, inclusive la capacidad sobrenatural de control remoto a larga distancia. Después de publicarse, su tesis causó una gran sensación en todo el mundo.

Los botánicos de diferentes países, incluso los de nuestro país, han todos empezado estudios en esta área. Esto ya no se considera algo supersticioso. El otro día, dije que lo que nuestra humanidad ha experimentado, inventado y descubierto es suficiente para cambiar los libros de texto de hoy. Sin embargo, debido a la influencia de mentalidades convencionales, la gente es renuente en reconocerlo. No hay nadie que lo esté organizando sistemáticamente tampoco.

En un parque en el nordeste de China, noté que un grupo de pinos se habían secado. Yo no sabía qué clase de *Qigong* estaban practicando algunas personas allá. Esas personas se revolcaban por todas partes en el suelo y luego recogían el *Qi* de los árboles con los pies de una manera y con las manos de otra manera. Poco después, todos los pinos allí se pusieron amarillos y murieron. ¿Fue algo bueno o malo lo que hicieron? Desde la perspectiva de nuestros practicantes, eso significa matar. Como practicantes, deben ser personas buenas y asimilarse a las características del universo, así como descartar esas cosas malas suyas. Incluso desde la perspectiva de una persona común, eso tampoco era un hecho bueno. Eso perjudica la propiedad pública, la repoblación forestal y el equilibrio ecológico. Desde cualquier perspectiva, no fue un hecho bueno. En el universo, hay muchísimo *Qi* y pueden recoger tanto como deseen. Algunos llevan consigo mucha energía. Cuando hayan llegado a cierto nivel, pueden de verdad recoger el *Qi* de las plantas en un área grande con sólo un movimiento de la mano. Aún, eso no es más que *Qi*. Por mucho *Qi* que se recoja, ¿para qué sirve? Cuando algunos van al parque, no hacen otra cosa, diciendo: "No necesito practicar *Qigong*. Me basta con recoger *Qi* mientras camino haciendo movimientos con los brazos y entonces, mi práctica está terminada. Es suficiente sólo obtener *Qi*." Creen que el *Qi* es *Gong*. Si otros se acercan a tal persona, sienten que tiene el cuerpo muy frío. ¿Acaso no es el *Qi* de las plantas de naturaleza *Yin*? Un practicante debe tratar de mantener el equilibrio del *Yin* y el *Yang*. Aunque el cuerpo le huela a resina de pino, aún creerá que su práctica es buena.

Quienquiera que Practique la Cultivación Obtendrá el *Gong*

La cuestión de quién practica el *Gong* y quién obtiene el *Gong* es sumamente importante. Cuando otros me preguntan: "¿Cuáles son las ventajas de Falun Dafa?", les digo que Falun Dafa puede alcanzar el propósito de que el *Gong* cultive al practicante y así reducir el tiempo para la práctica. Esto resuelve el problema de que uno no tenga tiempo para hacer la práctica mientras que aún lo cultiva constantemente el *Gong*. Al mismo tiempo, nuestra vía de cultivación es una práctica genuina de cuerpo y mente. Nuestro cuerpo físico experimentará tremendos cambios. Falun Dafa también tiene otra característica sobresaliente que no he mencionado antes; y sólo hoy vamos a exponerla. Debido a que implica una cuestión muy importante de origen histórico y tiene un gran impacto en la comunidad de cultivadores, nadie en la historia se ha atrevido nunca a revelarla, ni se ha permitido que nadie la revele. Sin embargo, no tengo otra alternativa que darla ha conocer.

Algunos discípulos han dicho: "Cada frase que el gran Maestro Li Hongzhi ha dicho es un secreto del cielo y una revelación de los secretos del cielo." Sin embargo, estamos guiando a la gente hacia los niveles superiores, lo cual es salvar a la gente. El ser responsables ante todos es una responsabilidad que somos capaces de asumir. Por eso, esto no es una divulgación de los secretos del cielo. Si uno habla de ello de una forma irresponsable, eso sí es una revelación de los secretos del cielo. Hoy vamos a hacer pública esta cuestión de quién practica el *Gong* y quién obtiene el *Gong*. A mi parecer, todos los sistemas actuales de cultivación—incluso durante toda la historia, la práctica de la Escuela Buda, la Escuela Tao y la Escuela Qimen—todas han cultivado el *Fu Yuanshen* de uno, y el *Fu Yuanshen* es el que ha obtenido el *Gong*. El *Zhu Yuanshen* del que hablamos aquí se refiere a la propia mente de uno. Uno debe ser consciente de lo que está pensando y de lo que está haciendo; esto es su verdadero ser. Sin embargo, no sabes en absoluto lo que hace tu *Fu Yuanshen*. Aunque éste nació simultáneamente contigo con el mismo nombre, la misma apariencia y controla el mismo cuerpo contigo, ese "tú" aún no eres tú en un sentido estricto.

En este universo hay un principio: Quienquiera que pierda, gana. Quienquiera que hace la cultivación obtiene el *Gong*. A lo largo de las edades, todos los sistemas de cultivación han enseñado a los practicantes a entrar en un estado profundo de trance y que no se debe pensar en nada. Luego uno debe estar en un trance muy profundo hasta que, al final, uno pierde conocimiento de todo. Algunas personas se han sentado con las piernas cruzadas por tres horas como si fuese un momento. Otros admiran el poder de la mente vacía de tal practicante. ¿Ha practicado en realidad? El mismo no lo sabe en absoluto. En particular, la Escuela Tao enseña: el *Shishen*[6] muere y el *Yuanshen* nace. El *Shishen* al que ellos se refieren lo llamamos el *Zhu Yuanshen*; y el *Yuanshen* al que se refieren lo llamamos el *Fu*

---

[6] *Shishen*—Un término taoísta para el *Zhu Yuanhen* (Espíritu Primordial Principal) de uno.

Yuanshen. Si su *Shishen* muere realmente, estarán muertos de verdad y su *Zhu Yuanshen* realmente desaparecerá. Alguien de otro sistema de cultivación me dijo: "Maestro, cuando practico, no puedo reconocer a nadie de mi familia." Otro me dijo: "No necesito hacer la práctica como otros que la hacen levantándose de madrugada y acostándose tarde por la noche. Después de regresar a casa, me recuesto en un sofá y luego salgo de mí mismo a practicar. Mientras estoy recostado allí, me contemplo practicando." Encuentro eso muy lamentable, pero a la vez no era lamentable.

¿Por qué salvan al *Fu Yuanshen*? Una vez, Lu Dongbin[7] hizo una declaración: "Preferiría salvar a un animal que a un ser humano." Efectivamente, es sumamente difícil que la gente se ilumine, ya que la gente común está engañada por la sociedad humana común. Ante sus intereses inmediatos, no pueden desechar sus apegos. Si no lo creen, cuando concluya esta clase, al salir del auditorio algunos se convertirán nuevamente en personas comunes. Si alguien los ofende o si alguien tropieza con ellos, no lo tolerarán. Después de un período de tiempo, ellos mismos no se considerarán de ningún modo como practicantes. Muchos cultivadores consumados en la historia se han dado cuenta de este punto. Salvar a una persona es muy difícil porque su *Zhu Yuanshen* está muy perdido. Algunos tienen buena cualidad de entendimiento y pueden entender instantáneamente la verdad con sólo una insinuación. Algunas personas no les creerán aunque se lo expliquen de todos los modos. Pensarán que están contando cuentos fantásticos. Estamos hablando mucho sobre la cultivación del *Xinxing*, pero ellos persistirán en su vieja manera de actuar una vez que vuelvan entre la gente común. Piensan que el interés práctico, tangible y obtenible entre la gente común es realmente un beneficio substancial y lo perseguirán; la Ley que el Maestro ha expuesto les parece también razonable, pero no la pueden seguir. El *Zhu Yuanshen* humano es lo más difícil de salvar, mientras que el *Fu Yuanshen* puede ver las escenas en otras dimensiones. Por eso, ellos piensan:

---

[7] Lu Dongbin—Una deidad taoísta, una de las famosas Ocho Divinidades en la historia china.

"¿Por qué debo salvar tu *Zhu Yuanshen*? Tu *Fu Yuanshen* también eres tú. ¿No es lo mismo si lo salvo a él? Ambos espíritus son tú y no importa quién lo obtenga. De cualquier manera, todo lo obtendrás tú."

Déjenme describirles específicamente los métodos de su práctica. Si alguien tiene la capacidad sobrenatural de la Visión Remota, probablemente verá esta escena: Al sentarte en meditación, una vez que entres en el estado de mente vacía, podrás ver a un "tú" con tu misma apariencia salir repentinamente de tu cuerpo. Pero si intentas diferenciarlos, ¿dónde estás tú mismo? Estás sentado justamente aquí. Después de ver que esta persona sale de tu cuerpo, el maestro la llevará a cultivar en una dimensión transformada por el maestro, la cual puede ser en la forma de una sociedad anterior, la sociedad contemporánea o una sociedad en otra dimensión. El maestro la enseñará a practicar y ella pasará por muchas dificultades por una o dos horas diariamente. Una vez que regrese después de su práctica, tú también saldrás de tu estado de profundo trance. Este es el caso para aquéllos que pueden verlo.

Será aún más lamentable si uno no puede ver ni saber nada de lo que ha pasado al despertarse de su estado de profundo trance después de dos horas. Como manera de práctica, algunas personas duermen por dos o tres horas, entregándose completamente a otros. Tal cultivación se completa intermitentemente, haciendo la meditación sentada durante cierto tiempo diariamente. Otra forma de cultivación se completa de una sola vez. Probablemente todos han oído de Boddhidarma, que se quedó sentado frente a una pared por nueve años. En el pasado, hubo muchos monjes que se sentaban por decenas de años. En la historia, el tiempo más largo registrado al respecto es de más de noventa años. También hubo algunos que pasaron aún más tiempo sentados, incluso con polvo grueso en los párpados y con hierbas creciéndoles sobre el cuerpo, y aún permanecían sentados. Algunos sistemas de cultivación de la Escuela Tao enseñan esto. En particular, algunas vías de la Escuela Qimen requieren que sus practicantes duerman, que duerman por decenas de años sin salir de su estado de mente vacía sin despertarse. ¿Pero quién ha practicado?

El *Fu Yuanshen* de la persona ha salido a practicar. Si ella pudiera verlo, vería al maestro enseñando a su *Fu Yuanshen* a practicar. El *Fu Yuanshen* también puede que deba una gran cantidad de karma y el maestro no es capaz de eliminar el karma completamente. Por eso, el maestro le dirá: "Debes practicar arduamente aquí. Voy a salir y vuelvo después de un rato. Espérame."

El maestro sabe claramente lo que ocurrirá, pero aún así tiene que hacerlo de esta manera. Con el tiempo, el demonio vendrá a espantar al discípulo o se convertirá en una belleza para seducirlo. Sucederán cosas muy variadas. El demonio entonces se da cuenta que no puede afectarlo en lo absoluto. Esto es porque el *Fu Yuanshen* tiene más facilidad para hacer la cultivación, ya que puede entender la verdad. Al estar desesperado, el demonio hará un atentado contra su vida para vengarse y realmente lo matará. De esta forma, habrá pagado toda su deuda de una sola vez. Después de su muerte, el *Fu Yuanshen* sale flotando como un hilo de humo brumoso, entra en otra reencarnación y nace en una familia muy pobre. El niño sufre desde muy temprana edad. Cuando crece hasta tener uso de la razón, su maestro vuelve. Por supuesto, el niño no puede reconocerlo. Usando capacidades sobrenaturales, el maestro abre la memoria guardada del niño. El niño recordará todo inmediatamente. "¿No es éste mi maestro?" El maestro le dice: "Ahora ya es tiempo de empezar la práctica." Así, después de muchos años, el maestro le pasa las enseñanzas.

Después de completar sus enseñanzas, el maestro le dice de nuevo: "Tienes aún muchos apegos por abandonar. Debes salir a vagar." El vagar por la sociedad es bastante torturante. Tiene que pedir limosna y encuentra toda clase de personas que se burlan de él, lo injurian o se aprovechan de él. Puede encontrar toda clase de cosas. Se trata a sí mismo como practicante y balancea bien sus relaciones con otros, mientras que mantiene y eleva su *Xinxing* constantemente. Esta persona no se conmueve por las tentaciones de los diversos intereses entre la gente común. Después de muchos años de vagar, regresa. El maestro le dice: "Ya has obtenido el Tao y has llegado a la consumación. Si no tienes nada que hacer, puedes empacar tus cosas y prepararte para salir. Si tienes algunas cosas por hacer, termina tus asuntos pendientes entre la gente común." Después de pasar así muchos años, el *Fu Yuanshen* regresa. Tras su retorno, el *Zhu Yuanshen* también sale de su estado de profundo trance y la Consciencia Principal se despierta.

Sin embargo, esta persona en realidad no ha practicado la cultivación. Es el *Fu Yuanshen* el que ha practicado y ha obtenido el *Gong*. No obstante, el *Zhu Yuanshen* también ha sufrido. Después de todo, ha dedicado toda su juventud a estar sentado allí y su vida entera como persona común se ha acabado. Entonces, ¿qué le pasará? Después de despertar del estado de profundo trance, esta persona sentirá que ha desarrollado *Gong* a través de su práctica y que posee capacidades sobrenaturales. Si desea tratar enfermedades o hacer cualquier otra cosa, será capaz de realizarlo porque el *Fu Yuanshen* satisfará su deseo. Ya que esta persona es el *Zhu Yuanshen*, después de todo, es el *Zhu Yuanshen* el que controla el cuerpo y toma decisiones. Además, ha dedicado toda su juventud a estar sentado allí y su vida como persona común ha pasado. Cuando esta persona muere, el *Fu Yuanshen* se va y cada uno se va por su propio camino. De acuerdo con el Budismo, esta persona todavía tiene que pasar por el *samsara*. Ya que un gran ser iluminado ha sido cultivado con éxito en su cuerpo, también ha acumulado una gran cantidad de virtud. Entonces, ¿qué pasará? Probablemente se convertirá en un funcionario de alto rango o hará una gran fortuna en su próxima vida. Esto sólo puede ser de esta manera. ¿Acaso no resultó ser en vano su cultivación?

Nos ha llevado mucho esfuerzo obtener el permiso de exponer este asunto. He revelado el misterio eterno, el cual era el secreto de los secretos, que no podía revelarse en lo absoluto. He revelado la raíz de todos los diversos métodos de cultivación durante todas las edades. ¿No he mencionado que esto está profundamente relacionado con los orígenes históricos? Estas son las razones. Piensen sobre esto: ¿Cuál escuela o vía no practica la cultivación de esta manera? Ustedes practican aquí y allá, pero no han logrado todavía el *Gong*. ¿No es lamentable? Pues, ¿quién tiene la culpa? Los seres humanos están tan perdidos que no se dan cuenta de ello, sin importar cuántas insinuaciones se les den. Si les dices algo a un nivel alto, lo considerarán inconcebible. Si les dices algo a un nivel bajo, no pueden iluminarse a lo que es más alto. Aunque lo he explicado de esta manera, algunos todavía me piden que les cure sus enfermedades. Realmente no sé qué decirles. Nosotros enseñamos la práctica de cultivación y cuidaremos sólo de los que practican la cultivación hacia los niveles superiores.

En nuestra escuela, es la Consciencia Principal la que obtiene el *Gong*. Entonces, ¿podrá la Consciencia Principal obtener el *Gong* si ustedes lo dicen así? ¿Quién dará el permiso? Esto no funciona así y debe haber un requisito previo. Es bien sabido que nuestra vía de cultivación se dedica a la cultivación sin evitar a la sociedad humana común, ni tampoco evade los conflictos ni huye de ellos. En este ambiente complicado de la gente común, ustedes, con la mente clara, deben perder conscientemente en la materia de intereses. Cuando sus intereses los tomen otros, no van a competir ni luchar por ellos como otros y sufrirán pérdidas con toda clase de interferencias del *Xinxing*. En este ambiente difícil, templarán su voluntad y elevarán su *Xinxing*. Bajo la influencia de los innumerables malos pensamientos de la gente común, serán capaces de sublimarse e ir más allá.

Piensen todos sobre esto: ¿Acaso no son ustedes los que conscientemente sufren? ¿No es su *Zhu Yuanshen* el que hace sacrificios? ¿No han perdido conscientemente lo que han perdido entre la gente común? Entonces, este *Gong* debe pertenecerles a ustedes porque quien pierde, gana. Por eso, ésta es la razón por la cual nuestra vía de cultivación efectúa la cultivación sin eludir las circunstancias complicadas de la gente común. ¿Por qué hacemos la cultivación en medio de los conflictos de la gente común? Es porque nosotros mismos queremos obtener el *Gong*. En el futuro, los discípulos que practiquen profesionalmente en los templos tendrán que practicar la cultivación viviendo y vagando entre la gente común.

Algunos han preguntado, "En la actualidad, ¿no hay otras vías que también practiquen entre la gente común?" Pero, todas se dedican a promover la curación de enfermedades y el fortalecimiento de la salud. La cultivación genuina hacia las altas dimensiones nunca se ha enseñado públicamente, excepto la enseñanza de un solo discípulo por generación. Aquéllos que enseñan genuinamente a sus discípulos ya se los han llevado lejos para enseñarlos ocultamente. A través de los años, ¿quién ha hablado sobre tales cosas en público? Nadie lo ha hecho. Nuestra vía de cultivación lo ha enseñado de esta manera porque la nuestra es justamente una tal vía de cultivación, y vamos a obtener el *Gong* precisamente de esta manera. Al mismo tiempo, más de diez mil cosas de nuestra escuela les han sido implantadas en su *Zhu Yuanshen* para que obtengan de verdad el *Gong* por sí mismos. He mencionado que he hecho algo sin precedentes y he abierto la puerta más grande. Algunos han entendido estas palabras mías, pues lo que he dicho realmente no es tan inconcebible. Tengo esta costumbre personal: si tengo un metro, diré sólo un centímetro, y todavía dirán que estoy fanfarroneando. En realidad, les he dicho sólo un poquito porque debido a las enormes diferencias de niveles, no puedo revelar en absoluto ni un poquito de las partes más altas y profundas de la Gran Ley.

Nuestra escuela practica la cultivación de esta manera, lo que les permite de verdad obtener el *Gong* por sí mismos. Esto no tiene precedentes desde la creación del cielo y la tierra. Pueden investigar la historia sobre esto. Es bueno precisamente porque ustedes mismos podrán obtener el *Gong*, pero también es muy difícil. En medio del ambiente más complicado de la gente común y de las fricciones de *Xinxing* entre uno y otro, son capaces de sublimarse e ir más allá; esto es lo más difícil. La dificultad consiste justamente en que sabrán claramente que están sufriendo pérdidas en los intereses de la gente común. ¿Acaso se conmoverán ante sus intereses propios, ante las intrigas mutuas entre la gente, o cuando vean a sus parientes o amigos sufrir? ¿Cómo las evaluarán? ¡Esto es lo difícil que es ser practicante! Algunos me han dicho: "Maestro, sería suficiente que uno pueda ser una buena persona entre la gente común. ¿Quién podrá tener éxito en la cultivación?" Al oírlo, ¡me sentí realmente decepcionado! Ni siquiera le dije palabra alguna. Hay toda clase de *Xinxing*. Sin embargo, el grado al que uno pueda iluminarse será tanto como lo que uno pueda entender; el que entienda podrá obtenerlo.

Lao Tsé dijo: "El Tao es la vía que se puede seguir, pero no es una vía común." El Tao no sería tan valioso si pudiéramos recogerlo en cualquier lugar del suelo y cultivarlo con éxito. Nuestra vía de cultivación requiere que ustedes mismos obtengan el *Gong* por medio de conflictos. Por eso, debemos adaptarnos lo máximo posible con la gente común. No se les pide realmente que pierdan ningún interés material. Sin embargo, en este ambiente material, tienen que elevar el *Xinxing*. Es conveniente justamente por esto. Nuestra vía de cultivación es la más conveniente porque uno puede hacer la cultivación entre la gente común en vez de convertirse en monje o monja. Por esta misma razón, también es lo más difícil, ya que hacemos la cultivación en este ambiente sumamente complejo de la gente común. No obstante, es también lo mejor por esta razón, porque esto les permite a ustedes mismos obtener el *Gong*. Este es el punto más destacado de nuestra escuela y hoy se lo he expuesto a todos ustedes. Por supuesto, cuando el *Zhu Yuanshen* obtiene el *Gong*, el *Fu Yuanshen* también lo obtiene. ¿Por qué es así? Al mismo tiempo que todos los mensajes, entidades inteligentes y células en el cuerpo de ustedes obtienen el *Gong*, naturalmente el *Fu Yuanshen* también incrementa el *Gong*. Sin embargo, su nivel de *Gong* nunca podrá ser tan alto como el de ustedes. Ustedes son el amo y él será el guardián de la Ley.

Hablando sobre esto, me gustaría agregar algo. En la comunidad de cultivadores, hay muchas personas que siempre han intentado cultivarse hacia las dimensiones altas. Estas personas han viajado por todas partes para buscar una Ley y han gastado mucho dinero. Sin embargo, no han encontrado a ningún maestro muy reconocido después de visitar muchos lugares distintos y lejanos por todo el país. Ser muy reconocido no significa necesariamente que uno realmente conozca bien las cosas. Al final, esas personas han hecho viajes de ida y vuelta en vano y han gastado mucho dinero sin lograr nada. Hoy les hemos presentado esta gran vía de cultivación y se la he entregado en el portal de su casa. Depende de ustedes si pueden o no hacer la cultivación y si pueden efectuarla o no. Si pueden hacerla, podrán continuar su cultivación. Si no pueden hacerla o no pueden practicar la cultivación; de hoy en adelante no piensen de ningún modo más acerca de hacer la cultivación. A excepción de los demonios que les engañarán, nadie les enseñará, y en el futuro no podrán hacer la cultivación. Si yo no puedo salvarlos, nadie podrá hacerlo tampoco. En realidad, es más difícil encontrar maestro genuino de una Ley ortodoxa que los enseñe, que subir al cielo. No hay nadie que cuide de esto en lo absoluto. En el Período de la Decadencia del Dharma, aun las dimensiones muy altas también están dentro del Ultimo Estrago. Nadie está cuidando de la gente común. Esta es la vía de cultivación más conveniente. Además, se practica directamente de acuerdo con las características del universo. Es el sendero más rápido y directo, que se dirige directamente al corazón humano.

La Circulación Celestial

La Escuela Tao enseña la Grande y la Pequeña Circulación Celestial. Vamos a explicar qué es la Circulación Celestial. La Circulación Celestial a la que generalmente nos referimos es la que une los dos canales de energía[8] *Ren* y *Du*. Esta Circulación Celestial es una Circulación Celestial superficial que sólo sirve para curar enfermedades y fortalecer la salud. Se llama Pequeña Circulación Celestial. Otra Circulación Celestial, que no se llama Pequeña Circulación Celestial ni Gran Circulación Celestial, es una forma de Circulación Celestial que se efectúa cuando el practicante está sentado en cultivación con la mente profundamente tranquila. Se mueve en forma circular en el interior del cuerpo, dando primero una vuelta en el punto *Niwan*, bajando hasta el *Dantian*, dando allí una

---

[8] Canales de Energía—En la medicina china, se dice que son conductos de *Qi* que comprenden una compleja red para la circulación de energía.

vuelta y luego ascendiendo hacia arriba en forma de circulación interna. Esta es la Circulación Celestial genuina que uno efectúa cuando está sentado en cultivación con la mente profundamente tranquila. Después de su formación, esta Circulación Celestial se convertirá en una corriente de energía muy poderosa que pone a todos los otros canales de energía en movimiento como un solo canal para así abrir todos los otros canales de energía. La Escuela Tao enseña la Circulación Celestial, mientras que el Budismo no lo hace. Entonces, ¿qué enseña el Budismo? Cuando Sakyamuni enseñó su Dharma, no enseñó la práctica de ejercicios, ni habló de eso. No obstante, su sistema de cultivación también tiene su forma de transformación del *Gong*. ¿Cómo circula el canal de energía en el Budismo? Empieza y atraviesa por el punto *Baihui* y luego se desarrolla desde la coronilla hacia la parte inferior del cuerpo en forma de espiral, y al final, abre de esta manera todos los canales de energía.

El canal central de energía en el Tantrismo también sirve para este propósito. Algunos han dicho que no hay canal central de energía. Entonces, ¿por qué razón puede el Tantrismo cultivar el canal central de energía? De hecho, cuando se suman todos los canales de energía del cuerpo humano, la cantidad es más de cientos de miles en número. Se entrecruzan vertical y horizontalmente en el cuerpo justamente como vasos sanguíneos, pero son aún mayores en número que el de los vasos sanguíneos. En los espacios entre los órganos internos, no hay vasos sanguíneos, pero sí hay canales de energía. Los canales de energía están conectados vertical y horizontalmente de la cabeza a todas las partes del cuerpo. Quizás no estén rectos cuando se unen al comienzo. Después de unirse, se ensanchan gradualmente y forman poco a poco un canal de energía recto. Con este canal de energía como eje, rueda por sí mismo para poner en movimiento varias ruedas conceptuales en rotaciones horizontales. Su objetivo también es el de abrir todos los canales de energía del cuerpo.

La cultivación de nuestro Falun Dafa evita usar este método en el que un canal de energía pone en movimiento a todos los canales de energía. Justamente desde el principio, requerimos que todos los cana!es de energía se abran y hagan rotaciones simultáneamente. De una sola vez, hacemos la cultivación en un nivel muy alto, evitando las cosas de bajo nivel. Si desean abrir todos los canales de energía con un solo canal de energía, tal vez toda su vida no sería suficiente para hacerlo. Algunos tienen que cultivar por varias décadas, lo que es muy difícil. Muchos sistemas de cultivación creen que una sola vida no es suficiente para completar la cultivación, mientras que hay muchos practicantes que cultivan en sistemas de alto nivel que sí pueden prolongar su vida. ¿No creen ellos en cultivar la vida? Ellos pueden prolongar su vida para practicar la cultivación, lo que tardará mucho tiempo.

La Pequeña Circulación Celestial se dedica básicamente a curar enfermedades y fortalecer la salud, mientras que la Gran Circulación Celestial es para practicar el *Gong*; aquí es cuando uno practica la verdadera cultivación. La Gran Circulación Celestial a la que se refiere la Escuela Tao no es tan poderosa como la nuestra, que abre todos los canales de energía de una sola vez. La rotación de la Gran Circulación Celestial en la Escuela Tao consiste en que los diversos canales de energía recorren desde los Tres Canales *Yin* y Tres Canales *Yang*[9] de las manos hasta las plantas de los pies, a ambas piernas, al cabello y por todo el cuerpo. Esta se considera la circulación de la Gran Circulación Celestial. Una vez que la Gran Circulación Celestial está en movimiento, eso es la verdadera práctica de *Gong*. Por eso, algunos maestros de *Qigong* no enseñan la Gran Circulación Celestial, puesto que lo que enseñan es sólo para curar enfermedades y fortalecer la salud. Algunos también han hablado sobre la Gran Circulación Celestial, pero no les han implantado nada en el cuerpo. Sin implantar el sistema, ¿cómo podrían ustedes mismos abrirlo con la intención? ¡No será tan fácil como decirlo! Sería simplemente como hacer gimnasia. ¿Cómo podría eso abrirlos? La cultivación depende de los esfuerzos de uno mismo, mientras que la transformación del *Gong* la realiza el maestro. Sólo después de que el

---

[9] Tres Canales *Ying* y Tres Canales *Yang*—Un término colectivo para los tres meridianos *Ying* y los tres meridianos *Yang* de la mano y del pie.

maestro les implante todo el "mecanismo" interior podrá haber ese efecto.

A través de las edades, la Escuela Tao siempre ha considerado al cuerpo humano un pequeño universo: Cree que el exterior del universo es tan grande como su interior y que la apariencia de su exterior es igual a la de su interior. Esto parece ser inconcebible y no es muy fácil de entender. El universo es tan grande; ¿cómo podría compararse con el cuerpo humano? Estamos exponiendo este principio: Nuestra física de hoy estudia los elementos de materia desde las moléculas, átomos, electrones, protones y quarks hasta los neutrinos. ¿Qué tamaños tendrán los de más abajo? En ese punto, ni siquiera un microscopio podrá verlos. ¿Cuáles serán las partículas más microscópicas en un estado aún más abajo? Esto no se sabe. En realidad, lo que nuestra física ha entendido está demasiado lejos de la partícula microscópica más pequeña del universo. Cuando una persona ya no tiene cuerpo físico, puede ver con los ojos cosas con una visión aumentada y podrá ver el nivel microscópico. Cuanto más alto es el nivel de uno, tanto más pequeño es el nivel microscópico que puede ver.

A su nivel, Sakyamuni expuso la teoría de los Tres Mil Mundos. Eso quiere decir que en esta Galaxia de la Vía Láctea, también existen seres con cuerpos físicos como los seres humanos. El también expuso la teoría de que un grano de arena contiene Tres Mil Mundos, lo que concuerda con el conocimiento de nuestra física contemporánea. ¿Qué diferencia hay entre la forma en que un electrón gira alrededor del núcleo atómico y la forma en la que el globo terrestre gira alrededor del sol? Por eso, Sakyamuni dijo que en el nivel microscópico, un grano de arena contiene Tres Mil Mundos. Es justamente como un universo que contiene vida y materia dentro. Si esto es verdad, piensen todos: ¿Hay arena en el mundo de ese grano de arena? ¿Hay también Tres Mil Mundos en la arena de ese grano de arena? Entonces, ¿hay aún arena en los Tres Mil Mundos en la arena de la arena? Si se investiga así continuamente, será infinito. Por lo tanto, aun al nivel de Tathagata, Sakyamuni expuso esta afirmación:

"Es tan grande que no tiene exterior, y tan diminuto que no tiene interior." Es tan inmenso que no podía ver el perímetro del universo, y tan diminuto que no podía ver cuál es la partícula más pequeña de la materia original.

Un maestro de *Qigong* ha dicho: "En un poro hay una ciudad donde circulan trenes y coches." Esto parece inconcebible. Sin embargo, hemos descubierto que esta afirmación no es tan inconcebible cuando realmente la entendemos y estudiamos desde la perspectiva científica. El otro día, cuando hablé sobre la apertura del Tercer Ojo, al abrírseles el Tercer Ojo, muchos pudieron ver esta escena: Iban corriendo hacia fuera a lo largo de un túnel en la frente como si nunca pudieran llegar al final. Todos los días durante la práctica, sienten que van corriendo hacia fuera a lo largo de este gran camino, con montañas y ríos a ambos lados. Durante su recorrido, pasan por ciudades y ven mucha gente y podrán creer que es una quimera. ¿Qué es lo que pasó? Lo que vieron era muy claro y no era una quimera. He dicho que si el cuerpo de uno es realmente tan inmenso al nivel microscópico, no es una quimera. Esto se debe a que la Escuela Tao siempre ha considerado el cuerpo humano un universo. Si efectivamente es un universo, la distancia desde la frente hasta el cuerpo pineal será de más de ciento ocho mil *li*. Pueden lanzarse hacia fuera, pero es una distancia muy remota.

Si la Gran Circulación Celestial se abre completamente en el curso de la cultivación, esto traerá una capacidad sobrenatural al cultivador. ¿Qué capacidad sobrenatural? Como todos saben, la Gran Circulación Celestial se llama también "la Circulación Celestial Meridiana," o "la Rotación *Qiankun*,"[10] o "la Rotación *Heche*."[11] En un nivel muy rudimentario, la rotación de la Gran Circulación Celestial formará gradualmente una corriente de energía que incrementará gradualmente su densidad, transformándose hacia niveles superiores y convirtiéndose en un gran cinturón de energía de

---

[10] *Qiankun*—"Cielo y Tierra."
[11] *Heche*— "Vehículo de Río."

alta densidad. Este cinturón de energía tendrá un movimiento rotativo. En su rotación, podemos verlo con el Tercer Ojo en un nivel muy bajo y encontrar que puede hacer que el *Qi* cambie de posición en el interior del cuerpo: El *Qi* del corazón puede cambiarse a los intestinos o el *Qi* del hígado puede irse al estómago... En el nivel microscópico, podemos ver que lo que lleva es algo muy grande. Si este cinturón de energía se lanza al exterior del cuerpo de uno, será la habilidad de teleportación. Alguien con un *Gong* muy poderoso puede mover algo grande, lo que se llama Gran Teleportación. Alguien con un *Gong* muy débil puede mover algo muy pequeño, lo que se llama Pequeña Teleportación. Estos son los tipos de *Gong* de la teleportación y su formación.

Con la Gran Circulación Celestial, se empieza directamente a practicar el *Gong*. Por lo tanto, traerá diferentes condiciones y formas de *Gong*. También nos traerá un estado muy especial. ¿Qué estado es éste? Los presentes pueden haber leído una frase que se llama "*Bairi Feisheng*"[12] en los libros antiguos tales como Shenxian Zhuan,[13] Dan Jing, Tao Tsang, o Xingming Guizhi. Eso quiere decir que una persona puede elevarse por levitación en plena luz del día. En realidad, quiero decirles a todos que una persona podrá elevarse por levitación una vez que su Gran Circulación Celestial se abra, y es justamente así de sencillo. Algunos piensan que hay bastantes personas cuya Gran Circulación Celestial está abierta después de tantos años de práctica. Quiero decirles que no es inconcebible que decenas de miles de personas ya sean capaces de alcanzar este nivel, porque después de todo, la Gran Circulación Celestial es sólo la etapa justamente al comienzo de la práctica del *Gong*.

Entonces, ¿por qué no hemos visto a esas personas flotando en el aire o elevándose? No se permite perturbar el estado de la sociedad humana común, ni se puede alterar o cambiar la forma social de la sociedad humana común. ¿Cómo se puede permitir que la gente vuele

---

[12] *Bairi Feisheng*—Término taoísta para "volar hacia el cielo en plena luz del día."
[13] Shenxian Zhuan—Una biografía china de deidades taoístas.

en el cielo? ¿Sería ésa una sociedad humana común? Este es un aspecto principal. Desde otra perspectiva, los seres humanos no viven entre la gente común con el fin de ser gente común, sino para regresar a su ser original y verdadero. Por eso, existe también la cuestión de iluminarse a ello. Si uno realmente viera a muchas personas volando, uno también vendría a hacer la cultivación, y así no habría cuestión de iluminarse a ello. Por lo tanto, si son capaces de elevarse por levitación debido a la cultivación, no deben despreocupadamente dejar que otros los vean ni tampoco mostrárselo a otros, porque ellos también necesitan hacer su cultivación. Por consiguiente, una vez que la Gran Circulación Celestial esté abierta, no podrán elevarse por levitación si tienen bajo llave la punta de los dedos, de los pies, o de cierta parte del cuerpo.

Cuando la Gran Circulación Celestial se encuentra a punto de abrirse, ocurrirá un fenómeno en la práctica por el que algunos se inclinarán hacia adelante durante la meditación sentada. Debido a que la circulación en la espalda de uno está más abierta, la espalda se sentirá muy ligera, mientras que la parte delantera del cuerpo se sentirá pesada. Algunos se inclinarán hacia atrás y sentirán pesadez en la espalda, mientras que la parte delantera del cuerpo se siente ligera. Si todo el cuerpo está bien abierto, sentirán como si se elevaran, ascendiendo desde el suelo. Una vez que puedan mantenerse en el aire por levitación realmente, no se les permitirá hacerlo. Sin embargo, esto no es absoluto. Aquéllos que desarrollan capacidades sobrenaturales se encuentran usualmente en los dos extremos. Los niños no tienen apegos, ni tampoco las personas mayores, especialmente las mujeres mayores. Ellas pueden desarrollar y preservar fácilmente sus capacidades sobrenaturales. Para los hombres, sobre todo los hombres jóvenes, una vez que desarrollen capacidades sobrenaturales, la mentalidad de ostentación les será inevitable. Al mismo tiempo, probablemente la usarán como un medio para competir entre la gente común. Por lo tanto, no se permite que esto exista y será bloqueado una vez que se desarrolle por medio de la cultivación. Si una parte del cuerpo está bajo llave, la persona no será capaz de elevarse por levitación. Sin embargo, eso no quiere decir que les estará absolutamente prohibido tener este estado. Probablemente se les permitirá probarlo y algunos podrán preservarlo.

Tales situaciones también han ocurrido en diferentes partes del país donde he dictado conferencias. Cuando dictaba conferencias en Shandong, había practicantes de Pekín y de Jinan.[14] Alguien me preguntó: "Maestro, ¿qué me ha ocurrido? Cuando camino, siempre siento que me separo de la tierra. Cuando duermo en la cama, también siento que floto hacia arriba; hasta la manta también flota hacia arriba como si fuera un globo." Cuando dictaba conferencias en Guiyang,[15] había una practicante veterana de Guizhou que era una señora de edad avanzada. Tenía dos camas en una habitación, y cada cama se encontraba próxima a una pared en cada lado. Cuando estaba haciendo la práctica sentada, sintió que flotaba en el aire, y al abrir los ojos se dio cuenta de que había flotado hasta la otra cama. Pensó: "Debo volver a mi cama," y entonces regresó flotando de nuevo.

Había un practicante en Qingdao,[16] que hacía la meditación sentada sobre una cama de su oficina durante el tiempo de descanso a mediodía, cuando nadie estaba allí. Tan pronto como se sentó a hacer la meditación, flotó fuertemente hacia arriba y llegó a más de un metro de altura. Después de ascender, se cayó. Rebotando así de arriba para abajo, hasta la sábana cayó de la cama al suelo. Sintió un poco de alegría y un poco de miedo y pasó todo el mediodía rebotando hacia arriba y hacia abajo. Finalmente sonó el timbre para continuar el trabajo. Pensó: "No debo dejar a otros ver lo que estoy haciendo. Se preguntarían: '¿Qué ocurre?' Debo parar la práctica rápidamente." Paró la práctica. Esto es porque las personas de edad avanzada pueden controlarse a sí mismas. Si esto le hubiera ocurrido a un joven, habría pensado: "Ya sonó el timbre para trabajar. Que vengan todos a verme elevarme en el aire." Es justamente aquí donde

---

[14] Jinan—Capital de la provincia de Shandong.
[15] Guiyang—Capital de la provincia de Guizhou.
[16] Qingdao—Una ciudad con puerto en la provincia de Shandong.

uno no puede controlar su mentalidad de ostentación: "Vean qué bien he practicado; puedo flotar en el aire." Una vez que uno la muestre, la habilidad desaparecerá, porque no se permite que exista de esta manera. Hay muchos de tales casos entre los practicantes en todas partes del país.

Nosotros requerimos que todos los canales de energía se abran desde el justo comienzo. Hasta hoy, de un 80% a un 90% de ustedes han alcanzado el estado en el que su cuerpo ha quedado libre de enfermedades. Al mismo tiempo, hemos mencionado que durante mis conferencias, no sólo se les empujará a tal estado donde el cuerpo será completamente purificado, sino que también muchas cosas les serán implantadas en el cuerpo para permitir que en esta conferencia puedan desarrollar *Gong*. Es igual como si yo los elevara y los enviara aún más adelante. He estado enseñando la Ley a todos los presentes en mis conferencias, y el *Xinxing* de todos también ha estado cambiando constantemente. Después de salir de este auditorio, muchos de ustedes se sentirán como personas diferentes y su concepción del mundo seguramente cambiará. Ustedes mismos sabrán cómo comportarse en el futuro y no estarán tan confusos como antes. Les aseguro que así será. Por consiguiente, su *Xinxing* ya habrá llegado al mismo nivel.

Hablando de la Gran Circulación Celestial, aunque no les está permitido flotar, sentirán que tienen el cuerpo muy ligero, como si caminaran en el aire. En el pasado, se sentían fatigados aunque caminaran muy poco. Ahora, se sienten bastante ligeros, no importa qué tan lejos anden. Sienten como si alguien los empujara al montar en bicicleta y no sienten cansancio cuando suben las escaleras de un edificio, sin importar cuantos pisos tenga. Está garantizado que ocurrirá así. Los que leen este libro y practican la cultivación individualmente, también pueden alcanzar este estado, como se espera. Soy una persona que no dice lo que no quiere decir, pero lo que digo, tiene que ser verdad. Especialmente bajo estas circunstancias, si al exponer la Ley yo no dijera la verdad, o si hablara con exageraciones e hiciera afirmaciones a la ligera sin un objetivo determinado, estaría enseñando una Ley perversa. Esto es algo que no me es fácil hacer porque todo el universo está mirando. No está permitido que uno se desvíe.

Una persona común sólo sabrá de esta Gran Circulación Celestial y nada más. En realidad, esto no es suficiente. Para reemplazar y transformar lo más rápidamente posible todo el cuerpo con la materia de alta energía, es necesaria otra forma de Circulación Celestial que pone en movimiento todos los canales de energía en el cuerpo. Esta se llama Circulación Celestial *Maoyou*,[17] que probablemente muy poca gente conoce. A veces en los libros se menciona este término. Sin embargo, nadie lo ha explicado, ni se lo dirá. Sólo se discute en teorías, ya que se trata del secreto de los secretos. Aquí vamos a revelárselo todo: La Circulación Celestial *Maoyou* puede empezar desde el punto *Baihui* (o también puede empezar desde el punto *Huiyin*) y sale para seguir por el borde de la unión de los dos lados de *Yin* y *Yang*. Después se mueve bajando por el borde de una oreja al hombro, pasando por entre todos los dedos de una mano. Luego continúa por el lado del cuerpo, pasando por la planta del pie, luego sube por el lado interior de la pierna y baja por el lado interior de la otra pierna. Luego, pasando por la planta del otro pie, sube por el otro lado del cuerpo. Se mueve por entre todos los dedos de la otra mano y finalmente llega a la coronilla después de una circulación completa. Esto se llama Circulación Celestial *Maoyou*. Otros pueden escribir un libro sobre ello y yo lo he resumido con unas pocas palabras. Creo que no debería considerarse un secreto celestial. Sin embargo, otros consideran que estas cosas son muy valiosas y no se las dicen absolutamente a nadie. Hablarán sobre la Circulación Celestial *Maoyou* sólo cuando la enseñen realmente a sus discípulos. Aunque la he expuesto, ninguno de ustedes debe usar la intención para guiarla o controlarla en su práctica. Si hacen eso, no están practicando nuestro Falun Dafa. La cultivación genuina hacia dimensiones altas se efectúa en *wuwei* y libre de cualquier actividad mental. Todas las

---

[17] *Maoyou*—El borde de la unión de los lados *Yin* y *Yang* del cuerpo.

cosas instaladas en su cuerpo están hechas de antemano. Todas están formadas automáticamente y estos mecanismos internos están transformándolos y cultivándolos; ellos mismos harán sus propias rotaciones a su debido tiempo. Un día, la cabeza les oscilará durante la práctica. Si la cabeza les oscila a este lado, eso quiere decir que la rotación se efectúa de esta manera; si la cabeza les oscila a ese lado, eso significa que la rotación se realiza de esa manera. La rotación se hará por los dos lados.

Cuando la Grande y la Pequeña Circulación Celestial han sido abiertas, uno inclina la cabeza durante la práctica de meditación, lo que indica que la energía está pasando por allí. Lo mismo es verdad con la Circulación Celestial Falun que practicamos; simplemente la practicamos de esta manera. En realidad, cuando no están practicando, gira por sí misma y girará así para siempre. Cuando la practican, están reforzando los mecanismos. ¿No hemos mencionado que la Ley cultiva al practicante? Normalmente, encontrarán que su Circulación Celestial siempre está circulando. Aunque no estén practicando, esta capa de mecanismos de energía implantada en el exterior de su cuerpo, la cual es una capa del gran canal de energía, está conduciéndoles el cuerpo a hacer la práctica. Todo esto es automático. También puede girar en sentido opuesto. Las rotaciones se efectúan en ambos sentidos y están abriéndoles constantemente los canales de energía.

Entonces, ¿cuál es el propósito de abrir la Circulación Celestial? La apertura misma de la Circulación Celestial no es el propósito de la práctica. Aunque su Circulación Celestial esté abierta, quiero decir que eso aún no es nada. Si continúan haciendo la cultivación, a través del método de la Circulación Celestial, uno se dirige a abrir todos los canales de energía con un solo canal de energía, y así puede abrir todos los canales de energía en el cuerpo. Ya hemos empezado a hacer esto. Más adelante en la práctica, uno encontrará que en la rotación de la Gran Circulación Celestial los canales de energía se hacen tan anchos como un dedo y bastante anchos en su interior. Debido a que la energía ya se ha hecho muy poderosa, la corriente de energía será muy ancha y muy brillante después de su formación. Esto aún no es nada. Entonces, ¿qué grado debe alcanzar la práctica? Todos los canales de energía deben hacerse gradualmente más anchos y la energía debe hacerse cada vez más poderosa y más brillante. Al final, unos diez mil canales de energía deben unirse como una sola pieza para llegar a un estado en que el cuerpo no tiene canales de energía ni puntos de acupuntura. Todos estos canales del cuerpo se unirán completamente hasta formar una unidad completa. El propósito final de esto es el de abrir los canales de energía. Tiene la meta de transformar completamente el cuerpo humano con la materia de alta energía.

Al llegar a esta etapa de la práctica, el cuerpo de uno habrá sido transformado básicamente por la materia de alta energía. En otras palabras, la cultivación de uno ha llegado al nivel más alto de la cultivación de *Shi-Jian-Fa*. El cuerpo humano físico ha sido cultivado ya hasta el punto máximo. Cuando uno llegue a este nivel, experimentará otro estado. ¿Qué estado será ése? El *Gong* que uno ha desarrollado ya es muy abundante. En el curso de cultivar el cuerpo de una persona común, es decir, en la cultivación de *Shi-Jian-Fa*, todas las capacidades sobrenaturales humanas (capacidades potenciales), así como todas las cosas, serán desarrolladas. Sin embargo, la mayor parte de éstas estarán bajo llave mientras uno cultiva entre la gente común. Además, el Pilar de *Gong* de uno crecerá bastante alto. Todas las formas del *Gong* serán reforzadas por el poderoso *Gong* hasta un grado muy potente. Sin embargo, estas capacidades sobrenaturales sólo pueden funcionar en esta dimensión nuestra y no pueden controlar nada en otras dimensiones, porque son capacidades sobrenaturales cultivadas de nuestro cuerpo físico ordinario. No obstante, ya son bastante abundantes. En diferentes dimensiones y en términos de las formas de existencia del cuerpo en cada dimensión, habrá cambios considerables. Las cosas que este cuerpo lleva y lo que los cuerpos llevan en cada dimensión serán muy abundantes, y parecen muy espantosos. Algunos tienen ojos por todas las partes del cuerpo y todos sus poros se han convertido en ojos. Habrá ojos dentro de la extensión de todo su campo dimensional. Debido a que éste es el sistema de cultivación de la Escuela Buda, algunos llevan imágenes de Bodhisattvas o Budas por todas partes del cuerpo. Todas las formas de *Gong* han llegado ya a un grado sumamente abundante y muchas entidades vivientes también se manifestarán.

Al llegar a esta etapa, aparecerá otro estado llamado "Tres flores se juntan por encima de la cabeza (*Sanhua Juding*)." Es un estado muy obvio y muy llamativo. Uno es capaz de verlo con el Tercer Ojo abierto a un nivel bajo. Uno tendrá tres flores encima de la cabeza. Una de éstas es una flor de loto, pero no es la flor de loto de nuestra dimensión física. Las otras dos flores también son de otra dimensión y son extraordinariamente bellas. Estas tres flores giran por turnos encima de la cabeza. Giran en el sentido de las agujas del reloj y también contra el sentido de las agujas del reloj. Las tres flores también pueden girar sobre sí. Cada flor tiene un pilar enorme que es tan grueso como el diámetro de la flor. Estos tres enormes pilares llegan directamente al cielo. Sin embargo, no son el Pilar de *Gong*, sólo son de tal forma y son extraordinariamente bellos. Si pudiesen verlos, ustedes también se asustarían. Al llegar a esta etapa de cultivación, el cuerpo de uno será blanco y límpido y la piel será delicada. Después de alcanzar este punto, uno habrá llegado a la forma más alta de cultivación de *Shi-Jian-Fa*. No obstante, eso todavía no significa que uno ha llegado ya a la cumbre. Aún necesita continuar la cultivación y seguir hacia adelante.

Avanzando más adelante, uno entrará en la fase transitoria entre *Shi-Jian-Fa* y *Chu-Shi-Jian-Fa*, llamado estado del Cuerpo Blanco Puro (también conocido como el "cuerpo blanco cristalino"). Cuando la cultivación del cuerpo físico haya llegado a la forma más alta de *Shi-Jian-Fa*, es simplemente que el cuerpo humano físico habrá sido transformado a la forma más alta. Cuando el cuerpo entero haya entrado verdaderamente en esta forma, estará compuesto completamente de la materia de alta energía. ¿Por qué se llama este cuerpo Cuerpo Blanco Puro? Es porque este cuerpo ha llegado ya a la pureza absoluta de su grado más alto. Cuando se ve con el Tercer Ojo, todo el cuerpo es transparente, justamente como un vidrio transparente. Cuando lo miran, no hay nada en él, y este estado aparecerá. Dicho simplemente, este cuerpo se ha convertido ya en un cuerpo-Buda. Esto es porque el cuerpo compuesto de materia de alta energía ya es diferente de nuestro cuerpo físico. En esta etapa, todas las capacidades y habilidades sobrenaturales que se han desarrollado en el cuerpo, serán abandonadas totalmente. Se enviarán a una dimensión muy profunda, ya que serán inútiles y no tendrán más uso de ahora en adelante. Un día en el futuro, cuando hayan tenido éxito en la cultivación y obtenido el Tao, podrán mirar hacia atrás para revisar el proceso realizado de su cultivación y sacarlas para echarles una mirada. Ya para entonces, sólo existirán dos cosas: el Pilar de *Gong* aún permanece y el Infante Inmortal cultivado habrá crecido mucho. Sin embargo, ambos existen en una dimensión muy profunda. Una persona con el Tercer Ojo de un nivel común no puede verlas y sólo puede ver que el cuerpo de esta persona es un cuerpo transparente.

Debido a que el estado del Cuerpo Blanco Puro sólo es una fase transitoria, al continuar la cultivación, uno entrará realmente en la cultivación de *Chu-Shi-Jian-Fa*, que se llama también cultivación del cuerpo-Buda. El cuerpo entero consistirá de *Gong*. Para este tiempo, el *Xinxing* de uno ya será estable. Uno comenzará de nuevo a hacer la cultivación y a desarrollar nuevamente capacidades sobrenaturales, que ya no se llaman capacidades sobrenaturales sino "poderes divinos de la Ley Buda," ya que pueden controlar todas las dimensiones con sus poderes infinitos. Mientras continúan practicando la cultivación en el futuro, ustedes mismos sabrán lo que está en las dimensiones más altas, cómo practicar la cultivación, y las formas existentes de la práctica de cultivación.

El Apego al Fanatismo

Voy a hablar sobre un asunto que pertenece al apego al fanatismo. Muchas personas han practicado el *Qigong* por mucho tiempo.

También hay otros que nunca lo han practicado, pero durante toda la vida han venido buscando, ponderando y reflexionando sobre la verdad y sobre el significado verdadero de la vida humana. Una vez que tal persona estudie nuestro Falun Dafa, entenderá de repente muchas preguntas de la vida que deseaba entender, pero a las que no podía encontrar respuesta. Probablemente con la elevación de su mente, esta persona sentirá mucha emoción. Esto es seguro. Yo sé que un cultivador genuino sabrá su valor y sabrá apreciarlo. Sin embargo, frecuentemente aparece este problema: Debido a su emoción, uno desarrollará la mentalidad innecesaria del fanatismo. Esto puede hacerlo comportarse anormalmente en las formalidades, en las interacciones sociales con otros, y en el ambiente de la sociedad humana común. Quiero decir que esto no es aceptable.

La mayor parte de las personas en nuestra vía de cultivación se cultivan en la sociedad humana común. No deben alejarse de la sociedad humana común y deben hacer la cultivación con una mente clara. Las relaciones entre uno y otro aún deberán ser normales. Por supuesto, el *Xinxing* de ustedes será muy alto, con una mentalidad recta. Elevarán su propio *Xinxing* y su propio nivel y harán cosas buenas en vez de cosas malas; esto es sólo una manifestación. Algunos se comportan como si ellos mismos fueran mentalmente anormales o como si ya hubiesen visto suficiente de este mundo. Dicen cosas que otros no pueden entender. Otros podrán decir: "¿Cómo ha podido una persona que estudia Falun Dafa convertirse en un tipo así? Parece estar mal de la cabeza." En realidad, no lo está. Simplemente se ha vuelto demasiado emocionado e insensato, sin sentido común. Piensen todos en esto. Esta conducta de ustedes tampoco es correcta y se han ido al otro extremo, lo que es también otro apego. Deben renunciar a eso y practicar la cultivación mientras viven una vida normal, como otros entre la gente común. Entre la gente común, si otros piensan que están fuera de juicio, no los tratarán como iguales y se alejarán de ustedes. Nadie les dará oportunidades para mejorar el *Xinxing* ni los tratará como una persona normal. ¡Quiero decir que eso no está bien! Por lo tanto, todos deben prestar suma atención a este problema y tienen que comportarse bien.

Nuestro sistema de cultivación no es como los sistemas comunes que hacen a uno estar mentalmente ausente, en un estado hipnótico o fuera de juicio. Nuestro sistema de cultivación requiere que se cultiven a sí mismos con una mente clara. Algunos dicen: "Maestro, siempre me tambaleo una vez que cierro los ojos." Yo diría que no debe ocurrir necesariamente de esa manera. Ya han desarrollado la costumbre de abandonar su propia Consciencia Principal, de relajar su propia Consciencia Principal y de dejarla desaparecer una vez que cierran los ojos. Ya han desarrollado este hábito. ¿Por qué no se tambalean cuando están sentados aquí? Si mantienen el estado en el que tienen los ojos abiertos, ¿se tambalearán con los ojos ligeramente cerrados? Absolutamente que no. Creen que el *Qigong* debe practicarse de esta manera y han formado tal concepto. Una vez que cierren los ojos, desaparecerán sin saber dónde están. Sostenemos que el *Zhu Yuanshen* debe estar consciente porque este sistema de cultivación los cultiva a ustedes mismos. Deben hacer progreso con una mente consciente. Tenemos también ejercicios de meditación. ¿Cómo debemos hacer nuestra práctica de meditación? Como un requisito para todos, requerimos que por más profunda que sea su meditación, deben ser conscientes de que están practicando aquí. Está absolutamente prohibido entrar en el estado hipnótico en el cual no saben nada. Entonces, ¿qué estado específico aparecerá? Tendrán una sensación muy cómoda cuando estén sentados allí, sintiéndose tan maravillosos como si estuvieran sentados dentro de una cáscara de huevo; sabrán que ustedes mismos están practicando el ejercicio, pero sienten que no pueden mover el cuerpo. Todo esto es lo que debe ocurrir en la práctica de nuestro sistema. Hay otro estado en el cual uno siente en la meditación sentada como si las piernas le hubieran desaparecido y no sabe dónde están. Uno también siente como si el cuerpo, los brazos, así como las manos le hubieran desaparecido, y sólo le queda la cabeza. Al continuar la práctica, uno puede encontrar que la cabeza también le ha desaparecido. Sólo queda la mente y un pequeño pensamiento de ser consciente que están haciendo la práctica aquí. Será suficiente si podemos alcanzar este estado. ¿Por qué? Cuando uno practica en tal estado, su cuerpo ha llegado al estado de transformación más pleno, el cual es el estado óptimo. Por eso, requerimos que alcancen este estado de tranquilidad. Sin embargo, no deben quedarse dormidos o perder la consciencia porque de lo contrario las cosas buenas probablemente las practicará otro.

Todos nuestros practicantes deben tener mucho cuidado de no comportarse anormalmente entre la gente común. Si no desempeñan un buen papel entre la gente común, otros dirán: "¿Por qué todas las personas que estudian Falun Dafa se comportan de esta manera?" Esto sería igual que dañar la reputación de Falun Dafa. Tienen que prestar suma atención a este asunto. Además, en otros aspectos o en el curso de la cultivación, deben tener cuidado de no desarrollar el apego al fanatismo. Este apego puede ser aprovechado muy fácilmente por los demonios.

La Cultivación del Habla

La cultivación del habla también la enseñaban las religiones en el pasado. Sin embargo, la cultivación del habla a la que se referían las religiones, se dirigía principalmente a los cultivadores profesionales, monjes y taoístas, quienes no abrían la boca para hablar. Como eran cultivadores profesionales, tenían como objetivo abandonar al máximo los apegos humanos. Ellos creían que una vez que uno tuviera un mínimo pensamiento, eso ya sería karma. Las religiones han clasificado el karma como el karma bueno y el karma pecaminoso. Sin importar que este karma sea bueno o de pecado, según la perspectiva del "vacío" de la Escuela Buda o "la nada" de la Escuela Tao, no debe producirse. Por lo tanto, afirmaban que no harían nada porque no podían ver la relación causal de un asunto, ni si esos asuntos eran buenos o malos, o qué relación kármica existía. Un practicante común que no haya llegado a un nivel muy alto no puede ver estas cosas; por lo tanto, se preocupa de que algo que quizás aparente ser bueno en la superficie, podría ser malo una vez que lo haga. Por lo tanto, él hace lo mejor posible por practicar *wuwei* y no hará nada para evitar cometer más karma. Esto se debe a que una vez que el karma se crea, tendrá que eliminarlo y sufrir por ello. Por ejemplo, ya ha sido determinado en qué etapa alcanzarán la iluminación nuestros practicantes. Si añaden algo innecesario a medio camino, esto les causará dificultades en toda la cultivación. Por eso, uno practica *wuwei*.

La cultivación del habla a la que se refiere la Escuela Buda significa que el habla humana la dicta la mente de uno. Consecuentemente, esta mente tiene intenciones. Si la mente de uno quiere pensar un poco, expresar algo, hacer alguna cosa o dirigir los órganos sensorios humanos y las cuatro extremidades, podría convertirse en un apego entre la gente común. Por ejemplo, hay conflictos entre unos y otros, tales como: "Tú eres bueno, pero él no es bueno," o "Tu cultivación es buena, pero la suya no lo es." Estos son conflictos en sí. Vamos a decir algo que es común, tal como: "Quiero hacer esto o lo otro," o "Este asunto debe realizarse de esta o esa manera." Esto probablemente hará daño a alguien involuntariamente. Debido a que todos los conflictos entre unos y otros son muy complejos, uno podría producir algún karma sin intención. Por consiguiente, uno querrá sellarse la boca sin decir absolutamente nada. En el pasado, las religiones siempre consideraron muy importante la cultivación del habla y esto es lo que se ha enseñado en las religiones.

La mayoría de nuestros cultivadores de Falun Dafa (eso es, a excepción de los discípulos profesionales de cultivación) hacen la cultivación entre la gente común. Por eso, no pueden evitar vivir una vida normal en la sociedad humana común y establecer contactos sociales. Cada uno tiene un trabajo y debe hacerlo bien. Algunos trabajan por medio del habla. Entonces, ¿no sería esto una contradicción? No existe contradicción. ¿Por qué no es una contradicción? La cultivación del habla a la que nos referimos es completamente diferente de la que ellos indican. Debido a diferencias en las vías de cultivación, los requisitos también difieren. Debemos abrir la boca para hablar de acuerdo con el *Xinxing* de un practicante, sin decir palabras para sembrar discordia ni malas palabras. Como cultivadores, debemos juzgarnos a nosotros mismos según la norma de la Ley para determinar si debemos decir algo o no. Lo que uno debe decir no será problemático si usamos la Ley para juzgar la norma de *Xinxing* de un practicante. Además, debemos hablar sobre la Ley y promoverla. Por eso, no podemos dejar de hablar. La cultivación del habla que enseñamos se refiere a: Lo que concierne a la fama y ganancia que no pueden descartarse entre la gente común; lo que no tiene nada que ver con el verdadero trabajo de los practicantes en la sociedad; los chismes insensatos entre los discípulos de la misma escuela de cultivación; los apegos que hacen a uno presumir de sí mismo, chismear o divulgar rumores; o los temas y comentarios que los apasionan y les interesan sobre algún asunto en la sociedad. Pienso que todos son los apegos de la gente común. Siento que debemos vigilar lo que decimos en estos aspectos. Esta es la cultivación del habla a la que nos referimos. En el pasado, los monjes consideraban muy serios estos temas, porque una vez que tuvieran algún pensamiento, producirían karma. Por lo tanto, un monje debía cultivar "cuerpo, habla y mente." La cultivación del cuerpo de la que hablaban significaba que uno no cometería maldades. La cultivación del habla significaba que uno no hablaba. La cultivación de la mente significaba que uno ni siquiera pensaba. En el pasado, la cultivación profesional que se realizaba en el templo tenía requisitos muy estrictos sobre estas cosas. Debemos comportarnos de acuerdo con la norma de *Xinxing* de un practicante. Estará bien, siempre que uno pueda comprender lo que debe y lo que no debe decir.

Lectura Novena

El *Qigong* y el Ejercicio Físico

En un nivel usual, a la gente le es fácil creer que el *Qigong* tiene una relación directa con el ejercicio físico. Por supuesto, en un nivel bajo, el *Qigong* y el ejercicio comparten la misma meta en el aspecto de mantener un cuerpo saludable. Sin embargo, los métodos específicos de práctica y los medios adoptados por aquél, difieren en gran manera del ejercicio. Para obtener un cuerpo saludable por medio del ejercicio, la cantidad de ejercicio debe incrementarse y el entrenamiento físico debe intensificarse. La práctica de *Qigong*, en cambio, es justamente lo contrario, porque requiere que uno no se mueva. Si hay algunos movimientos, deben ser armoniosos, lentos y suaves. Inclusive son inmóviles y quietos; esto difiere enormemente de la forma del ejercicio físico. Desde la perspectiva del nivel superior, el *Qigong* no sólo se limita a curar enfermedades y fortalecer la salud, ya que comprende algo de los niveles más altos y de contenido más profundo. El *Qigong* no es sólo esos pequeños conocimientos en el nivel de la gente común. Es algo sobrenatural y tiene diferentes manifestaciones en diferentes niveles. Es algo que va más allá de la gente común.

Con referencia a la naturaleza de los ejercicios, también son enormemente diferentes. Con el fin de preparar el cuerpo de un atleta para responder al nivel contemporáneo de competición y alcanzar esos requisitos, particularmente a un atleta de hoy, se le requiere incrementar la cantidad de ejercicio. Por lo tanto, tiene que mantener el cuerpo siempre en la mejor condición. Para alcanzar esta meta, tiene que incrementar la cantidad de ejercicio para hacer que la sangre le circule adecuadamente en el cuerpo. De esta forma, se fortalece su capacidad de metabolismo y su cuerpo se mantiene siempre en el mejor estado físico. ¿Por qué se requiere acelerar el metabolismo? Es debido a que se requiere que el cuerpo del atleta esté siempre mejorando y en su mejor estado para la competición. El cuerpo humano está compuesto de innumerables células que experimentan el siguiente tipo de proceso: La vida de una célula recién dividida es muy vigorosa y aparenta estar en desarrollo ascendente. Cuando llega a su punto máximo, no puede desarrollarse más, y sólo puede declinar hasta su fin. Cuando llega al punto extremo de su descenso, una nueva célula la reemplaza. Por ejemplo, usemos las doce horas del día para describirlo. Una célula se divide a las 6:00 a.m. y mantiene su desarrollo ascendente hasta las 8:00 a.m., 9:00 a.m. ó 10:00 a.m., cuando todavía se encuentra en un muy bueno período de tiempo. Aproximadamente al llegar el mediodía, ya no puede subir más y sólo puede descender. En este punto, la célula todavía tiene una mitad de vitalidad restante, pero esta mitad restante de vitalidad es inadecuada para las condiciones competitivas del atleta.

Entonces, ¿qué se debe hacer? El debe intensificar su entrenamiento e incrementar la circulación sanguínea. Entonces, las nuevas células recién producidas podrán reemplazar a las viejas. Este es el camino que toma. Eso quiere decir que antes de que las células terminen el curso entero de vida, o cuando sólo están a mitad del curso de vida, serán reemplazadas. Por eso, su cuerpo se mantiene siempre fuerte y desarrollado. Sin embargo, las células humanas no pueden dividirse de esta manera sin límite, ya que el número de divisiones celulares es limitado. Supongamos que durante la vida de uno, las células pueden dividirse sólo cien veces. En realidad, pueden dividirse más de un millón de veces. Y supongamos que cuando las células de una persona común se dividen cien veces durante su vida, podrá vivir cien años. Pero ahora esta célula sólo puede vivir la mitad de su vida, entonces uno sólo podrá vivir cincuenta años. Sin embargo, no hemos visto que ocurra ningún problema mayor con los atletas, porque los atletas de hoy tienen que jubilarse antes de llegar a la edad de treinta. En particular, el nivel de competición de hoy es muy alto y el número de atletas jubilados también es muy grande. Por eso, el atleta reanudará pronto su vida normal y no parecerá estar muy afectado. Teóricamente, ocurre esencialmente de esta manera. El ejercicio puede capacitarle a uno a mantener un cuerpo sano, pero esto le reducirá la vida. Por las apariencias, un atleta de diez y tantos años de edad parece tener veinte y tantos años; un atleta de veinte y tantos años parece tener treinta y tantos. Los atletas frecuentemente dan una impresión de madurez temprana y envejecimiento precoz. Si hay una ventaja, hay también una desventaja desde el punto de vista dialéctico. De hecho, ellos toman este camino.

La práctica de *Qigong* es justamente lo contrario del ejercicio físico, y no requiere de movimientos violentos. Si hay algunos movimientos, estos son armoniosos, lentos y suaves. Son tan lentos y suaves que hasta se vuelven inmóviles y quietos. Es bien sabido que el método de cultivación de sentarse en trance requiere estar en un estado de quietud. Todas las cosas, tales como el latido del corazón y la circulación sanguínea de uno, serán reducidas y lentas. En la India, hay muchos maestros de Yoga que pueden sentarse en el agua o ser enterrados en la tierra por muchos días. Pueden quedarse completamente inmóviles y hasta pueden controlar el latido del corazón. Supongamos que las células humanas se dividen una vez al día. Un practicante puede hacer que las células de su cuerpo se dividan una vez cada dos días, una vez a la semana, una vez cada medio mes, o incluso una vez en un período muy largo de tiempo. Entonces, ya ha prolongado su vida. Esto sólo se refiere a esas vías de cultivación que sólo cultivan la mente sin cultivar el cuerpo, porque también pueden lograr esto y prolongar la vida de uno. Algunos pueden pensar: "¿Acaso no está predeterminada la vida y todo el proceso entero de la vida de uno? ¿Cómo puede uno vivir más tiempo sin cultivar el cuerpo?" Ciertamente, si el nivel del cultivador llega más allá de los Tres Reinos, su vida podrá prolongarse, pero aparentará ser muy viejo.

Una verdadera práctica de cultivación que cultiva el cuerpo acumulará constantemente la materia de alta energía, acumulándola en las células del cuerpo humano y constantemente incrementará su densidad para reprimir gradualmente y reemplazar poco a poco las células de una persona común. Para entonces, habrá un cambio cualitativo, y esta persona se mantendrá siempre joven. Por supuesto, el proceso de cultivación es muy lento y gradual y uno debe sacrificar mucho. No es fácil templarse física y mentalmente. ¿Podrá uno mantener la calma en un conflicto de *Xinxing* con otros? ¿Acaso no se conmoverán cuando sus propios intereses personales estén en peligro? Esto es muy difícil de hacer. Por lo tanto, significa que no podrán alcanzar la meta siempre que quieran lograrla. Sólo cuando su *Xinxing* y su virtud hayan sido cultivados a ese nivel, podrán alcanzar esta meta.

A lo largo de la historia, muchos han confundido el *Qigong* por el ejercicio común, pero en realidad, la diferencia éntre estos es sumamente grande; no son lo mismo en lo absoluto. Solamente cuando se practica el *Qi* en el nivel más bajo, que sirve para curar enfermedades y fortalecer la salud para mantener un cuerpo sano, tienen el *Qigong* y el ejercicio una meta común en este nivel más bajo. Sin embargo, en un nivel alto, son cosas completamente diferentes. La purificación del cuerpo en el *Qigong* tiene su propósito, y además, a los practicantes se les requiere que cumplan con los principios sobrenaturales en vez de los principios de la gente común. Pero el ejercicio es solamente algo para la gente común.

La Intención Mental

En lo que respecta a la intención mental, esto se refiere justamente a nuestras actividades mentales humanas. En la comunidad de cultivadores, ¿cómo se considera la intención humana en las actividades mentales del cerebro? ¿Cómo juzga las diferentes formas del pensamiento humano? ¿Cómo se manifiestan? La medicina moderna todavía no puede resolver muchas preguntas en la investigación del cerebro humano, porque no es tan fácil como estudiar la superficie de nuestro cuerpo. En niveles más profundos, las diferentes dimensiones presentan diversas formas. Pero esto tampoco se parece a lo que han dicho algunos maestros de *Qigong*. Algunos maestros de *Qigong* no saben ni ellos mismos lo que está ocurriendo ni tampoco pueden explicarlo claramente. Creen que una vez que usan la mente y desarrollan un pensamiento, son capaces de hacer algo. Afirman que sus pensamientos lo hicieron o que sus intenciones lo hicieron. En realidad, esas cosas no las hacen sus intenciones mentales en lo absoluto.

Primeramente, vamos a hablar sobre el origen del pensamiento humano. En la antigua China había una afirmación: "El corazón piensa." ¿Por qué se decía que el corazón piensa? En la antigua China, la ciencia estaba extraordinariamente avanzada porque su estudio se dirigía directamente a cosas tales como el cuerpo humano, la vida y el cosmos. Algunas personas realmente sienten que es su corazón el que está pensando, mientras que otros sienten que es su cerebro el que está pensando. ¿Por qué ocurren estos casos? Es muy razonable cuando algunas personas dicen que "el corazón piensa." Esto se debe a que hemos descubierto que el *Yuanshen* de una persona común es muy pequeño y el mensaje verdadero emitido por el cerebro no es una función del cerebro humano mismo; no lo genera el cerebro, sino el *Yuanshen* de uno. El *Yuanshen* no permanece sólo en el palacio *Niwan*. El palacio *Niwan* de la Escuela Tao es justamente la glándula pineal reconocida por la medicina moderna. Si el *Yuanshen* está en el palacio *Niwan*, uno sentirá de verdad que el cerebro está pensando algo o emitiendo mensajes. Si se encuentra en el corazón, uno sentirá realmente que el corazón está pensando en algo.

El cuerpo humano es un pequeño universo. Muchas entidades vivientes en el cuerpo de un practicante quizás puedan intercambiar sitios. Si el *Yuanshen* cambia de sitio y se va al vientre, entonces uno sentirá que su vientre está pensando en algo. Si el *Yuanshen* se va a la pantorrilla o al talón, la persona sentirá que su pantorrilla o su talón está pensando en algo. Está garantizado que ocurre de esta manera, aunque parezca inconcebible. Cuando su nivel de cultivación no sea tan alto, pueden sentir la existencia de este fenómeno. Si un cuerpo humano no tiene *Yuanshen* ni tales cosas como temperamento, carácter y personalidad, será sólo un pedazo de carne. Por lo tanto, esta persona no será una persona completa con individualidad independiente. Entonces, ¿qué funciones tiene el cerebro humano? Tal como yo lo veo, en la forma de nuestra dimensión física, el cerebro humano es sólo una fábrica de procesamiento. El mensaje real lo emite el *Yuanshen*; pero lo que éste transmite no es un lenguaje sino una clase de mensaje cósmico, que representa un cierto significado. Al recibir este mandato, nuestro cerebro lo procesa para convertirlo en nuestro lenguaje actual o en otras formas de expresión. Lo expresamos con movimientos de mano, contacto visual y todos los movimientos del cuerpo. El cerebro desempeña sólo este papel. El mandato y los pensamientos reales los emite el *Yuanshen*. La gente piensa frecuentemente que éstas son funciones directas e independientes del cerebro. En realidad, el *Yuanshen* a veces se encuentra en el corazón y algunos sentirán realmente que el corazón está pensando.

Actualmente, los que se dedican a la investigación del cuerpo humano creen que el cerebro humano emite algo similar a una onda eléctrica. No vamos a hablar al principio sobre qué es lo que en esencia se emite, pero han reconocido que tiene una clase de existencia material. Por lo tanto, no es algo supersticioso. ¿Qué efectos tiene esta substancia emitida? Algunos maestros de *Qigong* afirman: "Yo puedo usar mi intención mental para mover objetos, para abrirles el Tercer Ojo, para curarles su enfermedad, etc." En realidad, en cuanto a algunos maestros de *Qigong*, ellos mismos no saben en absoluto, ni tampoco tienen claro qué capacidades sobrenaturales poseen. Tales maestros de *Qigong* sólo saben que pueden lograr algo que quieren hacer simplemente por medio del pensamiento. En realidad, es su intención mental la que está actuando. Las capacidades sobrenaturales las controla la intención mental y hacen tareas específicas bajo el mandato de la intención. Sin embargo, la intención misma no puede hacer nada por su propia cuenta. Cuando un practicante hace algo específico, son sus capacidades sobrenaturales las que están funcionando.

Las capacidades sobrenaturales son capacidades potenciales del cuerpo humano. Con el desarrollo de nuestra sociedad humana, el pensamiento del cerebro humano se ha hecho cada vez más complejo, prestando cada vez más atención a la "realidad" y dependiendo cada vez más de los llamados medios modernizados. Consecuentemente, las capacidades innatas humanas van degenerándose cada vez más. La Escuela Tao enseña el retorno al ser original y verdadero. En el curso de la práctica de cultivación, deben buscar la verdad y al final retornarán al ser original verdadero y volverán a su naturaleza innata. Sólo al retornar a la naturaleza original, podrán revelar estas capacidades instintivas suyas. Hoy en día las llamamos capacidades sobrenaturales, cuando en realidad todas son capacidades instintivas del ser humano. La sociedad humana parece estar progresando, pero en realidad, está retrocediendo, alejándose cada vez más de la característica del universo. El otro día mencioné que Zhang Guolao montaba en burro con la espalda hacia adelante, pero algunos probablemente no entendieron qué significaba esto. Zhang Guolao descubrió que avanzar significa lo mismo que retroceder, y que la humanidad está cada vez más lejos de la característica del universo. En el curso de la evolución cósmica, especialmente ahora después de entrar en el gran torrente de la economía mercantil, la moralidad de muchas personas se ha vuelto mala y corrupta, alejándose cada vez más de la característica del universo, *Zhen-Shan-Ren*. Aquellos que están dejándose llevar por la corriente de la gente común no pueden darse cuenta del grado de degeneración moral humana. Por eso, algunos inclusive lo consideran todo algo bueno. Sólo aquéllos que hayan elevado su *Xinxing* a través de la cultivación se darán cuenta, al echar una mirada atrás, que la moralidad humana ha degenerado hasta este grado tan terrible.

Algunos maestros de *Qigong* han afirmado: "Yo puedo ayudarles a desarrollar sus capacidades sobrenaturales." ¿Qué capacidades sobrenaturales pueden ellos desarrollar? Sin energía, las capacidades sobrenaturales de uno no pueden funcionar. ¿Cómo podrían ustedes desarrollarlas sin esto? Cuando sus capacidades sobrenaturales no han sido formadas ni reforzadas por su propia energía, ¿cómo podrían desarrollarlas? Es totalmente imposible hacerlo. Lo que aquellos maestros han dicho sobre desarrollar las capacidades sobrenaturales no es nada más que conectar con su cerebro sus capacidades sobrenaturales ya formadas. Estas funcionarán bajo el mandato de la intención de su cerebro. Esto es lo que ellos hacen en términos de desarrollar las capacidades sobrenaturales de ustedes. En realidad, ellos no han desarrollado ninguna de las capacidades sobrenaturales de ustedes, sino que sólo han hecho este pequeño trabajo.

Para un practicante, la intención mental dirige las capacidades sobrenaturales a hacer cosas; para una persona común, la intención dirige a las cuatro extremidades y órganos sensorios para hacerlos trabajar, justamente como la oficina de producción de una fábrica: La oficina del director de la fábrica da instrucciones a todos los departamentos específicos de diferentes funciones para que estos las lleven a cabo. Es justamente como el cuartel general de un ejército que da órdenes y dirige a todo el ejército para cumplir una misión. Durante los períodos cuando yo dictaba conferencias en otros lugares, conversaba frecuentemente con los miembros dirigentes de las sociedades locales de estudio del *Qigong* sobre este asunto. Todos se quedaron sorprendidos: "Hemos estado estudiando cuánta energía potencial y consciencia potencial tiene la mente humana." En realidad, no es así. Estuvieron equivocados justo desde el comienzo. He dicho que para estudiar la ciencia del cuerpo humano, uno tiene que revolucionar su pensamiento. Para entender esas cosas sobrenaturales, uno no puede aplicar los métodos de deducción y entendimiento que usa la gente común.

Hablando sobre la intención mental, ésta tiene varias formas. Por ejemplo, algunos mencionan la subconsciencia, consciencia vaga, inspiración, sueños, etc. Hablando de sueños, ningún maestro de *Qigong* está dispuesto a explicarlos. Es porque cuando naciste, naciste simultáneamente en muchas dimensiones del universo, pero todos los otros "tú" forman una entidad completa integrada contigo y se comunican entre sí, ya que están conectados mentalmente. Además, tienes tu propio *Zhu Yuanshen*, *Fu Yuanshen* e imágenes de otras diversas entidades vivientes existentes en el cuerpo. Como formas de existencia en otras dimensiones, cada célula y todos los órganos internos llevan consigo los mensajes de tu imagen. Por lo tanto, es sumamente complejo. En un sueño, las cosas pueden ser de esta forma en un momento y de otra forma en otro. ¿De dónde vienen? En la ciencia médica, se dice que esto se debe a que la corteza cerebral de uno ha experimentado cambios. Esta es una reacción que se manifiesta en forma física. De hecho, esto es el resultado de recibir mensajes de otra dimensión. Por lo tanto, te sientes aturdido en un sueño. Esto no tiene nada que ver contigo y no tienes necesidad de preocuparte por ello. Hay un tipo de sueño que tiene relación directa contigo, pero no podemos decir que tal sueño sea un "sueño." Tu Consciencia Principal, es decir, tu *Zhu Yuanshen*, puede haber visto en sueños a un pariente venir a tu lado, o haber experimentado un suceso, o haber visto o hecho algo. En estos casos, es tu *Zhu Yuanshen* el que realmente ha hecho o visto algo en otra dimensión física, porque tu consciencia estaba clara y real. Estas cosas realmente existen, pero ocurren en otra dimensión física y se han hecho en otro tiempo-espacio. ¿Cómo podrías llamarlo un sueño? No lo es. Sin embargo, tu cuerpo físico aquí está realmente durmiendo y sólo puedes decir que es un sueño. Sólo este tipo de sueño se relaciona directamente contigo.

Hablando sobre la inspiración humana, la consciencia nebulosa, la subconsciencia, etc., yo diría que tales términos no los inventan los científicos. Estos son términos creados por los letrados y se basan en los convencionalismos de la gente común, y no son de carácter científico. Al fin y al cabo, ¿qué significa la consciencia nebulosa a que se refiere la gente? Es muy difícil explicarla claramente y es algo muy ambiguo, ya que los diversos mensajes humanos son muy complejos y parecen ser parte de las memorias nebulosas. En cuanto a la subconsciencia a la que se refiere la gente, podemos explicarla fácilmente. De acuerdo con la definición que se da a la subconsciencia, usualmente se refiere a uno que ha hecho algo sin darse cuenta. Comúnmente, se dice que ha hecho algo subconscientemente, en vez de hacerlo intencionalmente. Esta subconsciencia es justamente igual a la Consciencia Asistente que hemos mencionado. Cuando la Consciencia Principal de uno está relajada y no controla el cerebro, uno no tiene una consciencia clara, como si estuviera durmiendo. En un sueño o bajo un estado de inconsciencia, uno será fácilmente dominado por la Consciencia Asistente, es decir, por el *Fu Yuanshen*. En ese momento, la Consciencia Asistente es capaz de hacer algunas cosas, lo que quiere decir que ustedes lo estarán haciendo sin una mente clara. Sin embargo, tales cosas suelen estar bastante bien hechas, ya que la Consciencia Asistente puede ver desde otra dimensión la naturaleza del asunto sin ser engañada por nuestra sociedad humana común. Por lo tanto, después de volver en sí, uno se dará cuenta de lo que ha hecho: ¿Por qué lo he hecho tan mal? Si hubiese tenido una mente clara, no lo habría hecho de esta manera. Ahora dicen que eso no es bueno, pero después de diez días o de medio mes, cuando echen una mirada atrás, dirán: "¡Ay, qué bien fue hecho eso! ¿Cómo es que pude hacerlo entonces?" Estas cosas ocurren frecuentemente. No obstante, debido a que a la Consciencia Asistente no le importa el efecto en aquel momento, ésta tendrá un buen efecto en el futuro. También hay algunas cosas que no tienen ninguna consecuencia y sólo tienen ciertos efectos en ese momento. Cuando la Consciencia Asistente haga estas cosas, probablemente hará un buen trabajo en aquel momento.

Hay otra forma: Usualmente, aquellos de ustedes que poseen muy buenas cualidades innatas, tienen una mayor posibilidad de ser controlados por seres de las altas dimensiones al hacer algunas cosas. Por supuesto, esto es otro asunto del que no se hablará aquí. Yo explico principalmente la clase de pensamientos que originan de nosotros los seres humanos.

En lo que concierne a la inspiración, es también un término inventado por los hombres de letras. Generalmente se considera que la inspiración es la acumulación de conocimientos durante la vida de uno, que aparece como un centello en un momento fugaz. Yo diría que de acuerdo al punto de vista materialista, cuantos más conocimientos uno acumula, tanto más preciso es su cerebro en su aplicación. En el momento que los usan, los conocimientos deben salir continuamente y no debería haber nada relacionado con el tema de la inspiración. Pero toda la llamada inspiración, cuando viene, no ocurre en este estado. Usualmente, la inspiración aparecerá cuando uno está usando el cerebro, lo usa continuamente hasta sentir finalmente el agotamiento de sus conocimientos o hasta ser incapaz de utilizarlo más: Descubrirá que no puede continuar escribiendo su artículo, que ya no tiene el hilo del pensamiento en la composición de una canción y que le es imposible seguir haciendo un proyecto de investigación científica. Generalmente, en ese momento, él se siente sumamente fatigado, con las venas hinchadas visibles en la cabeza, con colillas de cigarrillos tiradas por todo el suelo y con un agudo dolor de cabeza, y aún no le surge ninguna idea. Finalmente, ¿bajo qué condiciones aparece la inspiración? Por ejemplo, si se siente cansado, podrá pensar: "Basta ya, voy a descansar un rato." Debido a que cuanto mayor control tenga la Consciencia Principal sobre su cerebro tanto menos podrán intervenir otros seres vivientes, con este descanso y la relajación de su mente, deja de pensar y de repente sin intención puede recordar algo en su cerebro. La mayor parte de las inspiraciones vienen de esta manera.

Entonces, ¿por qué viene la inspiración en este momento? Porque cuando al cerebro humano lo controla la Consciencia Principal, mientras más usa uno el cerebro, tanto más control tiene la Consciencia Principal y tanto menos puede intervenir la Consciencia Asistente. Cuando uno piensa tan asiduamente que le duele la cabeza y sufre mucho por no poder encontrar una idea, la Consciencia Asistente también sufre y padece de dolor de cabeza. Siendo una parte de este cuerpo y debido a que ha nacido simultáneamente de la misma matriz materna, también controla una parte de este cuerpo. Cuando la Consciencia Principal de uno está relajada, la Consciencia Asistente proyecta lo que sabe al cerebro, porque ésta puede ver la esencia de un asunto en otra dimensión. De esta manera, el trabajo se hará, el trabajo será escrito y la música será compuesta.

Algunos dirán: "Pues en ese caso, deberíamos hacer uso de la

Consciencia Asistente." Esto se parece justamente a lo que alguien acaba de preguntar en una nota: "¿Cómo nos podemos poner en contacto con la Consciencia Asistente?" Son incapaces de ponerse en contacto con ésta porque acaban de comenzar recientemente la cultivación y no tienen ninguna habilidad. Será mejor si no tienen ese contacto, porque si lo hacen, su intención estará propensa a volverse un apego. Algunos pueden pensar: "¿Podemos usar la Consciencia Asistente para hacernos de más riqueza y para promover el desarrollo de la sociedad humana?" ¡No! ¿Por qué no? Porque lo que su Consciencia Asistente sabe es también muy limitado. Con la complejidad de las dimensiones y con tantos niveles, la estructura de este universo es muy compleja. La Consciencia Asistente sólo puede saber lo que existe en la dimensión en la que ésta está, y no podrá saber nada fuera de esa dimensión. Además, hay muchísimos niveles verticales y diferentes dimensiones. El desarrollo de la humanidad sólo puede ser controlado por los seres de alta dimensión en los niveles muy altos, y progresa de acuerdo con la ley del desarrollo.

Nuestra sociedad humana común está progresando de acuerdo con la ley del desarrollo de la historia. Podrán desear que se desarrolle de cierto modo y que alcance cierta meta. Sin embargo, los seres de alta dimensión no lo consideran de esta manera. En épocas antiguas, ¿acaso no pensó también la gente en los aviones, trenes y las bicicletas de hoy? Yo diría que es poco probable que esa gente no hubiese pensado en ellos. Debido a que la historia no se había desarrollado hasta esa etapa, la gente no podía inventarlos. Hablando de forma superficial o desde las teorías convencionales y la perspectiva del conocimiento actual humano, la humanidad no podía inventarlos, porque la ciencia humana no había alcanzado esa etapa. De hecho, la ciencia humana se desarrolla también de acuerdo con el plan de la historia. Si con esfuerzos humanos desean realizar cierto objetivo, no puede lograrse. Por supuesto, hay algunas personas cuya Consciencia Asistente puede desempeñar fácilmente un papel. Un escritor afirma: "Puedo escribir en un día decenas de miles de palabras para un libro y no me siento cansado para nada. Si quiero escribir, puedo hacerlo rápidamente y otros pueden encontrarlo bien escrito después de leerlo." ¿Por qué ocurre de esta manera? Esto es el resultado de los esfuerzos colectivos de su Consciencia Principal y su Consciencia Asistente, mitad y mitad, ya que la Consciencia Asistente también puede desempeñar la mitad del papel. Pero este caso no ocurre siempre así. La mayoría de las Consciencias Asistentes no se mezclan en ello en lo absoluto. No será bueno si desean que ésta haga algo, porque obtendrán un resultado opuesto.

Una Mente Clara y Limpia

Muchas personas son incapaces de entrar en un estado de tranquilidad durante la práctica y van por todas partes a buscar al maestro de *Qigong* para preguntarle: "Ay, maestro, ¿por qué no puedo entrar en el estado de tranquilidad durante la práctica? Una vez que quiero entrar en el estado de tranquilidad, pienso en todo, incluso ideas extrañas e imágenes absurdas." Es como ríos y mares turbulentos, de los cuales surgen todas las cosas, y uno no puede estar tranquilo en lo absoluto. ¿Por qué no puede uno estar tranquilo? Algunas personas no lo entienden y creen que hay una clave secreta para hacerlo. Así buscarán a maestros muy reconocidos y dirán: "Por favor, enséñeme algún truco avanzado para poder entrar en el estado de tranquilidad." A mi modo de ver, están buscando ayuda externa. Si desean mejorarse a sí mismos, tienen que examinar su propio ser interior y concentrar sus esfuerzos en el corazón. Sólo entonces podrán mejorarse a sí mismos y alcanzar el estado de tranquilidad durante la meditación sentada. La habilidad de poder lograr el estado de tranquilidad es *Gong*. La profundidad del poder de *Ding* es una indicación de su nivel.

¿Cómo puede una persona común entrar en el estado de tranquilidad por su voluntad? Uno no puede hacerlo en absoluto a menos que tenga muy buenas cualidades innatas. En otras palabras, la causa fundamental de que no puedan entrar en el estado de tranquilidad no es cuestión de qué método deben usar ni un asunto de técnicas secretas, sino que su mente y su corazón no están limpios. En la sociedad de la gente común y en los conflictos de persona a persona, compiten con otros por intereses personales, por las Siete Pasiones y los Seis Deseos, así como por diversas clases de apegos. Si no pueden renunciar a estas cosas ni tomarlas con ligereza, ¿cómo van a poder entrar en el estado de tranquilidad? ¿Será eso tan fácil como decirlo? Mientras está practicando *Qigong*, alguien afirma: "No me lo puedo creer. Tengo que entrar en el estado de tranquilidad y dejar de pensar." Justamente después de decir esto, los pensamientos salen de nuevo dando vueltas, precisamente porque su corazón no está limpio. Por lo tanto, son incapaces de tener una mente tranquila.

Algunas personas probablemente no están de acuerdo con mi punto de vista: "¿Acaso no enseñan algunos maestros de *Qigong* a otros a adoptar ciertas técnicas? Uno puede concentrase en una sola cosa, visualizarla, pensar sólo en el *Dantian*, concentrar la mente en el *Dantian* en el interior del cuerpo, salmodiar el nombre de Buda, etc." Estas son clases de técnicas. Pero no son simplemente técnicas, sino también una manifestación de las habilidades (*Gongfu*) de uno. A la vez, tales habilidades tienen una relación directa con el *Xinxing* de nuestra cultivación y con el mejoramiento de nuestro nivel. Además, uno no es capaz de entrar en el estado de tranquilidad usando sólo estas técnicas. Si no lo creen, pueden probarlo. Mientras tengan toda clase de fuertes deseos y apegos y sin ser capaces de renunciar a todo, pueden probar y ver si son capaces de entrar en el estado de tranquilidad o no. Algunos dicen que es útil salmodiar el nombre de Buda. ¿Podrían alcanzar el estado de tranquilidad por la salmodia del nombre de Buda? Alguien afirma que es fácil practicar la vía de Buda Amitabha porque se puede realizar simplemente salmodiando el nombre de Buda. ¿Por qué no intentan salmodiarlo? Yo diría que es una habilidad. Ustedes dicen que eso es fácil, pero yo digo que eso no es fácil. Ninguna vía de cultivación es fácil.

Es bien sabido que Sakyamuni enseñaba "samadhi." ¿Qué enseñaba antes de enseñar samadhi? Enseñaba el "precepto": La abstinencia de todos los deseos y vicios hasta no mantener nada en la mente. Sólo así puede entrar uno en el estado de samadhi. ¿No es esto tal principio? Pero el samadhi también es una clase de habilidad, ya que no pueden alcanzar por completo el "precepto" de una sola vez. Con el abandono gradual de todas las cosas malas, su habilidad de concentración también se desarrollará desde lo superficial hasta lo profundo. Salmodiar el nombre de Buda debe realizarse con una total concentración mental y sin pensar en ninguna otra cosa hasta que uno lo haya salmodiado tanto, que las otras partes del cerebro se entumezcan y uno se vuelva inconsciente de todo, reemplazando diez mil pensamientos con un solo pensamiento en la mente o hasta que cada letra de "Buda Amitabha" pueda mostrarse ante los ojos de uno. ¿No es esto un logro? ¿Podrá uno hacerlo desde el justo comienzo? No. Si es incapaz de hacerlo, no podrá entrar en el estado de tranquilidad. Si no lo creen, pueden probarlo. Mientras uno está salmodiando el nombre de Buda una y otra vez, la mente está pensando en todas las cosas: "¿Por qué me desprecia tanto mi jefe en el trabajo? Mi gratificación de este mes ha sido muy pequeña." Cuanto más piensa, tanto más se enoja, mientras que su boca aún está salmodiando el nombre de Buda. ¿Crees que esta persona puede practicar el *Qigong*? ¿No es esto un asunto de logro? ¿No es un problema de tu propio corazón, el cual no está limpio? El Tercer Ojo de algunas personas está abierto y pueden ver el *Dantian* dentro de su cuerpo. El *Dan* acumulado en la posición del abdomen inferior de uno se pone más brillante cuanto más pura sea la materia de energía, y se vuelve más oscura y negra cuanto menos pura sea. ¿Podrán entrar en el estado de tranquilidad simplemente mirando internamente al *Dan* en su *Dantian*? Uno no puede lograrlo. La incapacidad de entrar en el estado de tranquilidad no se debe a la técnica misma, sino que el punto clave es que sus pensamientos y su mente no son claros ni están limpios. Cuando miran adentro al *Dantian* ven que el *Dan* es muy bello y muy brillante, como un cristal de roca. En un momento, este *Dan* se transforma y se convierte en una casa. "Este cuarto es para mi hijo cuando se case, ése es para mi hija, y nosotros, el viejo matrimonio, viviremos aquí, y el cuarto en el centro servirá de sala de estar. ¡Maravilloso! ¿Me asignarán esta casa a mí? Tengo que buscar los medios para conseguirla. ¿Qué debo hacer?" Las personas simplemente se apegan a estas cosas. ¿Piensan que podrían entrar en el estado de tranquilidad de esta manera? Algunos han dicho: "Cuando vengo a la sociedad de la gente común, es justamente como registrarme en un hotel sólo por unos pocos días. Después, me voy de prisa." Algunos simplemente están obsesionados con este lugar y han olvidado su propio hogar.

La cultivación genuina requiere cultivar el corazón, cultivar el interior de uno, buscar en el interior en vez de en el exterior. Algunas escuelas de cultivación afirman que el Buda está justamente en el corazón de uno, y esto tiene su verdad también. Algunos han malentendido esta frase y afirman que "el Buda está en el corazón de uno," como si ellos mismos fueran Budas o que un Buda estuviera en su corazón; lo han entendido de esa manera. ¿Acaso no están equivocados? ¿Cómo se podría entender así? Esto significa que tienen que cultivar el corazón para tener éxito en la cultivación genuina. Esto es justamente la verdad. ¿Cómo podría existir un Buda en su cuerpo? Tienen que practicar la cultivación para obtener éxito.

La razón por la cual son incapaces de entrar en el estado de tranquilidad es que su mente no está vacía y no han alcanzado un nivel tan alto. La tranquilidad se alcanzará de lo superficial a lo profundo, de acuerdo con el mejoramiento de su nivel. Cuando renuncien a sus apegos, su nivel se elevará y su capacidad de concentración mejorará también. Si desean usar cierta técnica o método para entrar en el estado de tranquilidad, yo diría que están buscando ayuda del exterior en la cultivación. En la práctica de *Qigong*, el desviarse y tomar un camino perverso simplemente se refiere a las personas que buscan ayuda del exterior. Particularmente en el Budismo, se dice que están tomando la vía de los demonios si buscan ayuda del exterior en la cultivación. La cultivación genuina requiere que uno cultive el corazón: Sólo cuando mejoren su *Xinxing*, podrán obtener una mente clara y limpia y un estado libre de intención (*wuwei*). Sólo cuando eleven su *Xinxing*, podrán asimilarse a las características del universo y renunciar a los diversos deseos, apegos y cosas malas. Sólo entonces serán capaces de abandonar todas las cosas malas en ustedes mismos, y así podrán ascender sin la restricción de las características del universo. Entonces, la substancia de la virtud podrá transformarse en *Gong*. ¿No se complementan el uno con el otro? ¡Es simplemente tal principio!

Esta es la razón por la cual uno es incapaz de entrar en el estado de tranquilidad, ya que subjetivamente no puede alcanzar la norma de un practicante. En el presente, existe también una situación objetiva que interfiere seriamente en su cultivación hacia los altos niveles y afecta gravemente a los practicantes. Es bien sabido que con la política de reforma y apertura, el desarrollo económico se ha hecho flexible y las políticas también se han hecho menos restrictivas. Muchas ciencias y tecnologías nuevas se han introducido y el nivel de vida también ha mejorado. Toda la gente común lo considera como algo bueno. Sin embargo, las cosas deberían verse dialécticamente, desde ambos lados. Con la reforma y apertura, algunas cosas insanas de gran variedad se han importado también. Los trabajos literarios deben escribirse con alguna pornografía, de otro modo, los libros serán difíciles de vender porque esto implica el problema del volumen de ventas. Si las películas y los programas de televisión no tienen algunas escenas relacionadas con los asuntos en la cama, en términos del grado de telespectadores y del público de cine, parece que nadie quiere verlos. En cuanto a los trabajos artísticos, nadie puede saber si es arte genuino o algo con otra intención. No había tales cosas en nuestras antiguas artes nacionales chinas. Las tradiciones de nuestra nación china no fueron inventadas ni creadas por una sola persona. Durante mi conferencia sobre la cultura prehistórica, ya mencioné que todas las cosas tienen su origen. Los valores morales humanos se han distorsionado y han cambiado. El criterio para juzgar lo bueno y lo malo también ha cambiado completamente. Esto es un asunto de la gente común. Sin embargo, la característica del universo, *Zhen-Shan-Ren*, se mantienen sin cambiar y es el único criterio para distinguir entre una buena persona y una mala. Como practicantes, si desean sublimarse más allá de la gente común, deben usar este criterio para juzgarse a sí mismos, y no deben usar las normas de la gente común para evaluar las cosas. Por lo tanto, existe esta interferencia objetiva. Aún hay más que eso; ha surgido mucha variedad de perversidades, tales como la homosexualidad, la liberación sexual y el abuso de drogas.

Cuando la sociedad humana se ha desarrollado hasta esta etapa de hoy, piensen sobre esto: ¿Qué pasará si continúa desarrollándose de esta manera? ¿Se podría permitir que existiera de este modo para siempre? Si la humanidad no hace algo al respecto, el cielo sí lo hará. Cada vez que la humanidad experimenta catástrofes, siempre se encuentra bajo tales condiciones. He dictado muchas conferencias, pero no he mencionado el tema de las grandes catástrofes humanas. Las religiones, así como mucha gente, están hablando sobre este tema. Estoy exponiéndoles esta cuestión a todos, así que piensen sobre ello: En nuestra sociedad de la gente común, ¡el valor moral humano ha sufrido un tremendo cambio! ¡La tensión en las relaciones entre personas ha alcanzado tal extremo! ¿No piensan que esto ha llegado a una situación sumamente peligrosa? Por consiguiente, en el presente, este ambiente objetivamente existente está interfiriendo seriamente en la cultivación de nuestros practicantes hacia los niveles altos. Fotos de cuerpos desnudos se exhiben allí, colgadas en alto en el medio de la avenida. Una vez que levanten la cabeza, podrán verlas.

Una vez Lao Tsé hizo esta afirmación: "Cuando un hombre sabio oye el Tao, lo practica diligentemente." Cuando a un hombre sabio le dan a conocer el Tao, pensará que no es fácil obtener la Ley ortodoxa. Si no la practica hoy, ¿cuándo tendrá otra oportunidad para hacerlo? Desde mi punto de vista, el ambiente complejo puede ser, al contrario, algo bueno. Cuanto más complicadas sean las circunstancias, tanto mejores serán los cultivadores que se producen. Si uno puede cultivarse y sublimarse e ir más allá, su cultivación será realmente la más sólida.

Para un practicante que verdaderamente está decidido a practicar la cultivación, debo decir que esto resulta ser algo bueno. Si no les surgen contradicciones a ustedes, no habrá oportunidad para que mejoren su *Xinxing* y no podrán progresar. Si todos son buenos unos con otros, ¿cómo podrían practicar la cultivación? En cuanto a uno que es un practicante común, es un "hombre común que oye el Tao," y le dará igual practicar o no la cultivación; esa persona quizás no tenga éxito en la cultivación. Algunos que están aquí escuchando encuentran que lo que dice el Maestro es razonable, pero después de regresar a la sociedad de la gente común, sentirán que los intereses inmediatos son más prácticos y reales. De verdad que son reales. Sin embargo, no sólo ustedes, sino también muchos millonarios occidentales y gente rica han descubierto que no queda nada después de la muerte, porque la riqueza material no puede traerse con el nacimiento ni llevarse después de la muerte. Se sienten muy vacíos. Entonces, ¿por qué es tan valioso el *Gong*? Porque lo llevan directamente en el cuerpo de su *Yuanshen* y viene con ustedes de nacimiento y se va con ustedes después de la muerte. Hemos dicho que el *Yuanshen* nunca morirá, y esto no es superstición. Después de que las células de nuestro cuerpo físico se hayan degenerado, los componentes moleculares más pequeños que las células, existentes en otras dimensiones físicas, no se han extinguido. Sólo se ha quitado una de las capas.

Todo lo que acabo de decir pertenece al asunto del *Xinxing* de uno. Una vez Sakyamuni hizo esta afirmación, al igual que Boddhidarma: "China, la tierra oriental, es un lugar donde surgen personas de grandes virtudes." A lo largo de la historia china, muchos monjes, así como muchos chinos, se han sentido muy orgullosos de esto. Creen que esto significa que pueden obtener *Gong* de alto nivel, y se sienten contentos y halagados: "Los chinos somos los más eminentes. China es el lugar donde surgen personas con grandes cualidades innatas y personajes de grandes virtudes." De hecho, muchos no entienden el sentido detrás de esto. ¿Por qué es China un lugar donde se producen personas de grandes virtudes? ¿Por qué pueden obtener *Gong* de alto nivel? Muchos no comprenden el significado real de las palabras de los seres de altas dimensiones ni entienden el estado de espíritu ni el grado de consciencia en la cual se encuentran los seres de las altas dimensiones y de los altos reinos. Por supuesto, ya lo hemos explicado y no hablaremos más sobre su significado. Que piensen todos sobre ello: Esto implica que sólo al estar entre el grupo de gente más complicado y en el ambiente más complejo, puede uno desarrollar *Gong* de alto nivel en la cultivación.

Las Cualidades Innatas

Las cualidades innatas se determinan por la cantidad de la substancia de la virtud que el cuerpo de uno lleva en otra dimensión. Si una persona tiene menos virtud y más substancia negra, su campo kármico será mayor. En ese caso, esta persona es una de pobres cualidades innatas. Si una persona tiene mucha virtud o mucha substancia blanca, su campo kármico será menor. De acuerdo con esto, la persona tendrá buenas cualidades innatas. Estas dos clases de substancias, blanca y negra, pueden transformarse mutuamente. ¿Cómo pueden transformarse? El hacer cosas buenas produce la substancia blanca, ya que la substancia blanca se obtiene por medio de haber padecido penas, sufrido miserias y haber hecho cosas buenas. La substancia negra es producida por haber hecho cosas malas, y es el karma. Tiene tal proceso de transformación. Al mismo tiempo, también tiene un proceso cumulativo y se transfiere continuamente. Debido a que se traslada siguiendo directamente al *Yuanshen* de uno, no es cosa de una sola vida sino una acumulación desde un pasado remoto. Por lo tanto, se habla de la concentración de karma y la acumulación de virtud. Además, pueden acumularse de los antepasados. A veces, recuerdo lo que los antiguos chinos y las personas ancianas han dicho: "Nuestros antecesores han acumulado virtud. Acumula virtud o pierde virtud." ¡Esta expresión es extraordinariamente cierta! Efectivamente, es muy correcta.

La buena o mala cualidad innata de una persona puede determinar si su cualidad de entendimiento es buena o pobre. La pobre cualidad innata de una persona también puede hacer que su cualidad de entendimiento sea muy pobre. ¿Por qué es así? Porque una persona que tiene buenas cualidades innatas tiene más substancia blanca, y está en armonía con nuestro universo y puede ser armoniosamente integrada con la característica *Zhen-Shan-Ren* sin separación. La característica del universo puede manifestarse directamente en su cuerpo y estar en contacto inmediato con su cuerpo. Sin embargo, la substancia negra es justamente lo contrario. Dado que se obtiene por haber hecho cosas malas, es contraria a la característica del universo. Por lo tanto, existe una clase de separación entre la substancia negra y la característica de nuestro universo. Si la cantidad de esta substancia negra es grande, formará un campo alrededor del cuerpo humano que envuelve a la persona. Cuanto más grande sea este campo, tanto más denso y más grueso será, lo que hace que la cualidad de entendimiento de esta persona sea peor. Esto se debe a que esta persona es incapaz de recibir la característica del universo *Zhen-Shan-Ren*, ya que ha adquirido substancia negra por haber hecho cosas malas. Usualmente, es más difícil para tal persona creer en la práctica de cultivación. Cuanto más pobre sea su cualidad de entendimiento, tanto mayor será la resistencia kármica que encontrará. Cuanto más sufra, tanto menos lo creerá y tanto más difícil le será hacer la cultivación.

A alguien que tiene mucha substancia blanca le es más fácil hacer la cultivación. Esto es porque durante el curso de su cultivación, con tal de que se asimile al carácter cósmico y su *Xinxing* mejore, la virtud se transformará directamente en *Gong*. Sin embargo, una persona con mucha substancia negra necesitará de un proceso adicional. Es justamente como una fábrica que hace productos: Otros llevan consigo materiales hechos de antemano, mientras que esta persona lleva consigo materia prima, que necesita primero de una elaboración. Requiere pasar por este proceso. Por lo tanto, tiene que sufrir primero para reducir su karma y de esta forma convertirlo en la substancia blanca. Después de transformarlo en la substancia de la virtud, podrá desarrollar el *Gong* de alto nivel. No obstante, esta persona usualmente tiene una pobre cualidad de entendimiento. Si le pides que sufra más, esta persona lo creerá aún menos y le será más difícil aguantarlo. Por lo tanto, a una persona que tiene mucha substancia negra, le es difícil practicar la cultivación. En el pasado, la Escuela Tao o ciertas vías de cultivación que pasaban del maestro a un sólo discípulo, requerían que el maestro buscara al discípulo en vez de lo contrario. Esto se determinaba también por la cantidad de tales substancias que llevaba en el cuerpo un discípulo.

Las cualidades innatas determinan la cualidad de entendimiento de uno, pero no es absoluto. Algunas personas no tienen muy buenas cualidades innatas, pero su medio ambiente es muy bueno y muchos en su familia practican la cultivación. Algunos de ellos son creyentes religiosos y creen mucho en el tema de la cultivación. En este ambiente, uno puede llegar a creer en la cultivación y su cualidad de entendimiento puede mejorar. Por lo tanto, esto no es absoluto. También hay algunas personas que tienen muy buenas cualidades innatas, pero debido a que han sido educadas con ese pequeño conocimiento recibido de nuestra sociedad práctica, y debido particularmente al método absoluto de la educación ideológica en los años anteriores, su mentalidad se ha vuelto sumamente estrecha y no creen nada fuera de su conocimiento. Eso también puede afectar gravemente su cualidad de entendimiento.

Por ejemplo, una vez cuando estaba exponiendo el tema de abrir el Tercer Ojo en el segundo día de una conferencia, a un hombre que tenía muy buenas cualidades innatas, se le abrió de repente el Tercer Ojo a un plano muy alto. Vio muchas escenas que otros no podían ver. Le dijo a otros: "¡Oye! He visto Falun cayendo como copos de nieve en los cuerpos de todos los presentes en el auditorio entero. He visto cómo es el cuerpo verdadero del Maestro Li, el halo del Maestro Li, cómo es el Falun, y los muchos *Fashen* del Maestro Li. He visto al Maestro Li enseñando la Ley en diferentes niveles y cómo estaban los Falun purificando los cuerpos de los estudiantes. También he visto que durante la clase, era el *Gongshen*[1] del Maestro Li el que estaba dictando la conferencia en cada plano y en diferentes niveles. Además, he visto las hadas celestiales esparciendo flores, etc." El vio todas

---

[1] *Gongshen*—Un cuerpo compuesto de *Gong*.

estas cosas tan maravillosas, lo que indica que sus cualidades innatas eran bastante buenas. Habló sin parar hasta que finalmente dijo: "Yo no creo en estas cosas." Algunas de estas cosas ya han sido verificadas por la ciencia, y muchas de ellas pueden encontrar su explicación en la ciencia moderna; nosotros ya hemos expuesto algunas de ellas. Esto es porque lo que el *Qigong* comprende, sobrepasa realmente el conocimiento de la ciencia moderna. Esto es seguro. Desde este punto de vista, las cualidades innatas no pueden determinar completamente la cualidad de entendimiento de uno.

La Iluminación

¿Qué es "iluminación?" La "iluminación" es un término que proviene de las religiones. En el Budismo, se refiere al entendimiento del Dharma budista de un cultivador, la iluminación desde el punto de vista del entendimiento y la iluminación final. Significa iluminarse a la sabiduría. No obstante, ahora la palabra "iluminación" ya se aplica entre la gente común y se interpreta como una persona que es muy astuta y puede adivinarle el pensamiento a su jefe. Puede aprender cosas rápidamente y sabe cómo complacer a su jefe. La gente llama a eso tener una buena cualidad de entendimiento, y lo entienden de esta manera. Sin embargo, una vez que sobrepasan el nivel de la gente común, desde un nivel un poco más alto, pueden descubrir que la verdad que conoce la gente común es usualmente errónea. La iluminación a la que nos referimos es radicalmente diferente de tal entendimiento. Al contrario, la cualidad de entendimiento de una persona astuta no es buena porque una persona muy astuta es hábil en hacer sólo el trabajo superficial, ganando así el aprecio de sus jefes y de sus superiores. En ese caso, ¿no harían otros el trabajo duro? Por lo tanto, esta persona le deberá algunas deudas a otros. Debido a su astucia y a saber complacer a cierta gente, podrá ganar más beneficios, mientras que otros, por consiguiente, sufrirán más desventajas. Debido a que es astuta, no sufrirá pérdidas, ni tampoco sufrirá pérdidas fácilmente. Esto significa que otros tendrán que sufrirlas.

Debido a que presta cada vez más atención a esos pequeños intereses prácticos, su mente se vuelve cada vez más estrecha. Siente cada vez más que los intereses materiales de la gente común son cosas a las que no puede renunciar. Además, ella misma se considerará muy práctica y no sufrirá ninguna pérdida.

¡Algunos incluso envidian a tal individuo! Quiero decirles: "No lo envidien." No saben qué vida más cansada lleva, sintiendo que no puede comer ni dormir bien y que hasta en los sueños, tiene miedo de perder sus intereses personales. En lo concerniente a sus intereses personales, es sumamente egoísta. Ya que dedica su vida entera a ello, ¿no dirías que vive una vida cansada? Nosotros decimos que si uno puede dar un paso atrás frente a un conflicto, encontrará el mar y el cielo sin límites, y aparecerá seguramente una situación diferente. Pero ese individuo no va a ceder y vive una vida cansadísima. No aprendan de él de ningún modo. En la comunidad de cultivadores se dice: "Esta persona está totalmente perdida. Se ha perdido completamente entre la gente común por los intereses materiales." Si le pides que preserve sus virtudes, ¡Qué difícil será! Si le dices que haga la cultivación, él no se lo creerá: ¿Para qué hacerla? Como practicantes, ustedes no devolverán el golpe después de ser golpeados y no devolverán la injuria después de ser injuriados. Cuando otros los hayan hecho sufrir mucho, en lugar de tratarlos de la misma manera, al contrario, en su mente se lo agradecerán. "¡Todos ustedes se han vuelto Ah Q! ¡Cada uno de ustedes es un enfermo mental!" A tal individuo no hay forma de hacerle entender la práctica de cultivación. El dirá que eres tú el que es incomprensible y te considera un tonto. ¿No piensas que él es difícil de salvar?

La iluminación de la que hablamos no es esa "iluminación." Más bien, es justamente lo que algunas personas llaman "estupidez" con respecto a los intereses personales. Esta es la iluminación a la que nos referimos. Por supuesto, no somos realmente tontos. Simplemente tratamos el asunto de los intereses personales con indiferencia, mientras que en otros aspectos somos muy sabios. Con el fin de hacer un proyecto de investigación científica, cumplir algunas tareas asignadas por los directores o realizar algunos trabajos, podemos comprenderlo todo muy claramente y hacerlo muy bien. Sólo en lo concerniente a nuestros intereses personales y los conflictos interpersonales, los tomamos con ligereza. ¿Quién podrá decir que eres tonto? Nadie dirá que eres tonto. Les garantizo que será así.

Hablemos del tonto real, porque el entendimiento de este principio en los niveles altos es totalmente inverso. Es imposible que un tonto haga maldades mayores entre la gente común, ni que compita y pelee por intereses personales y busque la fama. Por eso, no perderá virtud. Sin embargo, otros le darán virtud. Al golpearlo y al insultarlo le darán virtud, y esta substancia es sumamente valiosa. En nuestro universo hay este principio: "Sin pérdida, no hay ganancia; para ganar, uno tiene que perder." Viendo a este gran tonto, otros lo insultarán: "Eres un imbécil." Mientras las palabras insultantes les salen de la boca, se le lanzará un pedazo de virtud. Debido a que se han aprovechado de él, pertenecen al lado ganador, y así, tienen que perder. Si uno va y le da un puntapié: "Eres un gran imbécil." Bien, otra vez se le lanzará un pedazo grande de virtud. Cuando cualquiera lo humille o le dé un puntapié, él sólo sonreirá: "Ven tú. De todas maneras me estás dando virtud. ¡No voy a rechazarla para nada!" Entonces, de acuerdo con el principio en los altos niveles, piensen todos: ¿Quién es astuto? ¿No es justamente él quien es astuto? El es el más astuto. El no pierde nada de virtud. Si le tiras virtud, no la rechazará en absoluto. La tomará toda y la aceptará con una sonrisa. Podrá ser tonto en esta vida, pero no será tonto en la próxima; su *Yuanshen* no es tonto. En las religiones, se dice que una persona que tiene mucha virtud se convertirá en un funcionario de alto rango o hará una gran fortuna en la próxima vida, porque todo esto se le intercambia por su virtud.

Hemos dicho que la virtud puede transformarse directamente en *Gong*. ¿No es la transformación de la virtud lo que determina la altura del nivel de su cultivación? La virtud puede transformarse directamente en *Gong*. ¿No es el *Gong* el que determina el nivel de ustedes y su Potencia de Energía transformado con esta substancia?

¿No dirían que la virtud es muy valiosa? Realmente puede traerse con el nacimiento y llevarse con la muerte. En el Budismo, se dice que el nivel de su cultivación es su Estado de Fruto. Cuanto hayan sacrificado determinará cuánto habrán de obtener; es simplemente tal principio. En la religión, se dice que con virtud, uno podrá convertirse en funcionario de alto rango o hacer gran fortuna en la siguiente vida. Con poca virtud, uno incluso no podrá obtener una limosna porque no tiene la virtud para intercambiarla por ésta. ¡Sin pérdida, no hay ganancia! Si uno no tiene nada de virtud, se extinguirán tanto su cuerpo como su alma, y morirá de verdad.

En el pasado había un maestro de *Qigong* cuyo nivel era bastante alto cuando recién había salido al público. Pero más tarde, se obsesionó por la fama y la riqueza. Su maestro se llevó su *Fu Yuanshen* porque él pertenecía a los que cultivan el *Fu Yuanshen*. Cuando su *Fu Yuanshen* aún estaba con él, lo controlaba su *Fu Yuanshen*. Por ejemplo, un día, su lugar de trabajo estaba distribuyendo viviendas, y el jefe dijo: "Que pasen aquí todos los que necesitan vivienda. Describan sus condiciones y expliquen por qué la necesitan." Cada uno dijo sus propias razones, mientras que ese maestro de *Qigong* no dijo nada. Finalmente, el jefe consideró que esta persona era quien tenía mayor necesidad en comparación con otros, y que la vivienda debía dársele a él. Pero otros reclamaron: "No. No deben dársela a él, sino a mí. Yo necesito mucho esa vivienda." Esta persona dijo: "Bien, puedes tomarla." Según el punto de vista de la gente común, este hombre es tonto. Algunos sabían que él era practicante y le preguntaron: "Como practicante, no quieres nada, pero, ¿qué deseas?" El contestó: "Deseo lo que otros no desean." En realidad, él no era tonto en absoluto, sino que era bastante perspicaz. Sólo en términos de sus intereses personales creados era de esta manera. El creía en seguir el curso de la naturaleza. Otros le preguntaron de nuevo: "Hoy en día, ¿hay algo que alguien no desee?" El respondió: "Nadie desea la piedra en el suelo a la que se le dan puntapiés por aquí y por allá. Entonces, recogeré esa piedra." La gente común encuentra esto inconcebible y no pueden entender a un practicante. Les es imposible entenderlo porque el reino espiritual de la gente común es demasiado bajo y dista mucho del nivel de los practicantes. Por supuesto, él no iba a recoger la piedra; no obstante, dijo una verdad que la gente común no puede entender: "No buscaré nada entre la gente común." Hablando de la piedra, es bien sabido que en las escrituras sagradas budistas, está escrito: "En el Paraíso de la Felicidad Suprema, los árboles son de oro, la tierra es de oro, los pájaros son de oro, las flores son de oro, las casas son de oro e incluso los Cuerpos Buda son de color oro brillante." Uno no puede encontrar allí ni un pedazo de piedra. Se dice que el dinero que se usa allí son las piedras. Es cierto que él no iría allí cargando un pedazo de piedra, pero ha dicho una verdad que la gente común es incapaz de entender. Ciertamente, los practicantes dirán: "La gente común tiene sus propias búsquedas, y nosotros no buscamos lo que esa gente persigue. En cuanto a lo que posee la gente común, a nosotros tampoco nos interesa. No obstante, lo que nosotros poseemos es algo que la gente común desea pero que no puede obtener aunque quiera."

En realidad, la iluminación de la que acabamos de hablar, aún pertenece a la iluminación en el curso de la cultivación, la cual es justamente opuesta a la iluminación de la gente común. La iluminación a la que realmente nos referimos es una cuestión de que si en el curso de la práctica de cultivación uno podrá entender y aceptar la Ley que enseña el maestro, o el Tao que enseña el maestro de la Escuela Tao, o si podrá considerarse conscientemente un cultivador al encontrarse con tribulaciones, o si podrá actuar de acuerdo con la Ley durante el proceso de la cultivación o no. Para algunas personas, no importa cómo se lo digas, todavía no te creerán y considerarán que las cosas de la gente común son más prácticas. Se aferrarán a sus conceptos tercos en lugar de dejarlos, lo que les imposibilita creerlo. Algunos sólo desean curarse las enfermedades. Una vez que mencione en mis conferencias que el *Qigong* no se usa para curar enfermedades en lo absoluto, reaccionarán negativamente; por lo tanto no creerán las otras cosas de mis conferencias.

La cualidad de entendimiento de algunos no puede mejorarse de ningún modo. Algunos han subrayado cualquier palabra o frase de mi libro a su gusto. Todos aquellos practicantes con el Tercer Ojo abierto pueden ver que este libro es multicolor y brillante, y de color oro resplandeciente. Cada letra del libro es la imagen de mi *Fashen*. Si yo dijera mentiras, estaría engañándolos a todos. Una marca tuya que dejes en el libro, luce como una masa negra. ¿Cómo te atreves a hacer esto a la ligera? ¿Qué estamos haciendo aquí? ¿No los estamos guiando a los altos niveles en la cultivación? Hay ciertas cosas en las que deben reflexionar. Este libro puede guiarlos en la práctica de cultivación; ¿no piensan que es valioso? ¿Pueden practicar la cultivación de verdad venerando al Buda? Son muy devotos y ni siquiera se atreven a tocar la imagen de Buda en absoluto, y le queman incienso todos los días. Sin embargo, se atreven a estropear la Gran Ley que realmente puede guiar su práctica de cultivación.

Hablando sobre el asunto de la cualidad de entendimiento de uno, esto se refiere a la profundidad de su comprensión sobre cosas que han ocurrido en diferentes niveles durante el curso de la cultivación, o de cierta Ley que el maestro les ha enseñado. Sin embargo, esto todavía no es la iluminación fundamental a la que nos referimos. La iluminación fundamental a la que nos referimos es lo siguiente. Durante los años restantes de la vida de uno, desde el comienzo de la cultivación, uno constantemente hará progreso hacia un alto nivel y descartará sus apegos y todos sus deseos; mientras tanto, su *Gong* también se incrementará constantemente hasta la etapa final de su cultivación. Cuando esta substancia de la virtud se haya transformado totalmente en *Gong* y esta persona haya llegado al final del camino de cultivación planeado por el maestro, "¡Boom!" Las cerraduras explotarán, abriéndose todas en ese instante. Su Tercer Ojo habrá llegado al punto más alto de su nivel obtenido en la cultivación, y podrá ver la verdad a su nivel en diferentes dimensiones, las formas existentes de varios seres vivientes y la materia en diferentes tiempos-espacio, y la verdad de nuestro universo. Todos sus poderes divinos emergerán, y podrá comunicarse con diversos seres vivientes. Al llegar a esta fase, ¿no es él un gran ser iluminado o una persona que se ha iluminado mediante la práctica de cultivación? Si se traduce "el ser iluminado" a la antigua lengua hindú, él es un Buda.

La iluminación que hemos expuesto es esta iluminación fundamental, que pertenece a la forma de la iluminación inmediata. La iluminación inmediata significa que uno está bajo llave en la cultivación durante toda su vida y no sabe la altura de su nivel de *Gong* ni qué forma tiene el *Gong* que ha cultivado. Uno no siente nada en absoluto e incluso todas las células de su propio cuerpo están bajo llave. El *Gong* que uno ha cultivado ha sido mantenido bajo llave hasta el último momento, y sólo entonces puede abrirse. Sólo una persona con grandes cualidades innatas podrá hacer esto, porque cultivar de esta manera es muy duro. Uno tendrá que empezar por ser una buena persona. Luego, uno deberá persistir continuamente en mejorar su *Xinxing*, soportando penalidades, cultivándose constantemente hacia niveles más altos y esmerándose siempre en mejorar su *Xinxing*, aunque uno no pueda ver su propio *Gong*. El hacer la cultivación es muy difícil para tal persona. Para realizarlo, esta persona debe ser una persona con grandes cualidades innatas. Esta persona se cultivará por muchos años sin saber nada de lo que ocurre en su cultivación.

Hay otra forma de iluminación, llamada iluminación gradual. Desde el mismo comienzo, muchos han sentido la rotación del Falun. Al mismo tiempo, les he abierto el Tercer Ojo a todos. Por diversas razones, algunos no pueden ver nada ahora, pero verán algunas cosas en el futuro. Irán desde no poder ver claramente hasta poder ver más claramente, e irán de ser incapaces de usarlo hasta ser hábiles en usarlo. El nivel de uno subirá constantemente. Mediante el mejoramiento de su *Xinxing* y el abandono de sus diversos apegos, todas sus diferentes capacidades sobrenaturales saldrán a relucir. El proceso entero de transformación durante la cultivación y el proceso de transformación del cuerpo se producirán bajo la circunstancia que pueden ver o sentir los cambios. Los cambios continuarán hasta que lleguen a la última etapa de su cultivación, cuando entenderán plenamente la verdad del universo, y llegarán al punto más alto que deben alcanzar en la cultivación. Tanto la transformación de su *Benti* como el refuerzo de sus capacidades sobrenaturales habrán llegado hasta cierto grado y alcanzarán gradualmente esta meta. Esto es la iluminación gradual. Este método de cultivación de la iluminación gradual tampoco es fácil. Al contar con capacidades sobrenaturales, algunos no pueden renunciar a sus apegos, y fácilmente se lucirán o harán cosas malas. De esta forma, perderán su *Gong*, y su cultivación resultará en vano y finalmente se arruinarán. Algunos con el Tercer Ojo abierto pueden ver las manifestaciones de varios seres vivientes en diferentes niveles. Uno de estos seres vivientes podrá pedirles que hagan esto o eso, y podrá pedirles que cultiven sus cosas y los aceptará como su discípulo. Sin embargo, él no puede hacer que obtengan el Fruto Verdadero porque él mismo tampoco ha obtenido el Fruto Verdadero.

Además, todos los seres en las altas dimensiones son inmortales que pueden hacerse muy grandes y mostrar sus poderes sobrenaturales. Si tu mente no es recta, ¿no los seguirán? Una vez que los sigan, su cultivación resultará en vano. Aunque ese ser sea un Buda genuino o un Tao genuino, deberán cultivarse desde el comienzo nuevamente. ¿Acaso todos ellos no son aún inmortales, sin importar de qué nivel del cielo vengan? Sólo cuando uno haya cultivado hasta un nivel sumamente alto y haya alcanzado la meta, podrá sublimarse completamente e ir más allá. Sin embargo, a los ojos de la gente común, tal inmortal seguramente parecerá como una figura alta, enorme, y con grandes capacidades. No obstante, ese ser quizás no sea uno que haya obtenido el Fruto Verdadero. Con la interferencia de toda clase de mensajes y con la distracción de varias escenas, ¿podrán mantener tranquila la mente? Por eso, cultivar con el Tercer Ojo abierto también es difícil, y controlar el *Xinxing* es aún más difícil. Sin embargo, afortunadamente muchos de nuestros practicantes pertenecen a los que tendrán abiertas sus capacidades sobrenaturales a medio camino y luego entrarán en el estado de iluminación gradual. El Tercer Ojo de cada uno se abrirá, pero no se permitirá que las capacidades sobrenaturales de muchas personas salgan a relucir. Sólo cuando su *Xinxing* haya alcanzado gradualmente un cierto nivel y puedan controlarse con una mente estable, sus capacidades sobrenaturales se abrirán explotando de una sola vez. Cuando lleguen a cierto nivel, entrarán en el estado de . iluminación gradual. Entonces, les será más fácil controlarse. Todas las diferentes capacidades sobrenaturales aparecerán. Continuarán cultivándose hacia arriba por su cuenta hasta que, finalmente, todas se abrirán. Muchos de nuestros practicantes pertenecen al grupo de los que les será permitido obtener sus capacidades sobrenaturales a medio camino de su cultivación. Por eso, no deben estar demasiado deseosos de ver cosas.

Todos podrán haber oído que el Budismo Zen también habla de las diferencias entre la iluminación inmediata y la iluminación gradual. Huineng, el sexto patriarca del Budismo Zen, enseñaba la iluminación inmediata, y Shenxiu[2] de la Escuela Norteña del Budismo Zen enseñaba la iluminación gradual. La disputa entre los dos sobre estudios budistas ha durado un largo tiempo en la historia, disputándose de una y otra manera. Yo diría que eso no tenía sentido. ¿Por qué? Es porque a lo que ellos se referían no era más que el entendimiento de un principio en el proceso de la cultivación. Con respecto a este principio, algunos lo entienden de una sola vez, mientras que otros lo entienden y lo reconocen gradualmente. ¿Importará cómo llegue uno a entenderlo? Si uno puede entenderlo de una sola vez, es mejor. Pero si uno lo entiende gradualmente, eso también estará bien. ¿Acaso no se han iluminado los dos? Los dos se han iluminado, así que ninguno está equivocado.

Las Personas con Grandes Cualidades Innatas

¿Qué es una persona con "grandes cualidades innatas?" Existe aún una distinción entre alguien con grandes cualidades innatas y alguien con buenas o pobres cualidades innatas. Es sumamente difícil encontrar a alguien con grandes cualidades innatas, ya que tal persona nacerá sólo después de haber pasado un período muy largo de historia.

---

[2] Shenxiu—Fundador de la Escuela Norteña del Budismo Zen en la Dinastía Tang.

Desde luego, una persona con grandes cualidades innatas debe primero tener gran cantidad de virtud y su campo de substancia blanca lógicamente debe ser enorme. Eso es seguro. Al mismo tiempo, esta persona también deberá poder sufrir la dificultad de las dificultades. Deberá tener un corazón de gran tolerancia, y aún más, ser capaz de sacrificarse. También tendrá que poder preservar la virtud, tener una buena cualidad de entendimiento, etc.

¿Qué significa sufrir la dificultad de las dificultades? En el Budismo, se cree que ser humano es sufrir dificultades. Mientras sean seres humanos, tendrán que sufrir. El Budismo cree que los seres vivientes en todas las otras dimensiones no tienen el mismo cuerpo que nuestra gente común. Por eso no se enferman, ni tienen los problemas de nacimiento, vejez, enfermedad y muerte, ni sufren tales dificultades. Los seres en otras dimensiones pueden elevarse por levitación porque no tienen peso, y son muy maravillosos. Debido a este cuerpo, una persona común tiene el siguiente problema: No puede soportar el frío, calor, sed, hambre o cansancio y tiene también los problemas de nacimiento, vejez, enfermedad y muerte. En cualquier caso, no se sentirán cómodos.

Leí un reportaje publicado en un periódico que durante el terremoto en Tangshan[3] muchas personas murieron, pero algunas fueron rescatadas. A este grupo de personas les hicieron una encuesta social especial: Les preguntaron: "¿Cómo se sentían en el estado de muerte?" Sorprendentemente, todas mencionaron un mismo estado peculiar. En el momento de la muerte, no sentían miedo; al contrario, sentían de repente una sensación de alivio y una clase de emoción subconsciente. Algunas se sentían libres de la atadura del cuerpo, flotando ligera y maravillosamente en el aire; también eran capaces de ver su propio cuerpo. Algunas podían ver seres vivientes en otras dimensiones, y otras se iban a cual o tal lugar. Todas hablaban de un sentimiento de alivio en ese momento, y una clase de emoción

---

[3] Tangshan—Una ciudad en la Provincia de Hebei.

subconsciente sin sentii ningún sufrimiento. Esto sugiere que tener un cuerpo físico ya es un sufrimiento, pero todos salimos de la matriz materna de esta manera y así no reconocemos este sufrimiento.

He mencionado que uno tiene que sufrir las dificultades más duras. El otro día, dije que el concepto de tiempo-espacio de la humanidad es diferente de aquél en otro tiempo-espacio mayor. Un *Shichen* en nuestra dimensión son dos horas, lo cual equivale a un año de aquella dimensión. Si una persona practica *Qigong* bajo estas condiciones tan duras, dirán que es realmente extraordinaria. Cuando desarrolla el corazón de buscar el Tao y quiere practicar la cultivación, es simplemente extraordinaria. Con tantas dificultades, todavía preserva su verdadera naturaleza y desea retornar al origen por medio de la cultivación. ¿Por qué se puede ayudar incondicionalmente a un cultivador? Este es el por qué. Cuando una persona está sentada en meditación durante toda una noche, al verla, otros dirán que es realmente extraordinaria porque ha estado sentada ya por seis años. Esto es porque un *Shichen* en nuestra dimensión es un año en otra dimensión. Nosotros los seres humanos vivimos en una dimensión sumamente especial.

¿Cómo aguanta uno el sufrimiento más duro de todos? Por ejemplo, un día, una persona va a trabajar y su lugar de trabajo no marcha bien. Esta situación no puede continuar más, ya que hay más personal que empleos. Su lugar de trabajo tiene que hacer una reforma, encargarse de los trabajos contratados y despedir al personal sobrante. Esta persona es una de las que pierde de repente su tazón de arroz. ¿Cómo se sentirá? Ninguna entidad le pagará el sueldo. ¿Cómo podrá ganarse la vida? No sabe hacer otro trabajo, así que regresa a su hogar deprimida. Justamente cuando llega a casa un anciano de su familia cae enfermo, gravemente enfermo. Con gran urgencia, lo lleva al hospital. Con mucha dificultad, pedirá prestado algún dinero para hospitalizarlo. Volverá a casa para preparar algunas cosas de uso diario para el anciano. Apenas llega a la casa, un maestro de la escuela viene a su hogar a decirle: "Tu hijo ha golpeado gravemente a un compañero de escuela. Debes ir rápidamente a verlo."

Inmediatamente después de haber resuelto este problema y haber regresado a casa, apenas se va a sentar, lo llaman por teléfono informándole: "Tu esposa tiene relaciones con otro hombre." Por supuesto, no encontrarán tales cosas. Una persona común no puede aguantar sufrir de este modo y pensará: "¿Para qué estoy viviendo? Voy a buscar una soga para colgarme. ¡No puedo vivir más! ¡Con esto, voy a terminar con todo!" Sólo estoy diciendo que un ser humano debe ser capaz de sufrir las dificultades más duras de todas. Desde luego, no tomarán necesariamente la forma mencionada anteriormente. No obstante, la conspiración y las peleas entre la gente, los conflictos de *Xinxing* y la contienda por intereses personales, no son más fáciles que esos problemas. Hay muchas personas que desean vivir sin sufrir despecho y se cuelgan cuando no pueden tolerar más. Por lo tanto, tenemos que cultivarnos en este ambiente complejo y debemos ser capaces de aguantar la dificultad de las dificultades. Al mismo tiempo, debemos tener un corazón de gran tolerancia.

¿Qué es un "corazón de gran tolerancia?" Como practicantes, lo que deben poder realizar ante todo es no devolver el golpe después de ser golpeados, ni devolver la injuria después de ser injuriados. Deben tener *Ren*. De otro modo, ¿qué clase de practicantes se les considerará? Alguien dijo: "Es difícil ser tolerante, porque tengo mal temperamento." Si es así, mejóralo. Un practicante debe tener tolerancia. Hay quienes incluso echan chispas de impaciencia cuando educan a sus hijos, lo que es tan ruidoso que estremece al cielo. No deben actuar de esta manera cuando educan a su hijo. Ustedes mismos no deben enojarse realmente y deben educar a su hijo con razón; así su hijo podrá ser realmente bien educado. Si ni siquiera pueden superar esta pequeñez y se enfurecen fácilmente, ¿cómo pueden incrementar su *Gong*? Alguien dice: "Si me dan un puntapié en la calle, podré soportarlo porque nadie me reconoce." Debo decir que esto no es suficiente. Tal vez en el futuro, les darán dos bofetadas en la cara, deshonrándolos enfrente de alguien a quien tienen más miedo de quedar mal. Es para ver cómo tratarán este asunto y si podrán soportarlo o no. Si pueden tolerarlo pero mentalmente no pueden dejarlo, eso todavía no es lo suficientemente bueno. Como saben, después de alcanzar el nivel de Arhat, el corazón de uno está tranquilo ante cualquier suceso y descuida todas las cosas de la gente común. Siempre estará contento sin importarle cuánto pierda y siempre estará alegre y de buen humor sin preocupaciones. Si realmente pueden hacer eso, han alcanzado ya el grado elemental del Estado de Fruto de Arhat.

Alguien ha dicho: "Si la tolerancia se practica hasta tal extremo, la gente común dirá que somos demasiado cobardes y que es muy fácil aprovecharse de nosotros." Yo no lo llamaría cobardía. Todos deben pensar sobre esto: Incluso entre la gente común, las personas de edad avanzada y las de alto nivel cultural prestan atención al autodominio y no actúan como otros ante las cosas comunes, y nuestros practicantes deben hacerlo mucho mejor. ¿Cómo podría considerarse como cobardía? Debo decir que eso es la manifestación de gran tolerancia y la expresión de firme voluntad. Sólo los practicantes pueden tener este corazón de gran tolerancia. Hay un dicho: "Al ser humillado, una persona vulgar desenvaina su espada para luchar." Para una persona común, es sólo natural que si tú me insultas, te insulto yo a ti, y si me pegas, te devuelvo el golpe. Esto es simplemente una persona común. ¿Pueden considerarla un practicante? Como cultivadores, si no tienen una voluntad firme ni pueden controlarse, no se podrán cultivar.

Todos saben que en la época antigua, había un hombre llamado Han Xin.[4] Se dice que era muy capaz y un gran general bajo Liu Bang[5] y un pilar del Estado. ¿Por qué podía hacer hazañas tan grandiosas? Dicen que en su adolescencia, Han Xin ya no era una persona común. Ha circulado una historia de que Han Xin sufrió la humillación de arrastrarse por las entrepiernas de un matón. En su adolescencia, a Han Xin le gustaba practicar artes marciales y llevaba siempre la espada a la cintura. Un día, cuando andaba por la calle, un matón local le impidió el paso con las manos en la cintura, diciendo:

---

[4] Han Xin—El general principal de Liu Bang.
[5] Liu Bang—El emperador y fundador de la Dinastía Han (206 a.C.-23 d.C.).

"¿Para qué llevas esa espada? ¿Te atreves a matar a alguien? Si te atreves a hacerlo, córtame la cabeza." Diciendo esto, extendió la cabeza. Han Xin pensó: "¿Por qué tengo que cortarte la cabeza?" En aquel tiempo, cualquiera que mataba a una persona también era denunciado a las autoridades y pagaba la muerte con su muerte. ¿Cómo podría uno matar a una persona a voluntad? Viendo que Han Xin no se atrevía a matarlo, el matón le dijo: "Si no te atreves a matarme, arrástrate entre mis piernas." Han Xin de verdad se arrastró entre sus piernas. Esto mostró que Han Xin poseía un corazón de gran tolerancia y era diferente a la gente común, por eso podía hacer cosas tan grandiosas. Es un dicho de la gente común que uno debe vivir sólo por su dignidad. Piensen sobre esto: Si uno vive por esta dignidad, ¿no sienten cansancio de vivir así? ¿No es doloroso? ¿Vale la pena? Después de todo, Han Xin era un hombre común, pero nosotros somos cultivadores. Debemos ser mucho mejores que él. Nuestra meta es la de sublimarnos e ir más allá del nivel de la gente común y avanzar hacia los niveles más altos. No encontraremos esta situación, pero la humillación y la deshonra que un cultivador sufre entre la gente común no son necesariamente menos que esto. En cuanto a los conflictos de *Xinxing* entre persona y persona, debo decir que estos no son menores a aquéllos y hasta serán aún peores, lo que es también bastante difícil de aguantar.

Mientras tanto, un cultivador deberá también ser capaz de hacer sacrificios, abandonando todos los apegos y deseos de la gente común. Es imposible poder realizarlo inmediatamente; entonces, podemos hacerlo gradualmente. Si hoy pudieran realizarlo de una sola vez, se convertirían en un Buda hoy mismo. La práctica de cultivación se lleva tiempo, pero no deben aflojar en ella. Ustedes podrán decir: "El Maestro ha dicho que la cultivación se lleva tiempo, así que vamos a efectuarla lentamente." ¡No debe ser así! Tienen que ser estrictos consigo mismos. En la cultivación de la Ley Buda, deben hacer esfuerzos vigorosos hacia adelante.

También deben ser capaces de preservar la virtud y de mantener su *Xinxing*, y no deben actuar inconsideradamente. No deben hacer a la ligera lo que quieran y deben ser capaces de controlar bien su *Xinxing*. Frecuentemente, oímos a la gente común decir esto: "El hacer hechos buenos acumula virtud." Como practicantes, no practicamos para acumular virtud, porque creemos en preservar la virtud. ¿Por qué practicamos la preservación de la virtud? Porque hemos visto una situación: Entre la gente común, se habla de acumular virtud. Si una persona común ha acumulado virtud y ha hecho cosas buenas para otros, podrá ser bien recompensada en su próxima vida. Sin embargo, para nosotros, no existe aquí esta cuestión. Cuando hayan obtenido el Tao por medio de la cultivación, no tendrán la cuestión de una próxima vida. Cuando hablamos de preservar la virtud, también tiene otra clase de significado. Es decir, los dos tipos de substancias que lleva nuestro cuerpo no se acumulan durante una vida, sino que han sido heredadas a través de épocas remotas. Aunque corran en bicicleta por toda la ciudad, quizás no se encuentren con algunos buenos hechos que hacer. Aunque lo hagan así todos los días, quizás no encuentren tales oportunidades.

Esto tiene aún otra clase de significado: Al intentar acumular virtud, podrán considerar que algo es un hecho bueno, pero si lo hacen, podrá resultar ser un hecho malo. Podrán creer que algo es un hecho malo, pero si interfieren con él, podrá resultar ser algo bueno. ¿Por qué? Porque no pueden ver la relación kármica entre ellos. Las leyes rigen los asuntos de la gente común, lo cual no es un problema. Ser practicante es sobrenatural, y como persona sobrenatural, deben actuar de acuerdo con los principios sobrenaturales y no deben usar los principios de la gente común para medirse. Si no saben la relación kármica de un asunto, estarán propensos a tratarla de forma equivocada. Por lo tanto, enseñamos *wuwei*, y no deben hacer algo sólo porque quieran hacerlo. Algunos dicen: "Simplemente quiero disciplinar a la gente mala." Yo diría que sería mejor que se alistaran en la policía. Sin embargo, no deseamos que hagan caso omiso cuando vean a alguien matando a una persona o prendiendo un fuego. Les digo que cuando aparece un conflicto entre uno y otro, o cuando uno da un puntapié o un puñetazo a otro, es probable que esta persona le debía algo al primero y ahora los dos están saldando la deuda. Si intervienen impidiéndoles hacerlo, ellos no podrán liquidar la deuda y tendrán que esperar hasta la próxima vez para efectuarlo. Eso quiere decir que si ustedes no pueden ver la relación kármica, estarán propensos a hacer cosas erróneas y consecuentemente perderán su virtud.

No tiene importancia que la gente común trate los asuntos de la gente común, porque aplicará los principios de la gente común para juzgarlos. Pero ustedes deben usar los principios sobrenaturales para juzgar las cosas. Es un problema de *Xinxing* si no impiden un asesinato o un fuego cuando lo vean. De otro modo, ¿cómo podrán demostrar que son personas buenas? Si ni siquiera detienen un asesinato o un fuego, ¿en qué otras cosas se involucrarían? Sin embargo, hay un punto que afirmar: Estas cosas realmente no tienen nada que ver con nuestros cultivadores. No se planean necesariamente para que las encuentren. Nosotros les hablamos sobre la preservación de la virtud precisamente para prevenir que cometan errores. Quizás, si hacen un poquito de algo, posiblemente habrán hecho algo malo y entonces perderán virtud. Si pierden virtud, ¿cómo podrán elevar su nivel? ¿Cómo podrán alcanzar la meta final? Hay tales problemas en ello. Además, deben tener una buena cualidad de entendimiento. Si cuentan con buenas cualidades innatas, tendrán probablemente buena cualidad de entendimiento. La influencia del ambiente también puede tener un efecto.

Hemos enseñado también que si cada uno de nosotros cultiva su propio interior, examina su propio *Xinxing* para encontrar dónde ha fallado para mejorarlo la próxima vez y considera primero a otros antes de hacer algo, la sociedad humana mejorará y la moralidad ascenderá a una norma superior nuevamente. La civilización espiritual se volverá mejor y la seguridad pública mejorará también. Como resultado, probablemente incluso no habrá policías. Entonces, nadie necesitaría ser gobernado y cada uno se disciplinaría a sí mismo y buscaría la causa en su propio corazón. Que magnífico sería eso. Como todos saben, a pesar de que las leyes son cada vez más extensas e impecables, ¿por qué aún hay quienes hacen cosas malas? ¿Por qué no acatan las leyes? Es debido a que no les pueden gobernar el corazón. Sin supervisión, harán cosas malas. Si cada uno cultivase el interior de su corazón, la situación sería totalmente diferente. No les sería necesario intervenir en defensa de la injusticia y de los débiles.

La Ley sólo puede ser expuesta a este nivel. Dependerá de su propia cultivación el obtener lo que está en niveles más altos. Algunos de ustedes han hecho preguntas cada vez más específicas. Si quieren que les explique todas las preguntas de su vida diaria, ¿qué les quedará para cultivar? Deben cultivarse y tratar de iluminarse por su propia cuenta. Si les digo todas las cosas, no les quedará nada para cultivar. Afortunadamente, la Gran Ley ha sido expuesta al público, y pueden actuar de acuerdo con la Gran Ley.

*   *   *

Pienso que el tiempo de mi enseñanza de la Ley básicamente ha terminado. Por lo tanto, les quiero dejar las cosas auténticas para que puedan tener la Ley como guía en su futura práctica de cultivación. Durante todo el curso de mis conferencias de la Ley, he sido responsable ante todos y ante la sociedad al mismo tiempo. En realidad, hemos actuado según este principio. En cuanto a si lo he hecho bien o no, no voy a comentar nada sobre esto, porque naturalmente existirá la opinión pública para juzgarlo. Mi intención es divulgar la Gran Ley para que más gente obtenga beneficios de ella y para que los que desean cultivarse genuinamente sean capaces de hacer progreso en su cultivación de acuerdo con la Ley. Al mismo tiempo, en el curso de la enseñanza de la Ley, también hemos expuesto la verdad de cómo ser una buena persona, y esperamos que después de salir de esta clase, por lo menos, sean buenas personas si no pueden cultivarse de acuerdo con la Gran Ley. Eso beneficiará a nuestra sociedad. De hecho, ya saben ser buenas personas, y después de salir de aquí, se harán buenas personas.

Durante el curso de la conferencia sobre la Ley, ha habido

también algunas cosas que no han marchado fácilmente, y los diversos tipos de interferencia también han sido muy grandes. Gracias al pleno apoyo de las organizaciones patrocinadoras, de los administradores de diferentes profesiones, y de los esfuerzos del personal de trabajo, nuestras clases han tenido bastante éxito.

Durante las conferencias, todo lo que he expuesto es para guiar a todos a que practiquen la cultivación hacia los niveles más altos. En el pasado, nadie mencionó estas cosas en sus enseñanzas. Lo que hemos expuesto es bastante explícito, porque lo hemos explicado incorporando la ciencia moderna y la ciencia contemporánea del cuerpo humano. Además, lo que se ha enseñado es de un nivel muy alto. La intención principal es que todos puedan obtener realmente la Ley en el futuro y ascender por medio de la práctica de cultivación. Esto es mi punto de partida. Durante el curso de mi exposición de la Ley y del *Gong*, a muchos les ha parecido muy buena la Ley, pero encuentran difícil actuar de acuerdo con ella. En realidad, creo que depende de la persona si le es difícil o no. Una persona común que no quiere hacer la cultivación, puede considerar que la práctica de cultivación es demasiado difícil, inconcebible, o imposible. Al ser una persona común, no quiere hacer la cultivación y la encuentra muy difícil. Una vez Lao Tsé dijo: "Al oír el Tao, un hombre sabio practicará diligentemente. Al oírlo un hombre de entendimiento común, practica de vez en cuando. Al oírlo un hombre de pobre entendimiento, se reirá a carcajadas. Si no se riera, no sería el Tao." Para un cultivador genuino, debo decir que es algo muy fácil y no es algo demasiado alto para alcanzar. En realidad, muchos alumnos veteranos aquí sentados o no presentes han llegado a niveles considerablemente altos en la cultivación. Yo no les he dicho esto, por temer que pudieran desarrollar apegos y quedar satisfechos de sí mismos y contentos, lo que podría afectarles el crecimiento de su Potencia de Energía. Como cultivador genuino y decidido, uno será capaz de soportar cualquier cosa y renunciar o cuidar menos de cualquier apego ante los diversos intereses propios. Con tal de que puedan realizar esto, no les será difícil la cultivación. Esa gente lo encuentra difícil porque no puede abandonar estas cosas. La práctica y cultivación del *Gong* y la Ley no son difíciles, ni es difícil elevar su nivel. Dicen que la cultivación es difícil precisamente porque no pueden renunciar a los apegos mundanos. Esto es porque les es difícil abandonarlos cuando hay intereses de por medio. Esos intereses creados están justamente aquí; entonces, ¿cómo podrán abandonar este apego? Es precisamente por esto que uno lo encuentra difícil. Cuando ocurra un conflicto entre uno y otro, si no pueden practicar la tolerancia o considerarse practicantes al tratarlo, debo decirles que esto es inaceptable. Cuando practiqué la cultivación en el pasado, hubo muchos grandes maestros que me dijeron estas palabras: "Cuando es difícil soportarlo, puedes soportarlo. Cuando es imposible hacerlo, es posible hacerlo." En efecto, esto es precisamente así. Después de regresar a casa, todos pueden hacer un intento. Cuando estén atravesando por una dificultad o una tribulación real, debían intentar probarlo. Cuando sea difícil de aguantar, intenten aguantarlo. Cuando parece imposible de hacer y dicen que es imposible de hacer, deben intentarlo y ver si es posible. Si pueden realizarlo de verdad, realmente descubrirán que: "¡Después de pasar la sombra del sauce verde, habrá flores brillantes y otra aldea más adelante!"

Ya que he hablado tanto, les será difícil recordar, con tantas cosas que han sido mencionadas. Quiero exigirles principalmente algunos requisitos: Espero que todos se consideren practicantes en su futura cultivación y que verdaderamente continúen su cultivación. ¡Espero que todos los alumnos veteranos y nuevos puedan hacer la cultivación en la Gran Ley y alcanzar la consumación! Espero que después de regresar a casa todos aprovechen muy bien el tiempo para cultivarse genuinamente.

En la superficie, <u>Zhuan Falun</u> no es un escrito elegante en términos del lenguaje, y quizás aun no concuerde con la gramática moderna. Sin embargo, si yo trato de usar la gramática moderna para refinar este libro de la Gran Ley, aparecerá un problema serio: La estructura del lenguaje escrito sería estandarizada y elegante, pero el escrito no podría abarcar las implicaciones más profundas y más altas. Esto es porque el vocabulario estandarizado moderno no puede usarse para expresar la Gran Ley como una guía en diferentes niveles más altos y las manifestaciones de la Ley en cada nivel; tampoco sería posible promover la transformación del *Benti* y del *Gong* de los alumnos, u otros cambios esenciales de ese tipo.

. . . .

Li Hongzhi
5 de enero de 1996

Glosario

Ah Q: Un personaje tonto en una novela china.

Arhat: Un ser iluminado con Estado de Fruto en la Escuela Buda y uno que está más allá de los "Tres Reinos."

Asura: (del sánscrito) "Espíritus perversos."

Bagua: Del Libro de los Cambios. Es un diagrama prehistórico que se cree que revela los cambios del curso de la naturaleza.

Baihui: Punto de acupuntura localizado en la coronilla.

Bairi feisheng: Un término taoísta para "elevarse por levitación en plena luz del día."

Benti: El ser verdadero; el cuerpo físico de uno y sus otros cuerpos existentes en otras dimensiones.

Bian Que: Un doctor notable en la historia de la medicina china.

Bigu: "Sin un grano"; un antiguo término para la abstinencia de comida y agua; el ayuno.

Bodhisattva: Ser iluminado femenino con Estado de Fruto en la Escuela Buda y uno que está por encima de Arhat pero más bajo que Tathagata.

Bodhisattva Avalokitesvara: Conocida por su compasión, es una de dos Bodhisattvas mayores en el Paraíso de la Felicidad Suprema.

Canales de energía: En la medicina china, se dice que son conductos de *Qi* que comprenden una compleja red para la circulación de energía.

cavando dentro de un cuerno de buey: Una expresión china que significa seguir un camino sin salida.

Changchun: Ciudad capital de la provincia de Jilin.

Changqing: La ciudad más poblada en el sudoeste de China.

Chu-Shi-Jian-Fa: La Ley Fuera del Mundo Triple.

Cinco Elementos: Metal, madera, agua, fuego y tierra.

"colocar un crisol en un horno para efectuar alquimia con hierbas medicinales recolectadas": Metáfora Taoísta para la Alquimia Interna.

Crónica de la Investidura de los Dioses: Una obra clásica de ficción china.

Cuerpo Blanco Como la Leche: Un cuerpo purificado, sin *Qi*.

Cuerpo Blanco Puro: Un cuerpo transparente en el nivel más alto de *Shi-Jian-Fa*.

Dafa: "Gran Ley"; "Gran Vía"; principios.

Da Ji: Una concubina malvada del último emperador de la Dinastía Shang (771 b.C.-16 b.C.). Se cree que estaba poseída por el espíritu de un zorro y que causó la caída de la Dinastía Shang.

Dan: Masa de energía en el cuerpo de un practicante recolectada de otras dimensiones.

Dan Jing: Un texto clásico chino de práctica de cultivación.

Dantian: "Campo de *Dan*"; el lugar del abdomen inferior.

De: "Virtud"; una substancia blanca.

Dharma: Las enseñanzas de Buda Sakyamuni.

Ding: Un estado de mente vacía, pero consciente.

Escuela Qimen: "Escuela Rara."

Zhu Yuanshen: El Espíritu Primordial Principal; la Consciencia Principal (*Zhu Yishi*).

Estado de Fruto: El nivel alcanzado por uno en la Escuela Buda, v.g. Arhat, Bodhisattva, Tathagata, etc.

Esvástica: "Rueda de luz" del sánscrito. Este símbolo se remonta a más de 2.500 años y ha sido descubierto en reliquias culturales en Grecia, Perú, India y China. Durante siglos ha tenido connotaciones de buena fortuna, representando el sol, y se ha mantenido en alta estima.

Fa: La Ley y los principios en la Escuela Buda.

Fashen: "Cuerpo de Ley"; un cuerpo compuesto de *Gong* y Fa.

Fengshui: Geomancia china; el estudio del medio ambiente en función de su entorno y los cinco elementos.

Fruto Verdadero: Logro del Estado de Fruto en la Escuela Buda.

Futi: Un espíritu o un animal que posee un cuerpo humano; posesión por un animal o espíritu.

Fu Yuanshen: Alma (s) secundaria; *Fu Yishi* o consciencia asistente.

Gong: 1. Energía de cultivación. 2. Una práctica que cultiva tal energía.

Gongli: "Potencia de Energía."

Gongshen: Un cuerpo compuesto de *Gong*.

Gongzhu: "Pilar de *Gong*"; pilar de energía que crece por encima de la cabeza del practicante.

Gran Emperador de Jade: En la mitología china, la deidad que supervisa los Tres Reinos.

"Gran Revolución Cultural": Un movimiento político que denunció los valores y la cultura tradicionales (1966-1976).

Gran Señal de Mano de la Flor de Loto: Una postura de manos para la consagración (*Kaiguang*).

Guanding: Llenarse de energía por la coronilla; rito de iniciación.

Guangxi: Una provincia en el sur de China.

Guanyin: Un culto llamado en nombre de la Bodhisattva Avalokitesvara, la "Diosa de la Misericordia."

Guiyang: Capital de la provincia de Guizhou.

Guizhou: Una provincia en el sudeste de China.

Han: El mayor grupo étnico de la población china.

Han Xin: El general principal de Liu Bang en la Dinastía Han (206 a.C.-23 d.C.).

Heche: "Vehículo de Río"; una forma de circulación de energía.

Hegu: Un punto de acupuntura en el dorso de la mano.

Hetu: Diagrama prehistórico que revela los cambios del curso de la naturaleza.

Hinayana: "Budismo del Pequeño Vehículo."

Huatuo: Un doctor de renombre en la historia de la medicina china.

Huiyin: Un punto de acupuntura localizado en el centro del perineo (el área en medio del ano y los órganos genitales).

***Hun*:** Comida prohibida en el Budismo.

Jiang Ziya: Un personaje en la <u>Crónica de la Investidura de los Dioses</u>.

Jigong: Un monje budista bien conocido en la Dinastía Song sureña (1127 d.C.-1279 d.C.).

Jinan: Capital de la Provincia de Shandong.

***Kaigong*:** La salida final de la energía de cultivación; la iluminación total.

***Kalpa*:** Un período de tiempo que dura dos mil millones de años; aquí este término se usa como un número.

Karma: Una substancia negra acumulada a través de maldades hechas previamente.

Laogong: Punto de acupuntura localizado en medio de la palma.

Lao Tsé: Fundador de la Escuela Tao y autor del <u>Dao De Ping (Tao Te Ching)</u>. Se cree que vivió y enseñó en China alrededor del siglo V ó IV a.C.

Lei Feng: Un ejemplar moral chino en la década de 1960.

Li: Una medida china de distancia (=0.5 Km.). En chino, "108 mil *li*" es una expresión común para describir una distancia muy lejana.

Li Shizhen: Un doctor de renombre en la historia de la medicina china.

Lianhuase: Una de diez discípulas principales de Buda Sakyamuni.

Liu Bang: El emperador y fundador de la Dinastía Han (206 a.C.-23 d.C.).

Lu Dongbin: Una deidad taoísta, una de las famosas Ocho Divinidades en la historia china.

Luoshu: Diagrama prehistórico que revela los cambios del curso de la naturaleza.

Mah Jong: Un juego tradicional chino que juegan cuatro personas.

Mahayana: "El Budismo del Gran Vehículo."

Maoyou: La línea que forma el borde entre los lados *Yin* y *Yang* del cuerpo.

Dinastía Ming: Período entre 1368 d.C. y 1644 d.C. en la historia china.

Mingmen: "Puerta de la Vida"; punto de acupuntura en la línea central y parte baja de la espalda.

Mo Ding: Como afirman algunos maestros de *Qigong*, toque en la coronilla para dar energía.

Mujianlian: Uno de diez discípulos varones principales de Buda Sakyamuni.

El Mundo de las Diez Direcciones: Concepto budista del universo.

Nanjing: Capital de la provincia de Jiangsu.

Nirvana: (del sánscrito) Partir de este mundo humano sin este cuerpo físico; el método de completar la cultivación en la Escuela del Buda Sakyamuni.

las Ocho Divinidades: Taos bien conocidos en la historia china.

Palacio *Niwan*: Término taoísta para el cuerpo pineal; glándula pineal.

Palma de Arena de Hierro, Palma de Cinabrio, Pierna de Vajra, Pie de Arhat: Clases de técnicas en las artes marciales chinas.

Período de Decadencia del Dharma: Según Buda Sakyamuni, el Período de Decadencia del Dharma empezaría 500 años después de que él se fuera, y que su Dharma ya no podría salvar a la gente después de eso.

Qi: En la cultura china, es una "energía vital," pero en comparación con el *Gong*, es una clase de energía inferior.

Qiankun: "Cielo y Tierra"; una forma de circulación de energía.

Qianmen: Uno de los mayores distritos comerciales en Pekín.

Qigong: Una forma de práctica tradicional china que cultiva el *Qi*, o "energía vital."

Qiji: "Mecanismo de energía."

Qin Hui: Un funcionario malvado de la corte real durante la Dinastía Song sureña (1127 a.C. 1279 d.C.).

Qingdao: Una ciudad con puerto en la provincia de Shandong.

Qiqihar: Una ciudad en el nordeste de China.

Ren: Tolerancia, Paciencia, Resistencia.

Sakyamuni: El Buda histórico, Siddharta Gautama.

Samadhi: En el Budismo, "meditación en trance."

Samsara: Las seis vías de reencarnación en el Budismo. (Uno puede volver como ser humano, animal, planta, u otra forma de materia a través de la reencarnación.)

Señora Madre Reina: En la mitología china, la deidad femenina de más alto nivel dentro de los Tres Reinos.

Shan: Compasión, Benevolencia, Bondad.

Shangen: Punto de acupuntura localizado en medio de la cejas.

Shen Gongbao: Un personaje envidioso en <u>Crónica de la Investidura de los Dioses</u>.

Shenxian Zhuan: Una biografía china de deidades taoístas.

Shenxiu: Fundador de la Escuela Norteña del Budismo Zen en la Dinastía Tang.

Shichen: Una unidad china de tiempo de dos horas.

Shi-Jian-Fa: La Ley Dentro del Mundo Triple: El Budismo sostiene que uno tiene que pasar por *samsara* si no ha alcanzado más allá de *Shi-Jian-Fa* o los Tres Reinos.

Shishen: Un término taoísta para el Alma Principal de uno.

Sum Simiao: Doctor notable en la historia de la medicina china.

Sun Wukong: También conocido como el "Rey Mono," un personaje en un trabajo clásico de ficción china, Viaje al Oeste.

Sutras: Literalmente significa "Hilos en que se ensartan las joyas." Los Sutras son escrituras budistas, es decir, los sermones y diálogos del Buda Sakyamuni.

Sutra Diamante: Un antiguo escrito budista.

Taiji: El símbolo de la Escuela Tao.

Taiyuan: La ciudad capital de la provincia de Shangxi.

Dinastía Tang: Uno de los períodos más prósperos de la historia china (618 d.C.-907 d.C.).

Tangshan: Una ciudad en la Provincia de Hebei.

Tantrismo: Una vía de cultivación esotérica del Budismo.

Tanzhong: Un punto de acupuntura en la línea central del pecho.

Tao: 1. También conocido como "Dao" ; término taoísta para "la Vía de la naturaleza y del universo." 2. Ser iluminado que ha logrado este Tao.

Tao Tsang: Un texto clásico chino para la práctica de cultivación.

Tathagata: Ser iluminado con Estado de Fruto en la Escuela Buda que está por encima del nivel de Bodhisattva y de Arhat.

Tian: "Campo."

Tiananmen: La Puerta de Paz Celestial en frente de la Ciudad Prohibida en Pekín.

Tianmu: "Ojo Celestial," también conocido como el "Tercer Ojo."

Tianzi Zhuang: Una forma de ejercicio parado de *Qigong* en la Escuela Tao.

Tzao Tzao: Emperador de uno de los Tres Reinos (220 d.C.-265 d.C.).

Ultimo Estrago: La comunidad de cultivadores sostiene que el universo tiene tres fases de evolución (el Primer Estrago, el Estrago Intermedio, y el Ultimo Estrago), y que ahora estamos en el período final del Ultimo Estrago.

Wuhan: Capital de la provincia de Hubei.

Wuwei: "Hacer sin hacer"; "sin intención"; seguir un curso natural.

Xingming Guizhi: Guía Genuina para la Cultivación de la Naturaleza y la Vida; texto clásico chino para la práctica de cultivación.

Xinjiang: Una provincia en el noroeste de China.

Xinxing: La naturaleza de la mente o del corazón; carácter moral.

Yin y *Yang*: De acuerdo con la escuela Tao, todo está compuesto de las fuerzas opuestas de *Yin* y *Yang* que son mutuamente exclusivas, pero interdependientes, es decir, femenina (*Yin*) contra masculina (*Yang*).

Yuan: Una unidad monetaria china (aprox. $0.12).

Yuanshen: "el Espíritu Primordial."

Yuanying: Término taoísta para el "Infante Inmortal."

Zhang Guolao: Una de las Ocho Divinidades en la Escuela Tao.

Zhen: Verdad, verdadero.

Zhen-Shan-Ren: Verdad-Compasión-Tolerancia.

Zhouyi: El Libro de los Cambios; un antiguo texto chino de cultivación y profecía que data de la Dinastía Zhou (1100 b.C.-221b.C.).

Zhuyou Ke: La práctica de suplicación.